COLLECTION FOLIO

Joseph Kessel

Les mains du miracle

Gallimard

Né en Argentine en 1898 de parents russes ayant fui les persécutions antisémites, Joseph Kessel passe son enfance entre l'Oural et le Lot-et-Garonne, où son père s'est installé comme médecin. Ces origines cosmopolites lui vaudront un goût immodéré pour les pérégrinations à travers le monde.

Après des études de lettres classiques, Kessel se destine à une carrière artistique lorsque éclate la Première Guerre mondiale. Engagé volontaire dans l'artillerie puis dans l'aviation, il tirera de son expérience son premier grand succès, *L'équipage* (1923), qui inaugure une certaine littérature de l'action qu'illustreront par la suite Malraux et Saint-Exupéry.

À la fin des hostilités, il entame une double carrière de grand reporter et de romancier, puisant dans ses nombreux voyages la matière de ses œuvres. C'est en témoin de son temps que Kessel parcourt l'entre-deux-guerres. Parfois l'écrivain délaisse la fiction pour l'exercice de mémoire — *Mermoz* (1938), à la fois biographie et recueil de souvenirs sur l'aviateur héroïque qui fut son ami —, mais le versant romanesque de son œuvre exprime tout autant une volonté journalistique : *La passante du Sans-Souci* (1936) témoigne en filigrane de la montée inexorable du nazisme.

Après la Seconde Guerre mondiale, durant laquelle il joue un rôle actif dans la Résistance, Joseph Kessel renoue avec ses activités de journaliste et d'écrivain, publiant entre autres *Le tour du malheur* (1950) et son grand succès, *Le lion* (1958). En 1962, il entre à l'Académie française.

Joseph Kessel est mort en 1979.

Prologue

Himmler s'est suicidé près de Brême, en mai 1945, au cours de ce printemps où l'Europe ravagée, suppliciée, connut enfin la délivrance.

Si l'on compte seulement les années, cette époque est encore proche de nous. Mais tant d'événements, depuis, se sont accumulés, et si graves, qu'elle semble déjà très lointaine. Déjà, toute une génération est là, pour qui les temps maudits ne sont que souvenirs vagues et brouillés. Et, au vrai, même pour ceux qui ont subi en pleine conscience, en pleine souffrance, la guerre et l'occupation, il devient difficile, sans un grand effort intérieur, de ressusciter, dans toute son étendue, le terrible pouvoir dont Himmler disposait alors.

Qu'on y songe...

Les armées allemandes occupaient la France, la Belgique et la Hollande, le Danemark et la Norvège, la Yougoslavie, la Pologne et la moitié de la Russie d'Europe. Et Himmler avait, dans ces contrées (sans compter l'Allemagne elle-même, l'Autriche, la Hongrie et la Tchécoslovaquie), une autorité absolue sur la Gestapo, les formations S.S., les camps de concentration et jusque sur la nourriture des peuples captifs.

Il possédait sa police et son armée personnelles, ses services d'espionnage et de contre-espionnage, ses prisons tentaculaires, ses organismes d'affameurs, ses immenses terrains privilégiés de chasse et d'hécatombe. Il avait pour fonction de surveiller, traquer, museler, arrêter, torturer, exécuter des millions et des millions d'hommes.

De l'océan Glacial à la Méditerranée, de l'Atlantique jusqu'à la Volga et au Caucase, ils étaient à sa merci.

Himmler, c'était un État dans l'État : celui de la délation, de l'inquisition, de la géhenne, de la mort indéfiniment multipliée.

Au-dessus de lui n'existait qu'un chef : Adolf Hitler. De lui, Himmler acceptait les besognes les plus basses, les plus odieuses, les plus aberrantes, aveuglément, joyeusement, dévotement. Car il vénérait, adorait Hitler au-delà de toute mesure. C'était son unique passion.

Pour le reste, à l'ancien instituteur terne, chétif, dogmatique, méthodique à l'extrême, on ne connaissait pas un sentiment vif, un désir ardent, une faiblesse. Il suffisait à son bonheur d'être le technicien sans rival en exterminations massives, le plus grand usinier de tourments et de morts en série que l'histoire ait connu.

Or, il s'est trouvé un homme qui, durant les années maudites de 1940 à 1945, semaine par semaine, mois par mois, a su arracher des victimes au bourreau insensible et fanatique, Cet homme a obtenu de Himmler le tout-puissant, de Himmler l'impitoyable, que des populations entières échappent à l'épouvante de la déportation. Il a empêché que les fours crématoires reçoivent toute la ration de cadavres qui leur était promise. Et seul, désarmé, à demi captif, cet homme a forcé Himmler à ruser, à tricher avec Adolf Hitler, à duper son maître, à trahir son dieu.

De cette aventure, j'ignorais tout, il y a quelques mois encore. C'est Henry Torrès qui, le premier, m'en raconta les grandes lignes. Il ajouta que l'un de ses amis, Me Jean Louviche, connaissait bien Kersten et nous proposait une rencontre avec lui. J'acceptai naturellement.

Mais, je l'avoue, malgré la caution du plus grand avocat de ce temps et celle d'un juriste international remarquable, l'histoire me laissait plus que sceptique. Elle était incroyable, insensée.

Elle le sembla davantage encore, quand je me trouvai en présence d'un homme très gros, au maintien paisible, aux yeux très doux, à la bouche débonnaire et gourmande : le docteur Félix Kersten.

« Allons donc ! me dis-je. Allons donc ! Lui, contre Himmler ! »

Cependant, peu à peu, je ne sais pourquoi ni comment, je sentis que de cette masse tranquille, de cette épaisse bonhomie émanait une influence secrète et profonde qui calmait, rassurait. Je m'aperçus que le regard, malgré sa douceur, avait une pénétration, une fermeté singulières. Que la bouche, pour gourmande qu'elle fût, avait de la finesse et de l'énergie.

Oui, cet homme avait une étrange densité intérieure. Un pouvoir.

Mais de là, tout de même, à pétrir Himmler comme une glaise molle !

Je regardai les mains de Kersten. Leur influence, m'avait-on dit, expliquait le miracle. Le docteur les tenait souvent entrelacées sur la courbe de son ventre. Elles étaient larges, courtes, charnues, pesantes. Bien qu'immobiles, elles possédaient une vie propre, un sens, une certitude.

Mon incrédulité demeurait, mais moins aiguë, moins entière. Jean Louviche, alors, me conduisit dans une autre pièce de son appartement où tables et chaises étaient encombrées de dossiers, de coupures de journaux, de rapports, de photostats.

— Voici les documents, dit-il. En allemand, en suédois, en hollandais, en anglais.

Je reculai devant cet amas de papiers.

— Rassurez-vous, j'ai mis à part les plus courts et les plus décisifs, dit Louviche, en indiquant une liasse.

Et là, il y avait un message du prince Bernhardt des Pays-Bas, où chaque mot était un éloge éclatant, presque démesuré, et qui disait les mérites pour lesquels la grand-croix de l'ordre d'Orange-

Nassau, la plus haute décoration néerlandaise, avait été décernée au docteur Kersten.

Il y avait les photographies de lettres adressées à Kersten par Himmler pour lui accorder les vies humaines que le docteur avait demandées.

Il y avait la préface aux *Mémoires*, en langue anglaise, de Kersten, écrite par H.R. Trevor-Roper, professeur d'histoire contemporaine à l'université d'Oxford et l'un des plus grands experts des services secrets britanniques sur les affaires allemandes pendant la guerre, et qui écrivait :

Il n'est point d'homme dont l'aventure semble à première vue aussi peu croyable. Mais il n'est point d'homme, par contre, dont l'aventure ait subi une vérification aussi minutieuse. Elle a été scrutée par des érudits, des juristes et même par des adversaires politiques. Elle a triomphé de toutes les épreuves.

Quand je revins au salon, la tête me tournait un peu. Ainsi, le fait était vrai, prouvé, indéniable : ce gros homme, ce médecin débonnaire dont l'aspect tenait d'un bourgmestre des Flandres et d'un bouddha d'Occident, avait dominé Himmler au point de sauver des centaines de milliers de vies humaines ! Mais pourquoi ? Mais comment ? Par quel incroyable prodige ? Une curiosité sans bornes avait remplacé mon peu de foi.

Elle a été satisfaite peu à peu, détail par détail, souvenir après souvenir. J'ai passé des journées avec Kersten, à l'interroger, à l'écouter.

Malgré les preuves indiscutables que j'avais eues sous les yeux, il arrivait que je refusais d'accepter certains épisodes du récit. Cela ne pouvait pas être vrai. Cela n'était simplement pas possible. Mon doute ne choquait pas, ne surprenait pas Kersten. Il devait avoir l'habitude... Il sortait simplement, avec un demi-sourire, une lettre, un document, un témoignage, une photocopie. Et il fallait bien admettre cela, comme le reste.

CHAPITRE PREMIER

L'élève du docteur Kô

1

La grande inondation qui ravagea la Hollande, aux environs de l'an 1400, emporta les ateliers et les fabriques où les Kersten, bourgeois opulents, faisaient filer la bonne toile des Flandres, depuis le Moyen Âge.

Après cette catastrophe, ils se fixèrent à Gœttingen, en Allemagne de l'Ouest, y reprirent leur métier et rétablirent leur fortune. En 1544, lorsque Charles Quint visita la cité, Andréas Kersten faisait partie du Conseil municipal et, pour récompenser son mérite, l'Empereur, sans toutefois l'anoblir, lui donna des armes : deux poutres surmontées d'un casque de chevalier et semées des lys de France.

La famille continua de prospérer à Gœttingen, encore cent cinquante ans. Alors vint le feu : un incendie la ruina sans appel.

Le XVIe siècle s'achevait. Il fallait des colons aux marches de Brandebourg. Le margrave Johan Sigismund, qui en était le souverain, accorda une centaine d'hectares aux Kersten. Ils y travaillèrent, paysans et fermiers, durant deux cents années. Le Brandebourg n'était plus qu'une province de l'Empire d'Allemagne, et le XIXe siècle approchait de son terme quand un taureau enragé tua, en pleine force de l'âge, Ferdinand Kersten, sur la terre que le margrave avait donnée à son ancêtre de Gœttingen.

La veuve, laissée sans grandes ressources, mais avec une famille nombreuse, vendit la ferme pour s'établir dans la petite ville voisine où elle pensait qu'il lui serait plus facile d'élever ses enfants.

Le cadet de ses fils était agronome, mais il n'avait plus de terre qui lui appartînt. Il chercha un emploi. Celui de régisseur lui fut offert en Pays Balte, qui faisait partie de la Russie des tzars. Il obéit au destin qui poussait les siens toujours plus avant vers l'est.

2

Le domaine de Lunia, en Liflande, était immense. Il appartenait au baron Nolke. La caste dont il faisait partie n'existe plus. Mais elle était assez nombreuse alors en Europe Orientale et Centrale. Possesseurs de terres grandes comme des provinces, les Magnats, les Barines, seigneurs indolents et jouisseurs, laissaient leurs propriétés aux mains des intendants et allaient dépenser à l'étranger des revenus énormes.

Frédéric Kersten était d'une probité scrupuleuse et d'une telle robustesse qu'il devait atteindre quatre-vingt-onze ans sans avoir connu un seul jour de maladie. Cette probité, cette force, il les mettait entièrement au service de la passion qu'il nourrissait pour le travail de la terre. Il aurait pu gouverner indéfiniment le domaine en l'absence de son maître ; mais, comme il se rendait souvent à Yourieff, ville principale de la région, et célèbre par ses vieilles universités, il y connut Mlle Olga Stubing, fille du directeur des Postes, s'éprit d'elle, lui plut et l'épousa. Il quitta le service du baron Nolke pour faire fructifier les biens de sa femme et de son beau-père qui comprenaient une petite propriété aux environs de Yourieff et trois maisons entourées de grands jardins dans la même ville.

Frédéric Kersten et Olga Stubing furent très heureux.

La jeune femme était d'une bonté singulière. Elle invitait presque chaque jour, chez elle, des enfants pauvres, les nourrissait, les soignait. Les familles nécessiteuses avaient l'habitude, dans les jours difficiles, de s'adresser à elle. On savait également, dans la région, qu'elle guérissait, par simple massage et bien mieux que les docteurs, fractures, rhumatismes, névralgies et douleurs d'entrailles. Quand on s'étonnait de ce pouvoir qui ne lui venait d'aucune étude, elle répondait avec humilité :

— C'est tout naturel, je tiens cela de ma mère.

3

Un matin de septembre de l'année 1898, Olga Kersten mit au monde un fils. Il eut un parrain de marque : l'ambassadeur de France à Saint-Pétersbourg. Ce diplomate, épris d'horticulture, s'était lié d'amitié avec l'agronome Frédéric Kersten au cours des séjours assez fréquents que celui-ci faisait dans la capitale pour ses affaires et ses travaux. À cette époque, le Président de la République française était M. Félix Faure. En son honneur, le parrain ambassadeur choisit pour son filleul le prénom de Félix.

Autour des premières années de l'enfant, il n'y eut que douceur, bonhomie, droiture et bon sens. Aux vertus sûres et modestes de la vieille Allemagne, se mêlait la généreuse chaleur humaine des foyers russes.

Quant à la ville où grandit le petit garçon, elle avait le charme des gravures d'antan.

Les maisons y étaient de bois, construites en grosses poutres apparentes, sauf pour la rue principale qui s'appelait Nicolaïevskaïa, du nom du Tzar régnant. Là, les façades étaient de pierre. Là, le dimanche, défilaient pour la promenade les équipages attelés de chevaux splendides, landaus et victorias à la belle saison, traîneaux recouverts de fourrures en hiver. À Yourieff, passait la rivière Embach, qui coulait vers le lac Peïpous. Pendant les mois de gel, on y patinait et les collégiens et les étudiants, qui avaient des vareuses et des casquettes d'uniforme, s'empressaient autour des lycéennes aux joues saisies et rosies par le froid, qui portaient, d'un bout à l'autre de la Russie, les mêmes robes et les mêmes tabliers marron.

Yourieff était le siège du gouvernement de la province. Et le gouverneur et les fonctionnaires et les magistrats et les policiers ressemblaient, par leur hospitalité, leur bonhomie et leur vénalité, aux personnages que l'on voit chez Gogol, dans *Le Revizor* ou *Les Âmes mortes.* Et les marchands avec leurs nuques massives, leur barbe de fleuve, leurs bottes crissantes, leur parler spécial, on eût dit qu'ils sortaient encore des pièces d'Ostrowski. Et les moujiks tombaient à genoux quand ils passaient devant la cathédrale. Et pour les Marches de Grâce, toute la Sainte Russie resplendissait sur les vêtements et les icônes du clergé orthodoxe qui précédait les grands défilés religieux.

Le samovar chantonnait de l'aube à la nuit profonde. Les familles étaient vastes, les fêtes nombreuses ; la maison et la table toujours ouvertes.

Dans ce monde archaïque de nonchalance, de facilité, de paresse et de largesse, la vie d'un enfant, à condition assurément qu'il appartînt à la classe aisée, et n'eût pas conscience de l'épouvantable misère du peuple, était d'une douceur enchantée.

Dans celle du petit Félix Kersten, les événements marquants étaient les fêtes de charité où chantait sa mère que, pour sa voix de soprano délicieuse et son don musical, on avait surnommée : « Le rossignol de Liflande » et où, lui, il se gavait en cachette de sucreries. Il y avait encore les vacances qu'il passait au bord de la mer, à Terioki, en Finlande. Il y avait les cadeaux d'anniversaire, de Noël, de Pâques…

Toutefois, son bonheur était gâché par ses insuccès à l'école. Les dons ne lui manquaient pas, mais l'attention, l'application. Les maîtres disaient de lui qu'il ne ferait jamais rien de sérieux. Il était négligent, rêveur et d'une gourmandise extrême.

Son père, travailleur infatigable, ne pouvait pas admettre ces échecs. Il les mit au compte du climat familial trop tendre. Lorsque l'enfant eut sept ans, il fut envoyé dans un pensionnat, à cent kilomètres de Yourieff. Il y resta cinq ans sans beaucoup plus de succès. Puis il alla étudier à Riga, la grande ville des Pays Baltes, réputée pour la rigueur et l'excellence de ses cours et de ses maîtres. Félix Kersten y termina très péniblement ses études secondaires.

Au début de l'année 1914, son père l'expédia en Allemagne pour entrer dans la fameuse école d'Agronomie de Guenefeld, au Schleswig-Holstein.

4

Ce fut là, six mois plus tard, que la première guerre mondiale surprit Félix Kersten. Il se trouva coupé brusquement de la Russie et des siens. En fait, il n'eut pas à le regretter longtemps. Le gouvernement du Tzar n'avait aucune confiance dans la population de souche allemande, si nombreuse en Pays Balte, aux confins de l'Empire, et si fidèle à ses origines. On déporta des milliers de familles en Sibérie et au Turkestan. Les parents de Kersten furent compris dans cet exode. Il les mena jusqu'à l'autre bout de la Russie. Un village perdu dans la région désolée de la Mer Caspienne leur fut assigné comme résidence pour toute la durée de la guerre.

Félix Kersten, séparé des siens, à l'âge de seize ans, par des armées en bataille et des espaces immenses, ne pouvait plus attendre secours ni appui de personne. Ce fut pour lui l'heure de la vérité.

Jusque-là, ce grand garçon gourmand, assez gras, indolent et rêveur, avait mal compris l'acharnement au travail que montrait son père. L'instinct de conservation lui fit adopter d'un seul coup cette vertu. Elle entra dès lors dans la règle de toute sa vie.

En deux ans, il obtint à Guenefeld son diplôme d'ingénieur agronome. Après quoi, il alla faire un stage pratique dans une propriété de l'Anhalt. Les autorités ne faisaient aucune difficulté pour le séjour et les déplacements d'un étudiant né de père allemand. L'administration voyait en Félix Kersten un sujet de l'empereur Guillaume II. Mais ces droits avaient des devoirs pour rançon. En 1917, Félix Kersten dut entrer dans l'armée.

C'était alors un jeune homme de haute taille, bien en chair, aux mouvements mesurés, paisibles, et d'une grande maturité d'esprit. Il admirait assurément la puissance de travail, la méthode, la culture et la musique allemandes, mais il avait en horreur le goût pour l'uniforme, le militarisme à la prussienne, les officiers et sous-officiers fanatiques de discipline et de chauvinisme. De plus, il gardait pour la Russie de son enfance une tendresse secrète et nostalgique.

Il lui répugnait de se battre contre elle dans une armée et pour une cause qu'il n'aimait pas. Il finit par trouver un moyen terme, un accommodement.

Chacun des grands conflits qui a remis en cause les structures de l'Europe a donné aux petites nations, absorbées par des Empires massifs, l'espoir et parfois le moyen de la liberté. Pour la conquérir, elles ont toujours aidé le camp qui menaçait leur maître. Ainsi, dans la première guerre mondiale, les Tchèques opprimés par l'Autriche désertaient pour combattre aux côtés des Russes. Ainsi, les Finlandais formaient en Allemagne une légion pour se débarrasser de la domination des Russes. Félix Kersten s'enrôla parmi eux.

Entre-temps, la révolution russe avait éclaté. L'armée du Tzar n'existait plus. Les Pays Baltes, eux aussi, avaient pris les armes pour leur indépendance. Une colonne finnoise vint au secours des Estoniens. Félix Kersten, qui était devenu officier finlandais, en faisait partie. Il alla, ainsi, jusqu'à Yourieff, sa ville natale, qui, libérée, avait repris le vieux nom de Dorpat. Il eut la joie d'y retrouver, en 1919, ses parents, rapatriés des bords de la Mer Caspienne, après la paix de Brest-Litowsk.

Sa mère avait gardé sa fraîcheur d'âme et sa bonté. Son père, bien qu'il approchât de soixante-dix ans, était toujours aussi robuste et ardent au travail. Il acceptait avec philosophie la réforme agraire au profit des paysans, qui avait été l'une des premières mesures du nouveau gouvernements d'Estonie. Elle lui enlevait pourtant la plupart de ses biens.

— Une terre est toujours assez grande pour occuper les mains d'un seul homme, dit-il en souriant à son fils, au moment où celui-ci le quittait pour suivre son régiment qui continuait à refouler les gardes rouges.

Félix Kersten eut à passer tout l'hiver, sans abri, dans des marécages. Il y contracta des rhumatismes qui paralysèrent ses jambes et fut obligé de partir sur des béquilles pour l'hôpital militaire d'Helsinki.

5

Tout en suivant sa cure, Kersten songeait à l'avenir. Il pouvait rester dans l'armée finlandaise. Il appartenait au meilleur régiment de la garde. Mais rien ne lui plaisait de la vie militaire. Son savoir d'agronome ? Il ne possédait plus de terres où l'appliquer et il ne voulait pas travailler chez les autres.

Après avoir beaucoup réfléchi, Kersten choisit de se faire chirurgien. Il confia ce projet au médecin-chef de l'hôpital, le major Ekman. Ce dernier s'était pris d'amitié pour le jeune officier courtois, d'humeur égale et d'une singulière maturité.

— Écoutez-moi, mon petit, lui dit-il, je suis chirurgien moi-même et je peux vous assurer que les études sont très longues et très difficiles, surtout pour un garçon comme vous, sans ressources, qui a besoin de gagner sa vie tout de suite.

Le vieux médecin prit le poignet de Kersten et poursuivit :

— À votre place, j'essaierais de me consacrer au massage scientifique.

— Massage ! mais pourquoi ? s'écria Kersten.

Le major Ekman fit tourner le poignet, montra la paume charnue et forte, les doigts larges et courts.

— Cette main, dit le major, est parfaite pour le massage et beaucoup moins indiquée pour la chirurgie.

— Le massage..., répéta Kersten à mi-voix...

Il se souvenait comment, dans son enfance, les paysans, les ouvriers des environs venaient trouver sa mère pour qu'elle guérît, de ses doigts agiles, foulures, arrachements musculaires et même fractures légères. Déjà la mère de sa mère avait eu le même pouvoir. Il le dit au médecin-chef.

— Vous voyez bien ! C'est un don de famille, dit le major Ekman. Prenez vos béquilles et suivez-moi à la polyclinique ; vous y prendrez vos premières leçons sur le vif.

À partir de ce jour, les masseurs attachés à l'hôpital, qui traitaient les soldats blessés, commencèrent à instruire Kersten. Et un mois ne s'était pas écoulé que les soldats préféraient, à tous les professionnels, le sous-lieutenant étudiant. Et lui, il découvrait, avec un étonnement presque craintif, avec un étrange bonheur, le pouvoir qu'avaient ses mains de rendre au corps souffrant des hommes la souplesse, la paix, la santé.

Le massage, dans les contrées du Nord et surtout au pays finnois, est une science très vieille, un art profond et respecté, À Helsinki, l'un des plus grands spécialistes était alors le docteur Kollander. Il venait à l'hôpital militaire traiter les cas difficiles. Il y connut Kersten et, voyant ses dons, le prit pour élève.

Les deux années qui suivirent furent matériellement difficiles pour le jeune homme. Il ne manquait pas un cours, pas un exercice pratique, et, en même temps, pour assurer sa subsistance, travaillait comme docker au port d'Helsinki, comme serveur ou plongeur dans les restaurants. Mais il avait une forte santé et un appétit féroce qui s'accommodaient de tout. Là où un autre eût maigri, il prit de l'embonpoint.

En 1921, il obtint son diplôme de massage scientifique. Son professeur lui dit alors :

— Vous devriez aller en Allemagne, continuer vos études.

Kersten trouva bon le conseil. Peu de temps après, il arriva à Berlin sans aucune ressource.

6

La question du logement fut la plus aisée à résoudre. Les parents de Kersten avaient, dans la capitale allemande, une vieille amie : la veuve du professeur Lube, qui vivait avec sa fille Elisabeth. La famille Lube n'était pas riche, mais d'une éducation stricte et d'une culture vaste. Elle donna volontiers abri à l'étudiant démuni de tout. Pour les autres besoins essentiels, nourriture, vêtements, inscriptions à l'université, Kersten s'arrangea, comme il l'avait fait à Helsinki, par l'exercice de menus métiers qui s'offraient à lui. Il fut plongeur, figurant de cinéma et parfois, recommandé par la légation finnoise, interprète pour des commerçants et industriels finlandais qui, de passage à Berlin pour affaires, ignoraient la langue allemande. Il y avait de bonnes semaines et il y en avait de très mauvaises. Kersten ne mangeait pas toujours à sa faim, qui était dévorante. Ses vêtements laissaient à désirer. Ses semelles, souvent, bâillaient. Mais il prenait sa pauvreté en patience. Il était jeune, fort, d'une résistance à toute épreuve, d'un caractère équilibré et optimiste.

Enfin, pour l'appuyer dans les instants les plus pénibles, il avait trouvé au foyer même qui l'abritait une alliée merveilleuse : Elisabeth Lube, la fille cadette de la maison, mais sensiblement plus âgée que lui.

Leur amitié eut le caractère le plus immédiat et le plus naturel. Elisabeth Lube était très bonne, très intelligente et très active. Elle avait besoin de mettre en œuvre ses forces intérieures. À cet égard, le grand jeune homme courageux, sain, gai et si pauvre qui débarqua un matin chez sa mère semblait vraiment envoyé par le sort. Et lui, voué une fois de plus à refaire sa vie dans une ville inconnue, sans argent ni famille, comment aurait-il pu répondre à ce dévouement efficace et sûr autrement que par toute sa reconnaissance et toute son affection ?

D'ailleurs, Kersten avait le goût le plus vif pour l'amitié féminine. Il voyait dans les jeunes filles et les jeunes femmes qui lui plaisaient les créatures mêmes dont les romantiques allemands et russes, qu'il avait lus avec ferveur, ont peuplé leurs ouvrages. Elles étaient des anges. Elles étaient des chimères poétiques. Il les traitait avec une galanterie désuète et des attentions exaltées. Ce comportement, peut-être, ne convenait pas tout à fait à son teint florissant, à son embonpoint précoce, à la placidité de son visage. Mais jeunes femmes et jeunes filles s'en montraient ravies. Son succès était vif. N'en usait-il que platoniquement ? On aurait peine à le croire… La gourmandise n'était pas chez lui la seule forme de sensualité.

Mais avec Elisabeth Lube ses rapports ne sortirent jamais du domaine de l'amitié nette et pure.

Il est possible que cette réserve vînt de la différence d'âge qui les séparait, mais il semble davantage que sa cause profonde était dans un instinct de sagesse également partagé. Elisabeth Lube et Félix Kersten savaient leur affection si rare et si précieuse qu'ils la mirent, par une sorte de réflexe, à l'abri des risques et des troubles dont l'eût menacée un sentiment d'une autre nature. Ils ne s'étaient pas trompés. Leur alliance dure jusqu'à ce jour, soit depuis près de quarante ans. Les péripéties d'une vie entière, les changements de fortune, de résidence, de condition familiale, la tragédie de l'Europe et cinq années terribles pour Kersten n'ont fait que renforcer la valeur et la beauté d'un lien tout spirituel, noué en 1922, entre la fille d'une bonne famille bourgeoise et un jeune étudiant très pauvre.

Cela se fit sans propos ni gestes exaltés. Tranquillement, petitement, quotidiennement. Elisabeth Lube reprisa, lava, repassa le linge et les vêtements de Kersten. Et quand vint le jour où le jeune homme eut un besoin désespéré de chaussures neuves, Elisabeth Lube vendit en cachette (il ne le sut que beaucoup plus tard) l'unique et minuscule diamant qu'elle tenait d'un héritage. Pendant qu'elle raccommodait et ravaudait, Kersten lui confiait ses projets, ses espoirs ou étudiait près d'elle avec acharnement. Elle était pour lui, disait-il, une grande sœur et une mère à la fois.

7

Le professeur Bier, chirurgien de réputation mondiale, enseignait alors à Berlin. Ce maître illustre, chargé de tous les honneurs officiels, s'informait pourtant avec passion des techniques médicales que la Faculté tenait alors pour peu orthodoxes : chiropraxie, homéopathie, acupuncture et, tout spécialement, massage.

Quand le professeur Bier sut que l'un de ses élèves était confirmé dans le massage finnois, il le distingua, l'admit dans sa familiarité et, un jour, lui dit :

— Venez dîner à la maison, ce soir. Je vous ferai connaître quelqu'un qui vous intéressera.

Quand Kersten pénétra dans les grandes pièces brillamment éclairées, il aperçut auprès de son maître un vieux petit monsieur chinois, dont le visage tout haché de menues rides n'arrêtait pas de sourire au-dessus d'une barbe rare, rêche et grise.

— Voici le docteur Kô, dit à Kersten le professeur Bier.

La voix du grand chirurgien avait eu, pour prononcer ce nom, un accent qui surprit Kersten par sa déférence, sa révérence. Le docteur Kô ne fit rien, ne dit rien, au début tout au moins, qui pût justifier cette intonation. Le professeur Bier mena presque entièrement l'entretien. Le frêle vieillard chinois se bornait à hocher la tête par brèves et rapides secousses de politesse et à sourire sans fin. De temps à autre, les petits yeux noirs, agiles, mobiles et brillants à l'extrême arrêtaient, pour un instant, leur va-et-vient dans la fente des paupières bridées pour considérer Kersten avec une intensité singulière. Après quoi, rides, sourires et prunelles reprenaient leur jeu aimable et vif.

Soudain, du ton le plus uni, le docteur Kô conta son histoire au jeune homme.

Il était né en Chine, mais avait grandi dans l'enceinte d'un monastère au nord-est du Tibet. Il s'y était initié dès l'enfance, non seulement aux préceptes et aux traditions de la plus haute sagesse, mais encore aux sciences de guérison chinoise et tibétaine telles que les lamas-médecins les transmettaient d'âge en âge. En particulier, à l'art millénaire et subtil des masseurs. Lorsqu'il eut consacré vingt ans à ces études, le supérieur du monastère l'appela :

— Nous n'avons plus rien à t'enseigner de ce côté du monde, lui dit-il. Tu vas recevoir l'argent nécessaire pour vivre en Occident afin de t'instruire auprès des savants, là-bas.

Le lama-médecin gagna la Grande-Bretagne, s'inscrivit dans une Faculté, y passa le temps qu'il fallait pour obtenir le diplôme de docteur. Puis il commença d'exercer à Londres.

— J'ai traité mes malades par le massage tel qu'on l'enseigne là-haut, dans nos monastères tibétains, dit le docteur Kô. Ce n'est pas l'orgueil qui m'inspirait. Un lama, dans son initiation, se dépouille de toutes les vanités. Je pensais simplement que, dans la science d'Occident, je n'étais qu'un novice dépassé par tant et tant de docteurs excellents. Tandis que, seul, je possédais ici les moyens de guérir qui se pratiquent en Chine depuis la nuit des temps.

— Et le docteur Kô a fait des merveilles, dit le professeur Bier. Et ses confrères, naturellement, l'appelaient rebouteux. Alors je lui ai écrit et il a bien voulu nous faire l'honneur de venir travailler à Berlin sous ma garantie absolue.

Ces paroles firent une impression profonde sur Kersten. Un maître éminent entre tous, armé de la plus haute culture scientifique, montrait une confiance entière à ce petit magot jaune et ridé venu du Toit du Monde !

— J'ai parlé au docteur Kô de vos études en Finlande, reprit le professeur. Il a désiré vous connaître.

Le docteur Kô se leva, s'inclina, sourit et dit :

— Nous allons laisser notre hôte. Nous n'avons que trop abusé de son temps.

Le Tiergarten se trouvait dans le voisinage. Cette nuit-là, les promeneurs qui erraient à travers le grand parc semé de statues royales et de charmilles obscures virent, à la clarté des lampadaires, cheminer lentement, côte à côte, deux silhouettes contrastées : l'une, haute, massive et jeune, l'autre menue, vieillotte, chétive. C'étaient le docteur Kô et Félix Kersten. Le médecin-lama interrogeait sans répit l'étudiant. Il voulait tout savoir de lui :

les origines, la famille, le caractère, les études et, surtout, ce que lui avaient enseigné ses maîtres en massage à Helsinki.

— Parfait, parfait, dit enfin le docteur Kô. Je n'habite pas loin. Allons bavarder encore un peu chez moi.

Quand ils furent dans son appartement, le docteur Kô se déshabilla très vite, s'étendit sur un divan et demanda à Kersten :

— Voudriez-vous me montrer votre science finnoise ?

Jamais le jeune homme ne s'appliqua autant que pour pétrir ce corps léger, jaunâtre, fragile et desséché. Quand il se redressa, il était très satisfait de lui-même.

Le docteur Kô remit ses vêtements, fixa sur Kersten le regard brillant et amical de ses yeux bridés et sourit.

— Mon jeune ami, dit-il, vous ne savez encore rien, absolument rien.

Il sourit et continua :

— Mais vous êtes celui que j'attends depuis trente ans. Selon mon horoscope établi quand je n'étais encore, au Tibet, qu'un novice, je devais rencontrer, dans l'année que voici, un jeune homme qui ne saurait rien et à qui je devrais tout enseigner. Je vous propose de vous prendre pour mon disciple.

C'était en 1922.

Les journaux commençaient à parler d'un illuminé délirant : Adolf Hitler. Et parmi ses séides les plus fanatiques, ils citaient un instituteur qui s'appelait Heinrich Himmler.

Mais ces noms n'avaient aucun intérêt, aucun sens pour Kersten qui découvrait, émerveillé, l'art du docteur Kô.

8

Ce que Félix Kersten avait appris à Helsinki et ce que lui révélait le docteur Kô, il faut bien le désigner sous le même terme de massage, puisque les deux enseignements avaient pour fin de donner aux mains le pouvoir de soulager et guérir. Mais, à mesure qu'il assimilait les leçons de son nouveau maître, Kersten voyait qu'il n'existait pas de commune mesure entre l'école finlandaise (dont il savait pourtant qu'elle n'avait pas de rivale en Europe) et la tradition d'Extrême-Orient dont le vieux lama-médecin lui transmettait les principes et les gestes.

La première lui apparaissait maintenant comme un tâtonnement primitif et presque aveugle qui ne pouvait soigner que d'une manière superficielle, hasardeuse et provisoire. L'autre méthode de thérapie manuelle, qui venait de si loin et de si haut, avait la précision et la souplesse du savoir et de l'intuition à la fois. Elle allait à la substance profonde, à la moelle de l'homme qu'elle avait à secourir.

Selon la science chinoise et tibétaine, enseignée par le docteur Kô, le masseur avait en effet pour premier devoir de découvrir, sans aucune aide étrangère et sans même prêter attention aux plaintes de son patient, la nature de la souffrance et situer son siège, sa source. Comment espérer, en effet, guérir une maladie dont on ignore la racine ?

Pour ce diagnostic indispensable, le praticien disposait dans les corps de quatre pouls et de centres et de réseaux nerveux, dénombrés, repérés par la médecine chinoise depuis des siècles et des siècles. Mais pour instrument d'auscultation, il n'en avait qu'un : la pulpe qui gonflait le bout de ses doigts.

C'est elle qu'il fallait donc entraîner, éduquer, affiner, sensibiliser à l'extrême pour lui permettre de percevoir l'affection maligne qui couvait sous la peau, la graisse et les chairs, et déterminer le groupe nerveux dont elle dépendait. Après quoi seulement il devenait utile d'apprendre les parades, c'est-à-dire tous les mouvements des paumes et des doigts qui influaient sur les nerfs désignés par le diagnostic et, grâce à leur truchement, allégeaient le mal ou l'éliminaient.

Pourtant, la connaissance de ces gestes n'était pas la partie la plus difficile.

Sans doute, avant d'avoir la topographie des ramifications nerveuses toujours présente à l'esprit, et de savoir la pression, la torsion, le pétrissement, le glissement propres à corriger telle ou telle défaillance et de l'exécuter avec l'efficacité la plus grande, il fallait un apprentissage long et pénible. Et peu d'élèves y pouvaient parvenir. Mais le secret essentiel de l'art, c'était la faculté de toucher du bout des doigts l'essence de la maladie, de mesurer son intensité et savoir le centre vital d'où elle rayonnait.

L'éducation la plus poussée, la plus raffinée de l'épiderme ne suffisait point. Pour rendre les minuscules antennes tactiles capables de sentir tous les nerfs de l'organisme et de répondre pour ainsi dire à leur appel, le praticien devait, en vérité, sortir de son propre corps et pénétrer dans celui du patient. Ce pouvoir, seules le permettaient les méthodes millénaires des grandes initiations religieuses de l'Extrême-Orient, qui, par les voies de la concentration spirituelle, des exercices respiratoires spéciaux, et des états intérieurs tirés du Yoga, portent l'esprit et les sens à un degré d'acuité, d'intuition inaccessible autrement.

Ce qui semblait naturel au docteur Kô, voué dès l'enfance aux épreuves et aux méditations des lamas, était terriblement ardu pour un homme d'Occident et de l'âge de Kersten. Mais il avait une puissance de travail, de volonté très grande, et aussi, sans doute, le don.

Pendant trois années, il passa aux côtés du docteur Kô chaque instant qui n'était pas indispensable aux cours de la Faculté et aux menus métiers dont il tirait sa subsistance. Seulement alors le docteur Kô se déclara satisfait de lui.

Or, ayant assisté l'ancien lama dans ses travaux, Kersten l'avait vu opérer des cures étonnantes et dont certaines paraissaient tenir du prodige. Assurément elles se bornaient à un domaine bien délimité. Le docteur Kô ne prétendait pas que sa thérapeutique du massage pouvait guérir toutes les maladies. Mais son champ était si vaste (car les nerfs jouent dans l'organisme un rôle dont Kersten aurait ignoré, sans la médecine chinoise, et l'étendue et l'importance), qu'il pouvait combler les désirs du praticien le plus ambitieux.

Ces trois années, malgré la grande pauvreté où il continuait de vivre, passèrent très vite pour Kersten. Non seulement il suivait les leçons du docteur Kô avec une joie et une admiration qui croissaient chaque jour, mais il s'était pris, pour son maître, d'une amitié, d'une tendresse respectueuses qui, elles aussi, devenaient toujours plus profondes et plus vives.

Le lama-médecin n'avait rien d'un ascète. Il interdisait sans doute l'usage de l'alcool et du tabac qui émoussaient la sensibilité tactile. Mais Kersten n'avait jamais eu de goût pour ces excitants. Par contre, le docteur Kô admettait la gourmandise. Il faisait sa propre cuisine et invitait souvent Kersten à partager un riz et un bouillon de poulet merveilleux. Quant aux rapports physiques avec les femmes, il les considérait comme salutaires pour l'équilibre des nerfs.

La gentillesse, la courtoisie, le désintéressement, l'égalité et la force d'âme contribuaient chez lui à un doux plaisir de vivre qui ne se démentait jamais. Et Kersten, si grand, si robuste, se sentait comme protégé par le vieux petit Chinois qui souriait sans cesse.

Aussi le choc qu'il reçut un matin de l'automne 1925 fut-il très dur.

Kersten venait d'arriver chez son maître. Celui-ci lui dit très paisiblement :

— Je pars demain rejoindre mon monastère. Je dois commencer à me préparer à la mort. Je n'ai plus que huit ans à vivre.

Kersten balbutia :

— Mais c'est impossible ! Mais vous ne pouvez pas faire cela... Mais comment pouvez-vous savoir !

— De la source la plus sûre. La date est depuis très longtemps écrite dans mon horoscope.

Le ton et le sourire du docteur Kô avaient leur gentillesse ordinaire, mais les yeux exprimaient une décision sans appel.

Alors, par l'acuité de sa peine, par la sorte d'arrachement intérieur qu'il éprouva, au sentiment de solitude et d'exil qui s'empara de lui, Kersten sut à quel point il était vraiment le disciple du petit homme jaune, ridé, à la barbiche grise et rare.

— Ma mission est accomplie, poursuivit le docteur Kô. Je vous ai transmis ce qu'il m'était permis de vous transmettre. Vous êtes en état de poursuivre mon travail ici. Vous prendrez mes malades.

Il ne resta plus à Kersten qu'à aider son vieux maître à faire ses valises. Le lendemain, le docteur Kô prit le train pour Le Havre d'où il devait s'embarquer pour Singapour, d'où il devait regagner son Tibet natal.

Et Kersten n'entendit plus jamais parler du docteur Kô.

CHAPITRE II

Un homme heureux

1

La vie matérielle de Kersten changea pour ainsi dire du jour au lendemain. Le docteur Kô avait une clientèle considérable. La personnalité de son disciple, sa vigueur, sa rondeur, son charme simple et courtois, sa bonté, sa jeunesse et le fait que, homme d'Europe, il pratiquait les techniques d'Asie avec une science de vieux lama, lui attirèrent tant de malades que, bientôt, il fallut s'inscrire chez Kersten trois mois à l'avance.

Il loua un grand appartement, l'orna de bons meubles, acheta une belle voiture, prit un chauffeur.

Elisabeth Lube surveilla, dirigea ces démarches. Quand tout fut prêt, elle vint tenir la maison.

Une telle réussite et si prompte ne pouvait manquer de susciter l'envie professionnelle. Mais les propos malveillants importaient peu à Kersten. Il avait l'appui du professeur Bier et d'autres maîtres célèbres de la Faculté, et les résultats que son art obtenait témoignaient pour lui.

Sa renommée se répandit au-delà de l'Allemagne.

En 1928, la reine Wilhelmine de Hollande fit appeler Kersten à La Haye pour examiner son mari, le prince Henri des Pays-Bas.

Kersten ausculta ce dernier du bout des doigts, selon la méthode que lui avait enseignée son maître tibétain, et trouva une maladie de cœur très grave. D'autres médecins, assurément, avaient fait le même diagnostic. Mais les meilleurs n'arrivaient pas à tirer le prince de son état de prostration et ne lui donnaient que six mois de vie. Kersten le rendit tout de suite et pour des années à une activité normale.

Ce voyage eut sur Kersten une influence étrange : lui qui n'était jamais venu en Hollande, il s'y trouva dès le premier contact merveilleusement à l'aise, en accord complet avec la nature et les gens. Il ne voulait pas croire que ce fût l'appel du sol, de la race. Il y avait plus de cinq siècles que sa famille avait quitté la Hollande, puis elle avait habité Gœttingen, puis la Prusse-Orientale, enfin le Pays Balte. Le sang avait connu bien des mélanges. Pourtant, il semblait à Kersten qu'il trouvait en Hollande son climat véritable, son terreau naturel.

La faveur dont il fut l'objet, à la cour comme à la ville, après le rétablissement du mari de la reine, précipita et justifia l'appel de l'instinct. Kersten, habitué cependant à peser ses décisions avec patience et prudence, résolut d'un seul coup de se fixer aux Pays-Bas.

Il garda son appartement de Berlin pour y recevoir sa clientèle allemande, mais son domicile essentiel, légal, son foyer d'élection, il l'établit à La Haye.

Dès lors, il partagea régulièrement son existence entre les deux capitales. Dans l'une comme dans l'autre, Elisabeth Lube dirigeait toutes les routines domestiques. Gouvernante et secrétaire à la fois, elle continuait d'être pour Kersten l'amie la plus sûre et la plus efficace.

Elle eut bientôt à s'occuper d'une troisième demeure.

Parmi les patients de Kersten, comptait Auguste Rosterg, propriétaire de mines et fabriques de potasse, l'un des industriels les plus puissants de l'Allemagne. Sa fortune, à cette époque, était évaluée à 300 millions de marks.

Il souffrait de migraines chroniques, de douleurs internes diffuses mais lancinantes, de troubles de la circulation, de fatigues atroces, d'insomnies épuisantes, bref de ce mal particulier aux grands remueurs d'affaires, aux hommes que dévorent leurs travaux, leurs ambitions et leurs responsabilités.

Rosterg s'était adressé aux spécialistes les plus célèbres. Il avait pris des médicaments et fait des cures de toutes sortes. Rien ne l'avait aidé. Le repos même qu'on lui prescrivait en désespoir de cause devenait la pire des tortures. Il eut recours à Kersten.

Or, le surmenage à ces limites extrêmes, la débâcle des nerfs, étaient précisément le domaine où la thérapeutique enseignée par le docteur Kô avait le plus de pouvoir puisque, précisément, elle agissait sur le système nerveux. Kersten soulagea, libéra, sauva Auguste Rosterg.

Le traitement achevé, l'industriel demanda à Kersten quels étaient ses honoraires.

Kersten indiqua la somme, toujours la même, qu'il avait fixée pour chaque cure complète : 5 000 marks.

L'industriel fit un chèque. En le mettant dans son portefeuille, Kersten vit que le premier chiffre inscrit était le chiffre 1. Il eut un mouvement pour le faire remarquer à Rosterg. Et puis une sorte de gêne, de honte pour tant de mesquinerie le retint. « Toujours les plus riches à être les plus avares. Et après tout, je n'en serai pas ruiné », pensa Kersten avec sa philosophie habituelle.

Le lendemain, il porta le chèque à sa banque. Au moment où il quittait le guichet, le comptable le rappela :

— Docteur, docteur, cria-t-il, vous avez oublié deux zéros dans votre fiche de dépôt.

— Je ne comprends pas, dit Kersten.

— Ce n'est pas un chèque de 1 000 marks, mais de 100 000 marks, dit le comptable.

— Qu'entendez-vous par là ? dit Kersten.

— Vous avez écrit 1 000 marks, dit le comptable.

— Eh bien ? demanda encore Kersten.

— Mais, mais... voyons, docteur, votre chèque est de 100 000 marks.

Malgré la sérénité olympienne qui lui était propre, Kersten revint très vite vers la caisse. Le chèque de Rosterg portait bien : 100 000 marks.

Kersten considéra quelques instants, incapable de parler, le témoignage fastueux d'une gratitude qu'il avait prise pour de l'avarice.

— Oui... oui... je suis un peu distrait, dit-il enfin à l'employé.

Aussitôt rentré chez lui, Kersten conta l'aventure à Elisabeth Lube. Elle lui conseilla d'employer cette fortune subite à l'acquisition d'une terre. Ainsi, Kersten acheta le domaine de Hartzwalde — trois cents hectares de prés et de bois — à soixante kilomètres à l'est de Berlin.

2

On était en 1931. Hitler avait maintenant un parti très nombreux, puissamment organisé, fanatique. Il disposait de ressources inépuisables et de troupes entraînées et armées, prêtes à tuer sur son ordre.

Rœhm dirigeait les S.A.

Himmler commandait les S.S., garde personnelle, janissaires et bourreaux du chef suprême.

Et lui, il hurlait d'une voix toujours plus hystérique et plus assurée qu'il serait bientôt le maître de l'Allemagne et ensuite de l'Europe.

Mais les hommes sont ainsi faits que la plupart d'entre eux ne savent pas, ne veulent pas voir les signes funestes.

Kersten, en outre, n'avait aucun goût, aucun intérêt, aucune curiosité pour la politique. Il ne lisait pas les journaux. C'était par ses malades qu'il connaissait les nouvelles du monde. Bonnes ou mauvaises, sa philosophie à leur égard était des plus simples : « Quand on ne peut rien à quelque chose, se disait-il, y penser n'est que perte de temps. »

Le sien était pris chaque jour davantage par sa profession. À La Haye, à Berlin, les malades venaient chez lui en si grand nombre que ses journées de travail commençaient à huit heures du matin pour finir à la nuit. Il ne se plaignait pas, il aimait son métier, il aimait ses malades. Il en soignait beaucoup sans réclamer d'honoraires.

Sa réputation grandissait toujours. Depuis 1930, il se rendait chaque année à Rome, appelé auprès de la famille royale[1].

Dans les loisirs que laissait à Kersten son activité à travers trois capitales, il embellissait sa maison de La Haye par des toiles de vieux maîtres flamands, organisait son domaine de Hartzwalde[2] et, à Berlin comme à La Haye, courtisait beaucoup de jolies femmes. Intrigues suivies, entraînements passagers, liaisons plus sérieuses, ces aventures

1. Voir Appendice, note 1.
2. Voir Appendice, note 2.

s'enchevêtraient, se mêlaient, mais toujours aimablement, aisément, dans un climat de romanesque facile, de gentillesse sentimentale et de bonne humeur.

Obligations et plaisirs absorbaient Kersten au point qu'il ne s'aperçut même pas de l'arrivée de Hitler au pouvoir.

L'idole des chemises brunes occupait depuis trois jours le poste de chancelier du Reich que Kersten l'ignorait encore. Il l'apprit au hasard d'une conversation avec un de ses malades. La nouvelle ne l'émut pas outre mesure. N'était-il pas citoyen finlandais ? N'avait-il pas son domicile principal en Hollande ? Les malades cessaient-ils de le consulter ? Les femmes de lui sourire ?

Il était heureux et bien décidé à le rester.

L'année suivante, en 1934, au mois de juin, Hitler, avec un sang-froid, une férocité, une perfection dans l'art du meurtre qui donnèrent le frisson au monde, fit surprendre et assassiner Rœhm, le général des S.A. qui lui portait ombrage, et ses officiers les plus importants.

Les exécuteurs de cette nuit sanglante furent les S.S. triés sur le volet et commandés par leur chef, Heinrich Himmler. Le nom de cet ancien instituteur, assez obscur jusque-là, prit dès ce jour une résonance sinistre. Le grand inquisiteur, le grand bourreau du règne hitlérien commençait à paraître en pleine lumière.

Pendant les séjours réguliers et fréquents qu'il faisait à Berlin, Kersten entendait ses clients, ses amis, parler toujours plus souvent de Himmler, et toujours avec plus de répugnance et d'effroi. Ses attributs étaient les légions S.S., la Gestapo, les tortures, les camps de concentration.

Parmi les malades que soignait Kersten, intellectuels et grands bourgeois libéraux ou bien petites gens qu'il traitait gratuitement, la plupart avaient peur, honte ou dégoût du nazisme. Kersten partageait leur sentiment. Son instinct de justice, sa profonde bonté naturelle, son goût de la tolérance, de la décence et de la pondération, tout en lui se trouvait heurté, blessé, indigné par l'orgueil grossier, la superstition raciale, la tyrannie policière, le fanatisme pour le Führer, fondements du IIIe Reich.

Mais, prudent et débonnaire, il s'efforçait de ne point songer à une barbarie contre laquelle il ne pouvait rien et à tirer de l'existence tout l'agrément qu'elle était en mesure de lui donner.

3

Il y réussit à merveille.

De chair copieuse, le teint fleuri, gourmand, sensuel, discret, disert, il menait méthodiquement sa ronde — La Haye, Berlin, Rome —, avait ses rendez-vous professionnels fixés des mois à l'avance, ne voyait en dehors de ses malades que les gens qui lui plaisaient, s'occupait de femmes charmantes, faisait le bien en cachette et, aidé par sa fidèle amie, Elisabeth Lube, gouvernait sa fortune sans ostentation.

L'état de célibat convenait à ce genre de vie. Kersten entendait bien s'y tenir. Quand on lui faisait observer qu'il approchait de la quarantaine et devait penser à prendre femme, il répondait qu'à cet égard il avait fait un vœu. Ses lèvres et ses yeux formaient alors le sourire inspiré qui, aujourd'hui encore, décèle chez lui un rêve de gourmandise.

— Quand j'étais petit, disait-il, ma mère, à Dorpat, préparait fréquemment un plat russe appelé « rassol », que j'aimais énormément. Je n'en ai plus mangé depuis mon enfance. On ne le trouve dans aucun restaurant. Le jour où j'en goûterai de nouveau... alors, peut-être... je me marierai par excès de joie.

Or, en 1937, à la fin du mois de février, Kersten, qui avait terminé une série de traitements à Berlin, s'apprêtait, suivant son cycle habituel, à regagner La Haye.

La veille de son départ, il alla déjeuner chez un ami dont la femme était une Balte de Riga, mariée à un Allemand, colonel à la retraite. C'était une réunion tout intime, prévue uniquement pour Kersten et Elisabeth Lube. Mais, au dernier moment, arriva de Silésie, à l'improviste, une jeune fille dont les parents étaient très liés avec les hôtes de Kersten. Elle s'appelait Irmgard Neuschaffer.

Malgré le goût qu'il avait pour les jolis visages, Kersten n'accorda d'abord à celui-ci que peu d'attention. Il faut le comprendre : le premier plat que, stupéfait, incrédule, transporté, il aperçut, était le fameux rassol de son enfance. Du moins il en avait l'aspect.

Kersten le goûta. C'était véritablement un rassol, et admirable.

L'hôtesse, élevée au Pays Balte, s'était souvenue de la recette. Kersten en prit, reprit et reprit encore. Cela ne l'empêcha point de faire honneur à la suite du repas, copieux au point de durer trois heures.

Inoubliables minutes... Kersten se sentait attendri, lyrique. Il regarda Irmgard Neuschaffer qui était charmante, fraîche et vive, et pensa tout à coup : « J'épouserai cette jeune fille. »

Il lui demanda aussitôt :

— Vous n'êtes pas fiancée, Mademoiselle ?

— Non, dit la jeune fille. Pourquoi ?

— Parce que, alors, nous pourrions nous marier.

— C'est tout de même un peu rapide, répliqua la jeune fille en riant. Écrivons-nous d'abord.

Tout se fit par correspondance. Après deux mois de lettres échangées, ils se fiancèrent. Encore deux mois et ils décidèrent de se marier. Kersten n'avait pas revu Irmgard depuis le déjeuner du rassol, lorsqu'il se rendit chez les parents de la jeune fille pour l'épouser.

Le père d'Irmgard était le chef des gardes forestiers du Grand-Duché de Hesse-Darmstadt. Il vivait au milieu de futaies énormes et romantiques, dans un très vieux château qui appartenait au grand-duc et auquel attenait une admirable église patinée par les siècles.

Le mariage y fut célébré.

Après quoi, Kersten mena sa jeune femme à Dorpat. Sa mère y était morte quelques années auparavant, mais son père, bien qu'il eût quatre-vingt-sept ans, continuait de travailler, robuste, infatigable, sur sa petite terre, avec autant d'énergie et de bonne humeur que s'il avait été dans la force de l'âge.

Ensuite, les nouveaux mariés allèrent en Finlande et à Berlin, où Kersten présenta Irmgard à ses amis. Le voyage se termina à La Haye.

Kersten y donna une réception éclatante, qui réunit parmi les cristaux, les chandeliers massifs et les toiles de vieux maîtres flamands, tout ce qui, en Hollande, comptait dans le monde, les affaires, l'armée et la politique.

Une grande rumeur courut alors la ville : « Le bon docteur Kersten s'est marié. » Beaucoup de jolies femmes soupirèrent.

4

Bien portant, riche, épris de sa profession, aimé de ses malades, choyé par Irmgard, sa jeune épouse, et Elisabeth Lube, sa vieille amie, rond, souriant, confiant, Kersten travaillait tantôt à La Haye, tantôt à Berlin, tantôt à Rome et se reposait dans son domaine de Hartzwalde.

C'est là que naquit son premier fils, et ce fut lui-même qui aida sa femme à le mettre au monde.

Tout souriait à Kersten. Il n'y avait pas de faille dans sa chance.

Sans doute, au cours de l'année où le bon docteur s'était marié, Hitler avait annexé l'Autriche, et dans celle où était né son fils, Hitler, après avoir fait plier l'Angleterre et la France à Munich, avait arraché un morceau de la Tchécoslovaquie.

Sur les pays violés comme sur l'Allemagne asservie, gravitait, autour du Seigneur de la croix gammée, la constellation sinistre de ses hommes de main : Gœring le reître, Gœbbels le porte-mensonges, Ribbentrop le fourbe, Streicher le mangeur de Juifs. Mais, au-dessus d'eux tous, montait sans cesse la monstrueuse et abjecte étoile du « fidèle Heinrich », de Himmler le bourreau.

Son nom résumait toute la cruauté, la bassesse, l'horreur du régime. La population entière était imprégnée de dégoût, de terreur et de haine pour le grand chef de la police secrète, le souverain des camps de concentration, le maître des supplices.

Dans son parti même, il était méprisé, abhorré.

Tout ce que représentaient Hitler et Himmler faisait souffrir Kersten dans ses sentiments les plus profonds. Il secourait de son mieux, avec discrétion et largesse, les victimes du nazisme qui lui étaient signalées ou se trouvaient sur son chemin. Sa raison et son instinct se révoltaient contre le règne de la brute.

Mais, gourmand de bonheur autant qu'il l'était de bonne chère, il fermait ses yeux et ses oreilles aux présages. Il refusait de laisser le fiel altérer le banquet de son existence paisible et aimable. Il s'enfermait étroitement dans son métier, ses amitiés, sa famille, son bonheur.

En vérité, si un homme a connu, pendant dix ans, le sentiment si rare d'être entièrement, parfaitement heureux, ce fut bien le docteur Félix Kersten. Et il le savait. Et il le disait.

Les dieux n'ont jamais aimé cela.

CHAPITRE III

L'antre de la bête

1

Rosterg, le magnat rhénan de la potasse, dont la munificente gratitude avait permis à Kersten d'acquérir le domaine de Hartzwalde, avait pour collaborateur le plus proche un homme avancé en âge, d'une grande valeur intellectuelle et morale. Il s'appelait Auguste Diehn. C'était l'un des plus anciens patients de Kersten et l'un de ses amis les plus chers.

Vers la fin de l'année 1938, Diehn rendit visite au docteur qui se trouvait alors à Berlin. Kersten vit tout de suite qu'il était nerveux, mal à l'aise.

— Vous êtes de nouveau surmené ? demanda-t-il avec sollicitude. Vous venez pour un traitement ?

— Il ne s'agit pas de moi, répliqua Diehn en détournant son regard.

— Rosterg ?

— Non plus.

Il y eut un silence.

— Consentiriez-vous à examiner Himmler ? demanda Diehn brusquement.

— Qui ? s'écria Kersten.

Diehn répéta :

— Himmler… Heinrich Himmler.

— Ah ! Non ! merci beaucoup ! dit Kersten. J'ai évité jusqu'ici toute relation avec ces gens-là, je ne vais pas commencer par le pire.

Il y eut un autre silence, beaucoup plus long. Diehn reprit l'entretien avec un effort visible.

— Je ne vous ai jamais rien demandé, docteur, dit-il. Mais aujourd'hui, je me permets d'insister… Et aussi bien de la part de Rosterg… Voyez-vous, Himmler et Ley[1] ont l'intention, paraît-il, de nationaliser l'industrie de la potasse. Rosterg est le premier visé. Or, nous savons par expérience, lui et moi, l'influence que vous pouvez prendre sur des malades, quand vous les empêchez de souffrir… Alors, vous comprenez…

Auguste Diehn se tut et baissa la tête. Kersten considéra en silence le profil aux cheveux gris… Il se souvint de la confiance absolue, de la tendresse paternelle que Diehn lui avait montrées au début de sa carrière et de tous les clients importants, dont Rosterg lui-même, qu'il lui devait. Et surtout, il devinait quel mal coûtait la requête qu'il venait d'entendre, à un homme vieillissant, d'une dignité, d'une délicatesse extrêmes. Mais, d'autre

1. Ministre du Travail.

part, pensait Kersten, pourquoi approcher Himmler, alors que, pour le confort de son esprit, pour sa sécurité intérieure, il s'interdisait même de penser au régime dont le chef des S.S. et de la Gestapo était la personnification la plus odieuse ?

— Ce serait un grand service, dit à mi-voix Auguste Diehn… Et puis votre devoir professionnel n'est-il pas de soulager n'importe qui ?

— Allons, je veux bien, soupira Kersten.

2

Fidèle à son besoin de tranquillité mentale, Kersten s'efforça d'oublier la conversation qu'il avait eue avec Diehn aussitôt qu'elle fut achevée. Il y réussit d'autant mieux que, pendant plusieurs mois, rien ne la vint rappeler.

Kersten était revenu depuis longtemps à La Haye, lorsque, dans la première semaine de mars 1939, on l'appela d'Allemagne au téléphone. Il reconnut la voix de Rosterg.

— Venez tout de suite à Berlin, lui dit brièvement le grand industriel. C'est le moment qui convient pour l'examen dont Diehn vous a parlé.

Le système qu'employait Kersten contre les pensées déplaisantes était vraiment efficace. Il ne comprit point ce que voulait Rosterg et demanda, inquiet :

— Diehn est malade ? Diehn a besoin de moi ?

Pendant quelques secondes, Kersten n'entendit

plus que le grésillement des fils téléphoniques. Puis la voix de Rosterg lui parvint de nouveau, mais plus basse d'un ton, et réservée, réticente.

— Il ne s'agit pas de Diehn lui-même... Il s'agit d'un ami.

Ce furent la soudaine prudence de Rosterg et sa crainte manifeste d'une table d'écoute qui rendirent la mémoire à Kersten : le nom que Rosterg n'osait pas prononcer était celui de Himmler.

« Voilà..., songea Kersten. Ma promesse... L'instant est venu... Je croyais bien pourtant que c'était oublié, enterré... »

D'Allemagne arriva de nouveau la voix de Rosterg :

— Vous savez bien..., cet ami important.

Le timbre était plus étouffé encore et l'intonation plus rapide.

Kersten serra très fort l'écouteur entre ses doigts épais.

Cette timidité, cet effroi latent et secret chez un magnat, un potentat, un colosse du monde industriel et financier lui donnaient le frisson. Il sentait physiquement, à travers cette voix si impérieuse à l'ordinaire et maintenant apeurée, un affreux climat de méfiance, de surveillance, de trahison, de terreur policière. Un climat irrespirable pour les honnêtes gens.

« Tant pis pour moi, pensa Kersten. Rien ne m'obligeait à donner ma parole. »

Il respira profondément, posément et dit :

— C'est bon. J'arriverai demain.

3

Dans Berlin, avant la guerre, et alors que le fer et le feu n'avaient pas encore jeté bas la capitale du IIIe Reich, on pouvait voir, près de la place de Potsdam, au n° 8 de la Prinz Albert Strasse, un très grand immeuble sur lequel flottait un faisceau d'étendards à croix gammée.

Les drapeaux n'avaient rien qui pût surprendre. Tous les bâtiments publics en étaient sommés. Et la maison — sauf pour la taille — ressemblait aux autres, lourdes et grises, qui l'environnaient. Pourtant, quand ils passaient devant elle, les gens marchaient plus vite, ou baissaient la tête, ou détournaient le regard. Car ils savaient que la terne bâtisse — gardée jour et nuit par des sentinelles d'une raideur d'automates — abritait un organisme terrible qui travaillait nuit et jour à l'asservissement, à la mutilation des corps et des âmes. Là, étaient le Q.G. et la Chancellerie du Reichsführer Heinrich Himmler, chef des S.S., maître de la Gestapo.

Le 10 mars de l'année 1939, une belle automobile bourgeoise s'arrêta devant cette maison. Un chauffeur en livrée cossue descendit pour ouvrir la portière et s'effaça pour laisser le passage à un homme d'une quarantaine d'années. Il était grand, corpulent, vêtu de bonne étoffe, mesuré dans ses mouvements, débonnaire de traits, rose de teint. Il attacha un instant ses yeux, dont le bleu tirait sur le violet, à la façade de l'immeuble, puis se dirigea sans hâte vers le porche d'entrée. Un soldat S.S. se porta à sa rencontre.

— Que voulez-vous ? demanda la sentinelle.

— Voir le Reichsführer, dit tranquillement l'homme aux joues pleines et roses.

— Le Reichsführer lui-même ?

— Lui-même.

Si le soldat fut surpris, il ne le montra pas. Il était dressé à ne rien laisser paraître de ce qu'il pouvait ressentir.

— Inscrivez votre nom sur cette feuille, dit le S.S.

Puis il se rendit à l'intérieur de l'immeuble.

Les autres gardes continuaient de monter leur faction. De temps à autre, au fond de leurs visages immobiles comme des blocs de bois et engoncés dans les casques dont l'auvent retombait jusqu'à la ligne des sourcils, leurs regards allaient à l'homme qui demandait si placidement à voir — en personne — leur Reichsführer, l'homme le plus redouté d'Allemagne.

Qui pouvait être le visiteur ? Il n'avait rien de commun avec les gens qui, à l'ordinaire, se présentaient au Grand Quartier de la Prinz Albert Strasse : officiers S.S., hauts policiers, agents secrets, dénonciateurs, suspects convoqués pour un interrogatoire.

Celui-là ne montrait ni arrogance, ni hâte, ni peur, ni servilité, ni cruauté, ni ruse. Ce n'était qu'un bon bourgeois, à chair bien nourrie, assuré, paisible. Ses mains croisées sur son ventre rebondi, il attendait sans émoi, sans impatience. Un lieutenant S.S. sortit précipitamment de l'immeuble.

— Heil Hitler ! dit l'officier en étendant le bras, selon le rite du salut nazi.

L'homme aux joues roses et aux yeux bleus tirant sur le violet souleva son chapeau avec une grande politesse et répondit :

— Bonjour, lieutenant.

— Voulez-vous me suivre, dit l'officier.

Son ton et son attitude témoignaient d'une déférence singulière.

La porte d'entrée se referma sur les deux hommes. Les soldats rigides ne purent s'empêcher d'échanger entre eux un regard rapide et stupéfait.

4

Le hall par où l'on pénétrait dans le Grand Quartier des S.S. était très vaste et très haut. Il y régnait une animation intense, mais ordonnée, précise. Officiers de tous rangs, messagers, estafettes, plantons montaient et descendaient les degrés qui menaient aux étages supérieurs, débouchaient des corridors ou s'y engouffraient, échangeaient des saluts, donnaient ou recevaient des ordres. Tous ces hommes portaient l'uniforme S.S. et tous les uniformes — depuis celui du général jusqu'à celui de simple soldat — avaient la netteté, la rigueur et cette sorte d'insolence que l'on voit chez les troupes d'élite au service d'un chef exigeant.

Kersten, les mains dans les poches de son manteau de chaude laine et son visage rond coiffé d'un chapeau de feutre, traversait, seul civil dans cette foule militaire, le hall du Grand Quartier S.S. Il considérait avec étonnement les gardes partout répandus, la mitraillette au poing.

« Faut-il tant d'armes pour la sécurité de Himmler ? » se demandait le docteur.

Il ignorait encore à ce moment que l'immeuble était plein de prisonniers politiques. Il ignorait que, sous les dalles mêmes qu'il foulait de son pas calme et digne, les tortionnaires de la Gestapo procédaient dans les caves à des interrogatoires sans merci. Pourtant il se surprit à songer :

« Voilà donc l'antre de la bête. »

En même temps, il n'éprouvait aucune crainte. Il était homme de bon sens et de nerfs solides. Il savait que Himmler ne pouvait rien contre lui et l'appareil de sa puissance n'éveillait dans l'esprit du docteur qu'une vague curiosité.

« Comment va se passer cette entrevue ? » pensait-il.

À la suite de l'officier qui le guidait, Kersten gravit un escalier de marbre monumental, puis un autre. On le fit alors entrer dans une salle d'attente. Il eut à peine le temps de penser avec une sorte d'amusement philosophique : « Voilà où le docteur Kô m'a conduit », qu'un autre officier, qui portait les insignes d'aide de camp, vint le chercher. Ils s'engagèrent dans un couloir… Mais, arrivé au milieu, l'officier arrêta le visiteur d'un geste à peine ébauché et pour un instant à peine perceptible. Cela suffit à l'appareil de rayons X dissimulé dans le mur à cet endroit pour déceler que le nouvel arrivant n'avait pas d'armes sur lui.

Après quoi, l'aide de camp mena Kersten, qui n'avait rien remarqué, vers la porte à laquelle aboutissait le couloir. Il éleva la main pour frapper contre le bois sombre. Mais, avant qu'il eût achevé son geste, la porte s'ouvrit d'un coup et un homme en uniforme de général S.S. apparut dans l'embrasure. Il était petit, étroit d'épaules. Des lunettes à monture d'acier couvraient ses yeux d'un gris foncé. Il avait des pommettes saillantes, mongoles. C'était Himmler.

Son visage, profondément creusé, avait un teint de cire et son corps chétif était crispé de convulsions qu'il ne parvenait pas à maîtriser. Il saisit d'une main moite, mince et osseuse, quoique assez belle, la main puissante et charnue de Kersten. Et il dit d'un trait, en l'attirant à l'intérieur de la pièce :

— Merci d'être venu, docteur. J'ai beaucoup entendu parler de vous. Peut-être soulagerez-vous les douleurs atroces d'estomac qui m'empêchent aussi bien de rester assis que de marcher.

Himmler lâcha la main de Kersten. Son visage ingrat devint encore plus cireux. Il reprit :

— Pas un seul médecin d'Allemagne n'a réussi. Mais M. Rosterg et M. Diehn m'ont assuré que là où les autres échouent, vous obtenez des résultats.

Sans répondre, les bras ballants, Kersten étudiait les pommettes mongoloïdes, les cheveux pauvres, le menton fuyant.

« Voilà donc, se dit-il, la tête qui conçoit, organise, met au point et en œuvre les mesures qui sont un sujet de terreur pour les Allemands et d'horreur pour tous les hommes civilisés… »

Mais Himmler parlait de nouveau.

— Docteur, croyez-vous pouvoir m'aider ? dit-il. Je vous en aurai une reconnaissance infinie.

Dans ces joues livides et flasques, au fond des yeux gris sombre, Kersten retrouva l'appel, qu'il connaissait si bien, de la chair misérable. Himmler ne fut plus pour lui qu'un malade comme il en avait tant.

Kersten fit du regard le tour de la pièce. Elle était meublée sobrement : un grand bureau couvert de papiers, quelques sièges, un divan très long.

— Voulez-vous enlever votre vareuse, votre chemise et déboutonner le haut de votre pantalon, Reichsführer ? dit Kersten.

— Tout de suite, docteur, tout de suite, s'écria Himmler avec empressement.

Il se dénuda jusqu'à la ceinture : il avait des épaules tombantes, plus étroites que le torse, la peau molle, les muscles pauvres et l'estomac proéminent.

— Étendez-vous bien à plat, sur le dos, Reichsführer, dit Kersten.

Himmler se coucha. Kersten approcha un fauteuil du divan et s'assit commodément. Ses mains se portèrent sur le corps allongé.

5

Si je suis en mesure de me représenter et de suivre cette scène avec le sentiment d'y avoir assisté, la raison en est simple : une fatigue générale m'a fait recourir aux soins du docteur Kersten, et, pendant deux semaines, chaque jour, soumis à ses doigts qui travaillaient et revivifiaient mes nerfs déficients, je l'ai observé avec toute l'attention dont je suis capable.

Une fois, je lui ai demandé :

— Quand vous traitiez Himmler, aviez-vous la même méthode, le même comportement, les mêmes attitudes ?

Il m'a regardé avec surprise et répondu :

— Bien sûr... exactement... comme avec tous mes malades.

Sans doute, Kersten, alors, avait vingt années de moins. Mais il appartient à cette catégorie d'hommes qui, par la structure et l'expression essentielles des traits, par la tenue du corps, demeurent, malgré les marques du temps, fidèles à leur image plus jeune. Je n'avais qu'à dépouiller sa figure — et cela était facile — de quelques rides, ses membres de quelques lourdeurs et, en vérité, je voyais cette première approche.

6

Donc, Félix Kersten s'enfonça bien à l'aise dans un fauteuil qui gémit sous son poids et tendit ses mains vers le torse de Himmler, nu et chétif.

Vingt ans plus tôt, à Helsinki, le médecin-chef de l'hôpital militaire avait dit que ces mains étaient « bonnes ». En fait, leur force, leur densité, leur pouvoir avaient imposé à Kersten le choix de sa profession, le sens de sa vie. Elles étaient larges, massives, charnues, chaleureuses. Chacun des doigts portait sous l'ongle bref, coupé ras, un renflement plus développé, plus riche et pulpeux qu'on ne voit à l'ordinaire. C'était une sorte de petite antenne, douée d'une acuité, d'une sensibilité extrêmes.

Les mains se mirent en mouvement. Sur l'une d'elles brillait, d'un feu bleuâtre, la pierre où se trouvaient inscrites les armes que, au XVIe siècle, Charles Quint avait accordées à l'échevin de Gœttingen, Andréas Kersten, ancêtre du docteur.

Les doigts glissaient contre la peau lisse. Leurs bouts effleuraient tour à tour la gorge, la poitrine, le cœur, l'estomac de Himmler. Leur attouchement était d'abord léger, léger, à peine perceptible. Puis, à certains endroits, lés antennes commencèrent à s'arrêter, s'appesantir, s'informer, écouter...

Un don original, fortifié par un long et tenace entraînement, les avait munies d'une clairvoyance inconnue au commun des hommes. Et cela même ne suffisait point. Pour que l'art acquis par Kersten auprès du docteur Kô eût son pouvoir entier et véritable, pour que la pulpe des dernières phalanges devînt susceptible d'apprendre au médecin que tel tissu intérieur s'était dangereusement épaissi ou amenuisé et que tel groupe nerveux se trouvait dans un état de faiblesse ou d'usure graves, il fallait une concentration spirituelle absolue qui laissât aux champs de la conscience et de la sensibilité un objet unique et un seul truchement.

Il fallait ne plus rien voir ni entendre. Il fallait que l'odorat également cessât de servir. C'étaient les antennes tactiles (dont le pouvoir récepteur se trouvait prodigieusement accru par l'abolition provisoire des autres sens) qui devenaient les seuls instruments des rapports avec le monde. Et ce monde était limité au corps que le bout des doigts examinait, auscultait. Et leurs découvertes étaient aussitôt transmises à un esprit qui s'était vidé de toute autre préoccupation et fermé à toute autre impression.

Pour accéder à cet état, Kersten n'avait besoin d'aucun effort. Et qu'il s'agît de Himmler n'affectait en rien cette aisance. Trois années d'exercices et d'initiation lamaïques, quinze années de pratique entretenue chaque jour, et chaque heure du jour, lui permettaient d'atteindre immédiatement le degré de concentration nécessaire.

En même temps, son visage subissait une modification surprenante.

Assurément, les traits demeuraient les mêmes. Kersten gardait ce front haut et ample, ce crâne à forme de dôme où les cheveux lisses et d'un blond foncé commençaient à s'éclaircir. Juste au-dessus des sourcils très minces et arqués d'une façon un peu démoniaque, deux sillons parallèles continuaient de courir comme des rigoles. Les yeux, bien abrités par leurs arcades, avaient toujours leur couleur bleu sourd, mais qui virait souvent à un ton plus vif, presque violet. Entre les joues solides et fraîches, la bouche était petite et fine, sensitive et sensuelle. Les longues oreilles, d'un dessin étrange, restaient étroitement collées aux parois du crâne.

Oui, les mêmes linéaments et les mêmes reliefs composaient cette figure. Mais le flux intérieur qu'avait déclenché Kersten et auquel, dans cet instant, il s'abandonnait, en transformait soudain l'expression, la signification et, semblait-il, jusqu'à la substance. Les rides s'effaçaient, la chair perdait son poids, les lèvres n'avaient plus leur pli de gourmandise. Les paupières, enfin, s'étaient abaissées. Et ce n'était plus à un grand bourgeois de Rhénanie ou des Flandres, peint par un maître d'autrefois, que faisait penser le visage de Kersten, mais à l'une des images bouddhiques dont l'Extrême-Orient est peuplé.

Himmler, raidi et crispé par la souffrance qui le travaillait sans répit, ne quittait pas des yeux le visage clos. Quel singulier médecin ! Kersten ne lui avait posé aucune question. Les autres docteurs

— et Himmler en avait tant vu qu'il en oubliait le nombre —, tous, l'avaient interrogé longuement. Et lui, avec la complaisance des gens qui souffrent d'un mal chronique, il avait décrit, et en donnant chaque fois plus de détails, les crampes qui le suppliciaient et lui enlevaient toute force. Chaque fois, il en avait raconté minutieusement les causes qui dataient de son enfance : deux paratyphoïdes, deux dysenteries pernicieuses, un empoisonnement grave par poisson avarié. Les médecins avaient pris des notes, réfléchi, discuté. Ensuite on avait fait des radiographies, des examens, des analyses, des prises de sang. Tandis que…

Brusquement, Himmler poussa un cri. Les doigts jusque-là si légers et comme garnis de velours qui effleuraient sa peau venaient d'appuyer brutalement sur un point du ventre d'où la souffrance jaillissait, s'irradiait en vague de feu.

— Très bien… Ne bougez pas, dit Kersten doucement.

Sous la dure pression de sa main, un autre jet de souffrance brûla, ravagea les entrailles de Himmler. Puis un autre et un autre encore. Le Reichsführer ahanait, mordait ses lèvres. Son front était couvert de sueur.

— Vous avez très mal, n'est-ce pas ? demandait chaque fois Kersten.

— Terriblement…, répondait Himmler entre ses dents serrées.

Enfin Kersten posa ses mains sur ses genoux, ouvrit les yeux.

— À présent, je vois..., dit-il. C'est l'estomac, bien sûr, mais surtout le sympathique. Il n'y a rien de plus douloureux que les crampes du sympathique... Et vos nerfs toujours tendus ne font qu'empirer votre état.

— Est-ce que vous pourrez me soulager ? demanda Himmler.

De nouveau la face plate et terne exprimait l'humilité et la prière. Et les yeux mornes demandaient secours.

— Nous allons voir cela tout de suite, dit Kersten.

Il leva les bras, étala ses mains, fit jouer les paumes et les phalanges, afin de les munir de toute l'élasticité, toute la vigueur possibles, et se mit au travail. Il ne tâtonnait plus. Il savait maintenant où son effort devait s'appliquer. Il enfonça profondément ses doigts dans le ventre de son patient à l'endroit voulu, saisit avec précision et rudesse le bourrelet ainsi formé et le serra, le pétrit, le tordit, le noua, le dénoua, dans le dessein d'atteindre et de remuer les nerfs malades à travers la peau, la graisse et la chair. À chacun de ces mouvements, Himmler sursautait avec un cri étouffé. Mais, cette fois, la douleur n'était pas brute, aveugle. Elle suivait un trajet précis. Comme si elle avait un but.

Après quelques manipulations, Kersten laissa retomber ses bras. Son corps se détendit comme celui d'un boxeur entre deux assauts. Il demanda :

— Comment vous trouvez-vous ?

Himmler demeura un instant sans répondre. Il

semblait écouter ce qui se passait dans son corps et ne pas y croire. Il dit enfin, en hésitant :

— Je me sens... oui... c'est étonnant... je me sens plus léger.

— Alors, continuons, dit Kersten.

Les mains savantes, efficaces, impitoyables reprirent leur travail. La souffrance pareille à une flamme crépitante courut de nouveau le long des nerfs épuisés comme le long de fils électriques. Mais à présent — et bien qu'une pression trop profonde ou une torsion trop vive lui arrachât un halètement ou une plainte — Himmler avait confiance. Et cette confiance aidait le médecin.

Au bout d'une dizaine de minutes, Kersten s'arrêta et dit :

— Pour la première fois, c'est assez.

Himmler ne paraissait pas l'avoir entendu. Il ne faisait pas un mouvement, il respirait à peine. Il avait l'air de craindre que le moindre effort, le moindre souffle lui fît perdre un équilibre intérieur d'une fragilité extrême. Son visage exprimait la stupeur, l'incompréhension.

— Vous pouvez vous lever, dit Kersten.

Himmler redressa le torse lentement, prudemment, comme si sa chair recelait un trésor sans prix. Puis, de la même façon, il plaça les pieds sur le plancher. Son pantalon défait glissa. Il eut un geste instinctif, brusque, pour le rattraper. Puis, effrayé par les conséquences que pouvait avoir ce mouvement, il resta figé, les doigts crispés sur le pantalon. Mais le repos, le bien-être de ses viscères, la paix à nulle autre pareille que procure la disparition d'une intolérable souffrance duraient toujours.

Himmler fixa sur Kersten des yeux qui, derrière les verres des lunettes, montraient une espèce d'égarement. Il s'écria :

— Est-ce que je rêve ? Est-ce que c'est possible ? Je n'ai plus mal… plus mal du tout…

Il reprit son souffle et continua, davantage pour lui-même que pour Kersten :

— Aucun médicament n'y réussit… La morphine même n'a plus d'effet… Et là… en quelques instants… Non… je ne l'aurais jamais cru.

Himmler, de sa main libre, effleura son ventre, avec le sentiment de toucher un miracle.

— Êtes-vous vraiment capable d'arrêter mes crampes ? s'écria-t-il.

— Je le pense, dit Kersten. Ce sont certains nerfs qui me semblent atteints chez vous et c'est sur les nerfs que mon traitement agit.

Himmler se leva du divan où il se tenait assis et s'approcha de Kersten.

— Docteur, dit-il, je veux vous garder près de moi.

Et, sans donner à Kersten le temps de répondre, il ajouta :

— Je vous ferai inscrire tout de suite dans les S.S. Avec le rang de colonel.

Kersten ne put maîtriser un haut-le-corps. Il considérait avec malaise cet homme chétif, à demi nu, qui retenait son pantalon. Mais cet homme, parce qu'il avait cessé de souffrir, avait repris le sentiment de sa toute-puissance. Et il interprétait à sa manière l'étonnement du docteur. Il s'écria :

— Peu importe le fait que vous êtes étranger. Pour les S.S., il n'y a que ma volonté. Je suis leur Reichsführer. Un mot de vous et vous êtes colonel plein, avec le grade, la solde, l'uniforme.

L'espace d'un instant, l'image de lui-même transformé en officier S.S. passa dans l'esprit de Kersten, de lui, gras et lourd, qui aimait tant les vêtements larges et les étoffes moelleuses. Et il eut beaucoup de peine à ne pas rire. Mais les yeux de Himmler étaient fixés sur lui et toute l'expression de sa figure montrait à quel point sa proposition était une faveur, un hommage qu'il consentait à Kersten.

— Oui, docteur, reprit solennellement Himmler. Je vous le promets : colonel plein.

Kersten inclina un peu la tête en signe de reconnaissance. Il avait le sentiment de pénétrer dans un domaine où les valeurs habituelles étaient renversées.

« Avec les fous, pensa-t-il, on doit jouer le jeu. »

Il répondit avec gravité :

— Reichsführer, je suis infiniment sensible à l'honneur que vous me faites. Mais il m'est impossible, malheureusement, de l'accepter.

Il expliqua longuement à Himmler qu'il habitait la Hollande, qu'il avait là-bas une maison, une famille, une vie organisée... de très nombreux malades.

— Mais, poursuivit-il, dès que vous aurez des

crampes, je peux revenir. D'ailleurs, je ne pars pas tout de suite, je reste deux semaines à Berlin pour traiter les patients que j'ai ici.

— Alors, comptez-moi parmi eux, docteur. Venez chaque jour, je vous prie, s'écria Himmler.

Il saisit sa chemise, en couvrit ses épaules obliques, ses omoplates saillantes, son ventre gonflé, boutonna son pantalon, noua sa cravate, mit sa vareuse aux insignes de général S.S. et appuya sur une sonnette.

L'aide de camp entra, salua.

— Monsieur Kersten est le bienvenu ici, lui dit Himmler. C'est un ordre. Que tout le monde le sache.

7

Chaque matin, le miracle se renouvela. Chaque matin, les griffes et les serres de la douleur étaient matées par les mains dont Himmler apprenait à aimer jusqu'aux élancements qu'elles lui infligeaient. Ainsi le souffrant, pour la drogue qui le soulage, chérit le mal que lui fait l'aiguille par quoi elle est injectée.

Mais là, il ne s'agissait pas d'un remède et d'un instrument. Le bienfait, la félicité tenaient aux doigts d'un homme, d'un bon gros docteur au bon visage, au bon sourire, aux bonnes mains.

C'est pourquoi le Reichsführer accueillait Kersten comme un magicien, comme un sorcier.

Tout habitué que fût le docteur à la surprise, à la gratitude ravies chez ses malades, quand il les délivrait de tourments dont ils n'espéraient plus guérir, le comportement de Himmler le laissait stupéfait. Jamais aucun de ses patients n'avait montré pour lui tant de révérence, d'exaltation, et presque superstitieuses. Avec Himmler, il semblait à Kersten qu'il avait entre ses mains un enfant débile.

Et cet homme, le plus puissant dans le IIIe Reich après Hitler et, plus encore que Hitler, redouté, cet homme dont la fonction même était de détenir les plus hauts et terribles secrets d'État, se montrait d'une indiscrétion incroyable. Détendu, relâché, détrempé, sous les mains du docteur, en proie à une béatitude comparable encore à celle des intoxiqués et qui abolissait les réflexes de prudence, de garde, Himmler avait besoin d'abandon dans la mesure même où, à l'état normal, il se méfiait morbidement de tout et de tous.

Ses confidences, il les faisait toujours pendant les traitements. Kersten avait pour règle de laisser toutes les cinq minutes environ quelque répit aux nerfs qu'il venait de triturer. La séance, qui durait une heure, comportait ainsi plusieurs arrêts, plusieurs pauses. Dans ces intervalles, pour détendre son malade et se détendre lui-même, Kersten engageait la conversation.

Si l'on veut pénétrer et comprendre la profonde trame de l'extraordinaire histoire qui commence à se nouer ici, il faut se représenter Himmler dans ces instants d'accalmie.

Le voilà qui émerge des remous atroces de la souffrance à la surface d'une eau merveilleusement tranquille. Son corps dénudé, meurtri, baigne et flotte dans une fluidité, une félicité sans bornes. Il regarde les mains qui l'ont tiré des abîmes. Elles reposent sur les genoux de Kersten ou sont entrelacées sur son ventre puissant. Au-dessus d'elles respirent doucement une poitrine, des épaules robustes. Plus haut encore sourit une large figure, charnue, rose, amène, aux yeux bons et sages. Tout, chez le magicien débonnaire, invite à la confiance, l'amitié. Et le Reichsführer, doublement vaincu, par la douleur d'abord et par l'arrêt ensuite de cette douleur, le Reichsführer dont l'existence entière est vouée, sans remords ni passion, aux tâches les plus secrètes, sordides et féroces, et qui ne peut avoir d'autres compagnons que policiers, espions, séides ou bourreaux, le Reichsführer Heinrich Himmler éprouve le désir invincible de parler enfin et pour une fois sans réticence, ni soupçon, ni calcul.

Le mouvement le plus naturel le porte pour commencer à discourir de lui-même, de son mal. Il a toujours eu peur d'avoir le cancer ; son père en est mort. Kersten le rassure. Alors Himmler va plus loin dans l'abandon, la confession. Sa souffrance n'est pas seulement physique. Il a honte de lui-même. Il cache sauvagement ses sueurs, ses nausées, ses crampes. Il faut que personne, dans son entourage, ne puisse même les soupçonner.

— Mais pourquoi ? s'étonne Kersten. Être malade n'est pas un déshonneur.

— C'est un déshonneur quand on commande aux S.S., l'élite de la nation allemande qui est elle-même l'élite du monde, réplique Himmler.

Et le voilà lancé.

Kersten écoute une longue leçon sur le sang germanique et la gloire promise aux S.S. pour en être l'essence la plus pure. Himmler, dans ce dessein, choisit lui-même ses soldats, et pris sur le même modèle : grands, athlétiques, blonds, les yeux bleus. Ils doivent être infatigables, rompus à tous les exercices et, sur le plan moral, durs à eux-mêmes autant qu'aux autres. Comment lui, Himmler, lui, le Reichsführer de ces hommes dont il veut faire des surhommes, comment accepterait-il de leur laisser voir sa misère corporelle ?

Son propos prend tout de suite un tour dogmatique, pédant. Il revient sans cesse à l'excellence raciale du peuple germanique et aux signes qui la démontrent : la taille haute, le crâne allongé, les cheveux clairs, les yeux bleus. Qui ne possède pas ces attributs n'est pas un Allemand digne de sa race.

Kersten a beaucoup de contrôle sur lui-même. Mais sans doute il ne parvient point à cacher la surprise que lui inspirent ces propos, alors qu'il a sous les yeux la pauvre chair qu'il vient de pétrir et va pétrir encore, les pommettes mongoloïdes, la tête ronde, les cheveux noirs de son patient, ses yeux d'un gris sombre. Himmler dit en effet :

— Je suis bavarois, et les Bavarois, bruns pour la plupart, n'ont pas les caractéristiques dont je parle. Mais ils rachètent cette déficience par leur dévouement particulier au Führer. Car la vraie race allemande, la pureté du sang germanique se mesurent avant tout chez un homme par son amour pour Hitler.

Le regard, si terne à l'accoutumée, s'illumine soudain. Une surprenante émotion fait vibrer la voix monocorde. Himmler a prononcé le nom du demi-dieu.

Dès lors, il ne tarit plus. Hitler est un génie comme il ne s'en trouve que tous les millénaires, et le plus grand d'entre eux. Un être prédestiné, inspiré. Il sait tout. Il peut tout. Le peuple allemand n'a qu'à lui obéir aveuglément pour arriver au zénith de son histoire.

Au bout d'une semaine, Himmler s'était complètement habitué à penser tout haut devant son docteur.

Le huitième jour du traitement, pendant l'une des pauses où Kersten laissait détendre ses mains contre son ventre, le Reichsführer, dénudé et allongé sur sa couche, dit tranquillement :

— Nous aurons bientôt la guerre…

Les doigts mollement entrelacés de Kersten se nouèrent très fort. Mais il ne bougea pas. Il avait appris, en soignant Himmler, à manipuler non seulement les nerfs de son malade, mais encore certaines de ses réactions psychologiques.

— La guerre ! s'écria-t-il. Allons donc ! Et pourquoi ?

Himmler se redressa un peu sur ses coudes et répondit vivement :

— Quand j'annonce un événement, c'est que j'en suis certain. Il y aura une guerre parce que Hitler le veut ainsi.

La voix de l'homme chétif, à moitié nu, et dépositaire des plus terribles secrets du IIIe Reich, s'éleva d'un ton.

— Le Führer veut la guerre parce qu'il estime qu'elle sera très importante pour le bien du peuple allemand. La guerre fait les hommes plus forts et plus virils.

Himmler s'allongea de nouveau à plat sur le divan pour ajouter avec un peu de condescendance, comme s'il eût voulu rassurer un enfant pris de peur :

— Ce sera, de toute façon, une petite guerre, courte, facile et victorieuse. Les démocraties sont pourries. Elles seront tout de suite à genoux.

Kersten fit un grand effort pour demander d'une manière égale, naturelle :

— Ne pensez-vous pas que c'est jouer avec le feu ?

— Le Führer sait très bien jusqu'où il doit aller, dit Himmler.

Le temps de pause était écoulé. Les mains du docteur se placèrent de nouveau sur le torse grêle. Le traitement suivit son cours.

Quand le temps vint pour Kersten de regagner la Hollande, Himmler ne souffrait plus. Il ne s'était pas senti aussi bien depuis des années. Lui qui était soumis à un régime exténuant et insipide, et qui était assez gourmand, surtout de charcuterie, pouvait maintenant manger à sa guise. Il fit à son médecin miraculeux des adieux pleins d'émotion et de reconnaissance.

8

Trois mois passèrent. Hitler avait fait occuper de force la Tchécoslovaquie ou, du moins, ce qui en restait après les abandons consentis à Munich, l'automne précédent, par l'Angleterre et la France. Le monde sentait venir la catastrophe.

Au début de l'été 1939, Kersten, qui se trouvait à La Haye, fut appelé au téléphone par un aide de camp de Himmler. Le Reichsführer souffrait beaucoup. Il priait le docteur de venir à Munich aussi vite que possible.

À la gare, une voiture militaire, conduite par un chauffeur S.S. en uniforme, l'attendait, qui l'amena à Gamund Tagan See, localité située à quarante kilomètres de Munich, sur un lac admirable.

Himmler y occupait une petite maison avec sa femme, plus vieille que lui de neuf ans, d'aspect insignifiant, de visage ingrat, maigre, sèche, et sa fille, âgée alors d'une dizaine d'années, blonde et fade.

Kersten fut logé dans un hôtel des environs, mais Himmler voulut absolument avoir le docteur à tous les repas chez lui, en famille. On eût dit que Himmler cherchait à se concilier le magicien qui, de nouveau, le délivrait de ses tourments, et à faire d'un sorcier un ami.

À table, il parlait volontiers de la Bavière, sa province natale, et du temps où elle était un royaume souverain. Il était très fier d'un arrière-grand-père qui avait servi comme soldat de métier dans la garde bavaroise sous le roi Otto, et, ensuite, comme intendant de police à Lindau, sur le lac de Constance.

Toutefois, les véritables entretiens entre Himmler et Kersten, et les seuls qui fussent pour le docteur d'un intérêt capital, avaient lieu au cours des traitements. Là, Himmler n'était plus le maître de maison ou le chef des troupes spéciales et de la police secrète, mais le malade à demi nu et heureux de s'abandonner, de se livrer aux mains du miracle.

Ces conversations, à un moment ou à un autre, par tel ou tel détour, aboutissaient à l'événement qui hantait l'esprit de Himmler. La guerre. La guerre proche. La guerre imminente. La guerre décidée sans appel par Hitler.

Et Himmler répétait comme une litanie la leçon, le message suprêmes.

— Le Führer, disait-il, veut la guerre. Le monde ne peut pas connaître une vraie paix avant que la guerre ne le purifie. Le National-Socialisme doit éclairer le monde. Après la guerre, le monde sera national-socialiste.

Et Himmler disait encore :

— Le pacifisme, c'est la faiblesse. L'Allemagne possède la meilleure armée de l'univers. Et Hitler veut façonner le monde avec son armée.

Au commencement, Kersten ne répondit rien à ces discours. Il aurait voulu ne pas les entendre, ne pas y croire, les tenir pour un effet du délire. Mais ils avaient le son de la vérité, de la fatalité. L'illuminé sinistre qui allait déchaîner la plus effroyable catastrophe, Himmler le voyait chaque jour. Il ne faisait que rapporter, comme un disque, ses paroles. Et Himmler lui-même allait être, de cet homme, dans cette catastrophe, et pour la part la plus ignoble, la plus impitoyable, l'un des instruments essentiels.

Himmler — ce patient chétif, qui gémissait sous les doigts du docteur et, ensuite, le considérait avec une reconnaissance émerveillée, enfantine.

Peu à peu, Kersten se mit à répondre à Himmler. Ce n'est point qu'il espérait changer quoi que ce fût aux événements qui se préparaient. Mais il ne voulait pas que Himmler fût tenté de croire à son approbation ou même à son indifférence.

Il dit sans retenue ce qu'il pensait : la guerre était un attentat contre l'humanité et qui se retournerait contre l'Allemagne elle-même ; un seul pays ne pouvait pas l'emporter sur tous les autres rassemblés. Himmler n'avait qu'une réponse :

— Le Führer a dit…

9

Au milieu de l'été, Kersten, pour les vacances, alla, par la route, jusqu'en Estonie. Sa jeune femme et leur petit garçon, né l'année précédente, l'accompagnaient. Le temps était magnifique. De La Haye, ils gagnèrent sans hâte leur propriété de Hartzwalde. Puis ils se rendirent à Stettin, pour s'embarquer avec leur voiture à destination de Reval, capitale de l'Estonie. Arrivés là, les voyageurs n'avaient plus beaucoup de chemin à faire pour gagner Dorpat, où Kersten était né et où son père habitait encore.

En roulant à travers les paysages de son enfance, Kersten — pensait-il aux propos que Himmler avait tenus à Munich ? — dit soudain à sa femme :

— C'est peut-être le dernier voyage que nous faisons tranquillement ici.

Mais il ne lui était pas naturel de s'attarder dans la mélancolie ou l'inquiétude. Il secoua la tête, haussa les épaules et sourit.

Ils surprirent Frédéric Kersten dans la petite propriété que les lois estoniennes lui avaient laissée, et courbé sur la glèbe. À quatre-vingt-huit ans, il avait le même amour de la terre qu'au temps de sa jeunesse et le même acharnement au travail. Il était encore si vert qu'il demanda ingénument à son fils si, à son âge, il n'était pas dangereux pour sa santé d'avoir des rapports sexuels deux fois par semaine.

Kersten était fier de son père. Le vieil homme était fier de son petit-fils. Irmgard rayonnait de vitalité, de gaieté. Ce furent des journées heureuses.

Sur le chemin du retour, en passant par Stettin, Kersten et sa femme remarquèrent un grand changement dans les rues du port et de la ville. Elles fourmillaient de soldats.

La Prusse-Orientale, que les voyageurs traversèrent ensuite, ressemblait à un camp en armes.

La guerre que Himmler lui avait annoncée, Kersten comprit qu'elle était là, sans fard, à nu. Les Allemands allaient attaquer la Pologne.

Kersten revint à Berlin le 26 août. Avant même de défaire ses bagages, il téléphona à Himmler pour l'avertir de son arrivée. Leurs relations avaient pris une familiarité qui l'autorisait à cet appel direct. Himmler se montra tout heureux d'entendre la voix du docteur.

— Venez, je vous prie, immédiatement au Quartier Général, lui dit-il. Je vous attendais avec la plus vive impatience. Mes crampes se réveillent. Sans vous, je serai très malade.

La crise ne faisait que commencer. Deux traitements suffirent à la calmer.

Pendant les pauses, Himmler et Kersten, ainsi qu'à l'accoutumée, parlèrent.

— Stettin et la Prusse regorgent de soldats, dit le docteur. Est-ce que la guerre va éclater bientôt ?

— Je n'ai pas le droit de vous répondre, répliqua Himmler.

Kersten cacha son angoisse par un sourire entendu et reprit :

— Vous savez, Reichsführer, j'en ai vu plus que vous ne croyez.

L'état de béatitude physique où il se trouvait en cet instant empêcha Himmler de se taire davantage. Il dit :

— C'est vrai. Nous allons conquérir la Pologne, pour mettre les Juifs anglais à raison. Ils se sont liés à ce pays. Ils ont garanti son intégrité.

— Mais alors, s'écria Kersten, c'est la guerre générale ! Tout le monde y sera entraîné, si vous attaquez la Pologne.

Un mouvement convulsif secoua le torse nu de Himmler et Kersten demeura interdit. Il avait entendu, pendant les traitements, son malade gémir, ahaner, grincer des dents ou soupirer d'aise. Il ne l'avait jamais entendu rire. Et le voilà qui riait aux éclats. Des grimaces douloureuses arrêtaient pour un instant ces accès de gaieté, mais ils reprenaient aussitôt. En même temps, Himmler disait :

— Oh ! ça me fait mal. Mais je ne peux pas m'en empêcher. Vous parlez comme un homme qui ne comprend rien à rien. L'Angleterre et la France sont tellement faibles et tellement lâches qu'elles nous laisseront faire sans intervenir. Rentrez tranquillement à La Haye. En dix jours tout sera terminé.

10

La Pologne fut écrasée. Mais l'Angleterre et la France avaient fait cause commune avec elle. La guerre continua.

Dans un pays neutre comme l'était la Hollande, elle ne changea rien aux routines de l'existence. Kersten continua de soigner ses patients, de voir ses amis, de retrouver à son foyer Irmgard, sa femme, et Elisabeth Lube, sa seconde mère. Bien qu'elles fussent allemandes — ou à cause de cela — elles nourrissaient toutes les deux une haine passionnée contre Hitler et appelaient de tous leurs vœux sa défaite.

Le 1er octobre 1939, Himmler fit demander par un aide de camp Kersten au téléphone pour le prier de venir d'urgence à Berlin. Le Reichsführer était très malade.

À ce voyage, Elisabeth Lube et la femme de Kersten s'opposèrent avec une égale vivacité. Le docteur, disaient-elles, devait cesser de traiter Himmler. Cet homme n'avait pas droit à être considéré comme un malade pareil aux autres. Passe encore en temps de paix. Mais à présent qu'il employait toutes ses ressources de policier et de bourreau pour l'asservissement du monde, c'était inadmissible que de le soigner.

Kersten écoutait en silence et hochait la tête. Au vrai, il était d'accord avec ces propos. Pourtant, il prit le premier express pour Berlin. Quelque chose le poussait qu'il ne pouvait pas définir.

Cette fois, Himmler souffrait beaucoup. Or, il subissait l'ascendant de Kersten dans la mesure de ses douleurs. Et quand Kersten lui représenta que, malgré ses prophéties, l'Allemagne n'avait pu éviter des hostilités générales, il chercha en quelque sorte des excuses à cette erreur.

Hitler avait tout fait pour éviter d'étendre le conflit. Mais l'Angleterre et la France n'avaient rien voulu savoir. La faute en était à Ribbentrop. Une heure avant que les Anglais déclarent la guerre, il répétait encore qu'ils n'oseraient pas.

Mais, une semaine plus tard, Himmler alla mieux, grâce aux soins de Kersten. Alors, il reprit de l'assurance.

— La guerre contre la France et l'Angleterre, dit-il, ne nous effraie pas. Et même, nous en sommes contents. Ces deux pays seront détruits.

Et quand, le traitement terminé, Kersten avertit Himmler qu'il ne reviendrait plus en Allemagne avant les fêtes de Noël (il les passait toujours dans son domaine de Hartzwalde), le Reichsführer s'écria :

— À Noël tout sera fini. Vous fêterez en paix le Nouvel An. C'est une certitude. Hitler me l'a dit.

Avant de quitter Berlin, Kersten mit à exécution un projet qui avait mûri sans qu'il sût comment, mais dont il comprit, lorsqu'il en eut une claire conscience, qu'il avait été la cause de son voyage : il se rendit à la légation de Finlande.

Ce pays, il l'avait choisi comme sien alors qu'il n'avait pas vingt ans. Il s'était battu pour son indépendance. Il y était officier de réserve. Il l'aimait fortement.

Quand il fut en présence des diplomates finnois qu'il connaissait bien, Kersten leur raconta en détail ses rencontres avec Himmler et comment le Reichsführer, lorsqu'il souffrait, se laissait aller devant son médecin aux confidences militaires et politiques, avec une indiscrétion difficile à croire.

Après quoi, Kersten exposa les scrupules qu'il éprouvait à continuer en pleine guerre ses soins au chef des S.S. et de la Gestapo.

— Mais il n'y a pas à hésiter un instant, lui répondit-on. *Vous devez* traiter Himmler plus et mieux que jamais. Vous devez conserver, accroître, cette étonnante confiance qu'il vous montre. Et nous renseigner, nous aider. C'est d'une importance capitale.

Kersten promit de faire son possible.

Il s'étonna un instant — lui qui avait tant voulu protéger sa douillette vie personnelle, lui dont l'indifférence et l'ignorance dans le domaine des affaires publiques étaient devenues proverbiales chez ses amis — de voir qu'il acceptait désormais une part, un rôle dans le jeu politique. Et quel jeu ! Mais il n'y pouvait rien. De même qu'il lui avait été impossible de garder le silence quand Himmler insultait à tous les sentiments décents, de même il fallait bien se mettre au service de son pays dans une crise aussi terrible.

En pensant à cela Kersten ne ressentait ni fierté, ni satisfaction particulières. Il n'était qu'un bon bourgeois honnête. Il acceptait, comme en dehors, et malgré lui, les conséquences de l'honnêteté.

Il devenait difficile de protéger une existence bien close dans sa coquille, contre les souffles furieux qui secouaient l'Europe.

11

Le 20 décembre, Kersten amena sa famille à Hartzwalde.

En passant par Berlin, il avait téléphoné à Himmler, mais ne l'avait pas vu. Celui-ci n'avait pas besoin de soins.

À Noël, au Nouvel An, la guerre contre les Alliés durait toujours, malgré les prédictions du Reichsführer. Et une autre s'y était ajoutée, qui touchait Kersten au plus profond : la Russie avait attaqué la Finlande.

Kersten avait fait tout ce qui était humainement possible afin d'aider son pays dans une lutte fantastiquement inégale. En Hollande, il avait obtenu pour lui de l'argent. En Angleterre, des fourrures. En France, des médicaments et des ambulances. En Italie, grâce au comte Ciano, son ancien patient, des armes et des avions. Mais, de l'Allemagne, il ne pouvait rien tirer. L'accord Hitler-Staline, signé quelques jours avant le commencement de la guerre mondiale, imposait au IIIe Reich une neutralité bienveillante à l'égard de la Russie.

Arrivé à Hartzwalde, le docteur s'efforça d'oublier tout motif de trouble et d'angoisse. Son entraînement à la concentration spirituelle l'y aida beaucoup.

En outre, il y avait le domaine lui-même. Sur cette large terre peuplée de bois et traversée d'eaux vives, la coquille de protection se reformait toute seule, aisément. Quelle sécurité, quelle tranquillité dans ces paysages, dans cette maison, construite, aménagée par Kersten selon ses goûts ! Quel plaisir inépuisable de se promener lentement dans les allées, dans les clairières, appuyé sur une grosse canne à lourd pommeau, ou de rouler à travers les arbres centenaires dans une petite charrette à deux roues attelée d'un cheval paisible. Comme on était bien dans Hartzwalde pour méditer, rêver, manger, dormir.

Quant à la femme du docteur, ce domaine était également l'endroit qu'elle préférait au monde. Elle veillait avec passion sur l'étable, la basse-cour, et, cavalière consommée, montait les pur-sang de l'écurie.

Enfin, depuis l'automne, Hartzwalde abritait l'hôte le plus cher au cœur de Kersten : son père.

L'une des clauses du traité signé entre Hitler et Staline avait livré à la Russie les Pays Baltes. Comme l'avaient fait en 1914 les autorités du Tzar, les Soviets déportèrent en masse les habitants vers le Turkestan et la Sibérie. Il fut permis, toutefois, à ceux qui étaient allemands par naissance, de regagner leur pays d'origine. Frédéric Kersten s'était réfugié dans la propriété de son fils.

La nouvelle épreuve n'avait atteint ni la santé, ni la bonne humeur, ni la puissance de travail de cet étonnant vieillard trapu et noueux comme un paysan indestructible. Enlevé à son foyer au début de la première guerre mondiale, chassé au début de la seconde, et, cette fois, sans espoir de retour, il aimait à répéter :

— Je n'étais déjà plus un jeune homme quand, avant ces deux guerres-là, j'ai vu la guerre russo-japonaise. J'ai appris une chose : les guerres passent, la terre reste...

Mais le temps des fêtes de Noël s'acheva. Il fallut sortir de la coquille.

12

D'après un programme établi méthodiquement et longtemps à l'avance, Kersten devait traiter ses malades allemands à Berlin pendant les quatre premiers mois de l'année 1940, puis regagner La Haye où ses rendez-vous étaient déjà fixés jour par jour, heure par heure, pour la période suivante.

Jusqu'à la fin d'avril, Kersten soigna Himmler et conversa avec lui chaque matin.

Le Reichsführer était alors à fond pour l'entente de l'Allemagne et de la Russie. En outre, avec la même certitude qu'il avait montrée pour affirmer que la guerre serait finie au Nouvel An, il prédisait la paix pour l'été.

Il ne faisait naturellement que répéter les propos de Hitler qu'il voyait une et souvent deux fois par jour.

C'était le 1er mai que commençait à La Haye le cycle des traitements hollandais prévus par Kersten. Le 27 avril, le docteur remit son passeport à Himmler pour avoir plus rapidement un visa de sortie. Le Reichsführer avait de lui-même offert à Kersten cette facilité. Himmler promit que tous les ordres seraient donnés pour rendre aussi aisé que possible le voyage de Kersten. Il acheva en disant :

— Vous pouvez passer les derniers jours d'avril sans aucun souci dans votre propriété. Tout sera en règle.

Le lendemain, la sonnerie du téléphone retentit dans le bureau spacieux que Kersten s'était aménagé dans sa maison de campagne. Himmler l'appelait.

« Aurait-il une crise subite ? » pensa le docteur en attendant la communication.

Mais la voix de Himmler, qu'il connaissait maintenant si bien, ne portait aucune intonation de souffrance. Elle était au contraire alerte et même gaie.

— Mon cher docteur, dit Himmler, je tiens à vous avertir qu'il m'est impossible, pour le moment, d'avoir votre visa de sortie.

Kersten poussa un léger cri de surprise, mais il n'eut pas le temps de prononcer un mot. Himmler poursuivait déjà :

— La police est trop occupée. Attendez donc tranquillement à Hartzwalde.

— Voyons, Reichsführer, voyons, dit Kersten qui croyait mal à ce qu'il venait d'entendre, comment se peut-il que vous n'obteniez pas un visa, même si la police est plus qu'occupée, même si elle est débordée ? Je dois être absolument le 1er mai, c'est-à-dire dans deux jours, à La Haye. J'ai rendez-vous avec une dizaine de malades.

— Je regrette, je ne peux rien pour vous faire sortir d'Allemagne, dit Himmler.

Sa voix demeurait gaie, amicale, mais Kersten sentit en elle une décision irrévocable.

— Mais enfin, pourquoi ? s'écria-t-il.

— Ne me posez pas de questions. C'est impossible, voilà tout, dit Himmler.

— C'est très bien, répliqua Kersten. Dans ce cas, pour avoir mon visa, je m'adresserai à la légation de Finlande.

À l'autre bout du fil, Kersten entendit un éclat de rire, puis la voix amusée de Himmler :

— Je vous garantis, cher monsieur Kersten, que là où je ne peux rien, aucune légation ne fera davantage.

La voix, à l'autre bout du fil, devint tout à coup très sérieuse :

— Je demande, dit Himmler, j'exige que vous restiez la semaine qui vient dans votre propriété, sans en sortir.

Jusque-là Kersten était seulement passé de la stupeur à l'irritation. Maintenant, il ressentait un singulier malaise. En même temps, il ne pouvait s'empêcher de penser : « Si je ne l'avais pas remis en pleine forme, il ne me parlerait pas de cette façon. »

Il y eut un bref silence et Kersten demanda :

— Alors, je suis interné ?

— Interprétez cela comme il vous plaira, dit Himmler.

Soudain, Kersten l'entendit rire de nouveau.

— Mais soyez assuré que la Finlande ne nous déclarera pas la guerre à cause de vous ! dit le Reichsführer.

Là-dessus, il raccrocha brusquement.

Quelques minutes plus tard, toute communication était coupée entre Hartzwalde et le monde extérieur.

Il fallut douze jours d'impatience, d'anxiété, de colère, pour que le téléphone résonnât de nouveau dans la maison de Kersten. C'était le 10 mai, de très bonne heure. L'appel venait du Grand Quartier S.S. et l'on priait le docteur, au nom du Reichsführer, de se rendre immédiatement à Berlin pour voir ce dernier.

La rage était un sentiment que Kersten connaissait peu. Pourtant, elle habitait tous les muscles de son visage et de son corps massifs, lorsqu'il se présenta devant Himmler. Son patient, souriant et amical, ne s'en aperçut même pas. Il s'écria :

— Excusez-moi, cher monsieur Kersten, si je vous ai causé tant de difficultés, mais vous avez entendu la radio, ce matin ?

— Non, dit Kersten, les mâchoires serrées.

— Quoi ? dit Himmler. Vous ne savez vraiment pas ce qui s'est passé ?

— Non, dit Kersten.

Alors Himmler cria joyeusement — et l'expression de son visage était celle d'un homme qui annonce à son ami la meilleure nouvelle du monde :

— Nos troupes sont entrées en Hollande. Elles vont délivrer ce pays frère, ce pays purement germanique, des capitalistes juifs qui l'ont asservi.

Pendant sa mise en résidence forcée, Kersten avait eu le temps de nourrir beaucoup de craintes. Mais ce qu'il venait d'entendre dépassait de loin ses pires pressentiments.

La Hollande... Les Hollandais... le pays et les gens qu'il aimait le plus... cette terre paisible... ces hommes, ces femmes si débonnaires... attaqués traîtreusement par toute cette force brute.

Les S.S. étaient déjà là-bas, et la Gestapo allait suivre, et leur grand chef riait de ses pommettes mongoloïdes.

— En ce cas, je n'ai plus rien à faire ici, je pars pour la Finlande, dit Kersten.

Il ne se possédait plus. Si prudent à l'ordinaire, et placide, il lui était égal, en cet instant, de provoquer la fureur de Himmler. Il la souhaitait presque.

Mais Himmler ne montrait aucun ressentiment. L'expression qui dominait sur son visage était une sorte d'étonnement peiné, d'affectueux reproche. Il dit sans hausser la voix :

— J'espère que vous resterez, j'ai besoin de vous.

Puis, s'animant un peu :

— Comprenez donc ! Si je vous ai empêché d'aller en Hollande, si je vous ai retenu dans votre maison de campagne, c'était uniquement par sollicitude pour vous, par amitié. Il n'y avait pas seulement les dangers de guerre, bombardements, et autres. Un péril encore plus grand vous menaçait. Vous êtes très mal vu par nos hommes, là-bas, les nationaux-socialistes hollandais et leur chef Mussert. Et dans les premières heures de victoire, les exécutions vont vite.

Himmler fit une légère pause avant de continuer, comme à regret :

— Mettez-vous à leur place : ils savent combien vous êtes lié avec cette Cour de Hollande complètement enjuivée et dont nous allons délivrer un peuple de pur sang germanique.

Kersten regardait Himmler et pensait :

« Il le croit ; il le croit vraiment. Pour lui, la reine Wilhelmine et sa famille et ses ministres sont des agents juifs. Et le peuple hollandais, si libéral, si peu raciste, si farouchement épris de son indépendance, il croit vraiment que ses nazis et ses S.S. vont en être les libérateurs. Il n'y a rien à faire. »

Il ne restait plus chez Kersten qu'une amertume sans fond. Il dit :

— Je vais réfléchir, mais, en tout cas, je ne resterai pas longtemps en Allemagne.

En quittant le Quartier Général S.S., Kersten se fit conduire directement à la légation de Finlande et annonça qu'il voulait partir le plus tôt possible. Les diplomates qui composaient le haut personnel de la mission gardèrent un instant le silence. Kersten, d'après leur visage, devina ce qu'ils pensaient. La Finlande sortait d'une guerre terrible. Elle avait dû céder à la Russie des provinces, des villes fortes. Sa défense était démantelée, son peuple exsangue. Elle ne pouvait survivre qu'épaulée par l'Allemagne, et le départ de Kersten risquait de changer en ennemi l'un des hommes les plus puissants du IIIe Reich.

La réponse qui fut donnée au docteur confirma ses suppositions.

— Vous avez l'âge d'être mobilisé par nous, comme officier et comme médecin, lui dit-on en substance, mais il est beaucoup plus utile pour notre pays que vous demeuriez auprès de Himmler. Là est votre devoir national, là votre poste véritable.

Ces gens avaient raison.

Quelle que fût la répugnance de Kersten, quel que fût son tourment, il lui fallait rester.

CHAPITRE IV

Premières armes

1

Le 10 mai 1940, la situation de Kersten se résumait ainsi :

Son pays d'origine — l'Estonie — était annexé à la Russie soviétique contre laquelle, en 1919, il avait porté les armes ; il y était passible de la peine capitale.

Son pays d'élection, la Hollande, était envahi par les troupes de l'Allemagne hitlérienne, et les nazis hollandais lui en voulaient à mort.

Son pays d'adoption, la Finlande, se fermait à lui puisque ses représentants les plus qualifiés lui enjoignaient de continuer à soigner le Reichsführer des S.S.

Kersten se trouvait donc assujetti, rivé à Himmler. Il sentit tout de suite tout le poids de la chaîne.

Le 15 mai, la Hollande et la Belgique étaient entièrement occupées. Kersten fut invité, de la part de Himmler, à préparer une valise.

Le Reichsführer partait le lendemain pour la

zone des armées et désirait que son médecin l'accompagnât. Il n'était pas vraiment malade, mais pouvait avoir, en route, besoin de traitement. Le vœu n'était plus formulé, comme auparavant, sur le ton de la demande, mais d'un ordre.

Le train spécial de Himmler, formé de wagons-lits, wagons-salons et restaurants, était un véritable Grand Quartier mobile. Tous les services placés sous le commandement du Reichsführer — Gestapo, S.S., Renseignement, Contre-Espionnage, Contrôle des régions occupées — y avaient leurs bureaux et leur haut personnel. Dans le sillage de ce convoi, venaient les chasseurs d'hommes, la faim, la torture, la mort.

Le train spécial s'arrêta à Flamensfeld-in-Waterland. De là, Himmler, ses suppôts, ses sbires, ses bourreaux rayonnaient en tous sens. Kersten voyait se tendre l'horrible toile d'araignée et il avait à soigner Himmler, et il lui fallait écouter ses propos triomphants.

Le docteur connut alors, malgré tout son pouvoir sur lui-même, des heures atroces. Seule, la défaite de l'Allemagne pouvait le tirer de ce bagne moral. Pour cela, il espérait dans la France. Elle avait, sans doute, cédé sous le premier choc, et les blindés à croix gammée roulaient sur ses belles routes, sous un ciel de printemps merveilleux. Mais Kersten se rappelait, et avec toute la vivacité des souvenirs de l'adolescence, la guerre de 1914. Là aussi, les Allemands s'étaient crus vainqueurs et il y avait eu la Marne et il y avait eu Verdun.

Hélas, jour après jour, cet espoir s'amenuisait. Kersten avait beau fermer les oreilles aux nouvelles, il ne pouvait nier l'évidence : les armées hitlériennes avançaient avec une facilité terrifiante.

Un matin, entrant dans le compartiment de wagon-lit réservé au docteur, Himmler lui proposa :

— Cher monsieur Kersten, venez donc voir avec moi comment nous battons les Français !

Rien ne pouvait révolter Kersten davantage. Il dit :

— Merci beaucoup, mais le gouvernement de France ne m'a pas donné de visa.

Himmler se mit à rire et répliqua :

— Ce ne sera plus jamais le gouvernement français qui accordera les visas pour ce pays. Ce sera moi. Venez !

Kersten secoua doucement la tête.

— Je ne suis pas homme de guerre, dit-il. Je n'aime pas voir des villes en flammes.

— La guerre est nécessaire. Le Führer l'a dit.

La réponse avait été brève, automatique ; mais, l'ayant faite, Himmler s'en alla et ne renouvela plus son offre. Il est vrai qu'il recommençait à subir le supplice de ses crampes et ne trouvait de salut que sous les mains de Kersten.

Le mois de juin était venu, radieux. Jamais le cœur de Kersten n'avait été aussi lourd. Il comprenait que la France était vaincue. Sans compter les conséquences que cette défaite avait sur son propre destin, il souffrait au plus profond de lui-même en songeant à ce pays dont sa mère avait parlé la langue comme une Française, dont l'ambassadeur avait été son parrain et qui représentait, à ses yeux, la culture la plus fine, l'humanisme le plus doux, la liberté la plus fière. Une grande clarté lui semblait éteinte qui avait illuminé le monde.

Chaque jour, dans le wagon-restaurant qui servait de mess aux officiers de l'état-major de Himmler, Kersten avait à supporter les libations de victoire, les toasts pompeux ou grossiers, les rauques hurlements qui célébraient la débâcle de la France. Lui qui aimait tellement manger, il lui était difficile d'avaler un morceau.

Cette attitude renforçait encore l'hostilité que nourrissait à son égard l'entourage de Himmler. Quand Kersten entrait dans le wagon-restaurant, les officiers chuchotaient sans prendre beaucoup de soin pour étouffer leurs voix :

— Ce médecin inconnu… ce maudit civil… ce Finlandais..

— Il entre chez Himmler comme il veut, tandis que pour nous c'est le protocole le plus strict.

— Il a été à la Cour de Hollande. C'est un ami de nos ennemis. Encore hier, il a dit : « La reine Wilhelmine est l'honnêteté même » alors qu'elle a trahi la cause allemande et que, maintenant, elle est chez les Juifs en Angleterre et payée par les Juifs.

Dans le mess, toutefois, un homme ne partageait pas cette animosité générale. Il avait le grade le plus modeste, sous-lieutenant; mais il occupait un poste essentiel : secrétaire particulier de Himmler.

Taille au-dessous de la moyenne, très tranquille, très simple, très aimable, Rudolph Brandt n'était, en vérité, comme Kersten, qu'un civil égaré parmi les officiers supérieurs et les policiers, les espions, les tueurs en uniforme, qui emplissaient le train spécial. Docteur en droit, et l'un des meilleurs sténographes d'Allemagne, Brandt était, un peu avant la guerre, premier rédacteur au Reichstag. Un jour, Himmler avait demandé à ses services de lui trouver un sténographe excellent. On désigna Brandt. Il n'avait aucune affinité avec les nazis, mais n'osa pas refuser. Il fut aussitôt inscrit dans les Waffen S.S. et habillé comme eux. Son intelligence rapide, sa culture étendue, son charme paisible et sa grande discrétion lui avaient très vite valu l'estime et la confiance du Reichsführer.

Comme Brandt souffrait de maux d'estomac, Himmler, dans le train, avait demandé à Kersten de le traiter. Ainsi Brandt et Kersten furent amenés à de nombreuses rencontres.

Ils y montrèrent, au début, une prudence extrême. Dans un milieu où la délation était pratiquée de façon continuelle, et parmi des gens dont la fonction était de traquer, dépister, extirper tout mouvement de pensée contraire au national-socialisme, il fallait, quand on ne connaissait pas à fond son interlocuteur, mesurer chaque propos. Dans des entretiens de cette nature, les intonations, les silences, les sous-entendus, les regards, comptaient plus que les paroles.

Ce fut ainsi que Brandt et Kersten se reconnurent peu à peu, au milieu d'une meute de fanatiques et d'arrivistes sans merci, pour deux hommes isolés qui n'avaient pas perdu le sentiment de l'humain. Et Brandt finit par prévenir Kersten, à demi-mot, que plusieurs des familiers de Himmler, particulièrement ceux qui dirigeaient la Gestapo, avaient mis en garde le Reichsführer contre son docteur. On avait signalé la tristesse de Kersten en ces jours de victoire, on l'avait accusé de tiédeur envers les principes hitlériens. On avait même insinué qu'il pouvait être un agent secret, un espion.

Kersten mit l'avertissement à profit dans le moment qu'il savait lui être le plus propice : pendant l'une des pauses du traitement.

— Je me suis aperçu qu'on me déteste dans votre entourage, dit-il à Himmler, étendu sur la couchette de son compartiment.

— C'est vrai, dit celui-ci.

— Et je pense qu'on a dû vous faire des rapports sur mon compte, reprit le docteur.

— Cela est vrai encore, dit Himmler.

Il haussa légèrement ses faibles épaules nues et ajouta :

— Ce sont des imbéciles ; ils ne vont pas croire, tout de même, qu'on puisse me tromper !

Himmler se redressa un peu sur les coudes.

— Je m'y connais en hommes, dit-il. Je vois que vous faites tout pour moi, et, quoi qu'on puisse me raconter, j'ai pour vous reconnaissance, confiance et amitié entières.

L'incident fut réglé de la sorte, mais ni la sécurité que lui garantissait Himmler, ni la sympathie qui commençait de le lier à Rudolph Brandt, ne pouvaient tirer Kersten de sa mélancolie et dissiper le sentiment de solitude qui l'écrasait. Il avait besoin de retrouver des lieux familiers, des amis avec lesquels il pût partager sa détresse. Berlin était trop loin, mais La Haye se trouvait tout près, à quelques heures de voiture. Un voyage dans cette ville n'empêcherait pas les soins quotidiens qu'il donnait à Himmler. Pendant un traitement, Kersten dit à ce dernier :

— J'ai très envie de voir l'état de ma maison. Tous mes beaux meubles, tous mes tableaux de prix sont là-bas. Une journée me suffirait.

Mais Himmler, malgré son amitié pour Kersten, ou à cause d'elle, se montra intraitable.

— Rien à faire, dit-il. Les nazis hollandais m'envoient accusation sur accusation à votre sujet. Vous avez été le médecin et le familier du prince Henri, mari de la reine Wilhelmine. Vous avez encore des contacts avec les membres de la Cour qui sont restés aux Pays-Bas. Enfin, l'affection que je vous porte exaspère nos gens : ils trouvent dangereux que j'aie près de moi un homme qui a de pareilles relations, et qui, en outre, jouit d'une certaine liberté parce qu'il est finlandais. Non, cher monsieur Kersten, attendez que les passions se calment.

Il fallait se résigner à vivre dans le train maudit.

Pour échapper au paysage des rails et des bâtiments ferroviaires, Kersten se promenait dans la campagne. Pour échapper à l'oisiveté, il se mit à tenir un journal. Enfin, pour passer le temps, il eut recours à la petite bibliothèque personnelle que Himmler avait amenée et qu'il mit avec empressement à la disposition de son médecin.

Alors Kersten fit une découverte qui le stupéfia. Tous les livres du maître des S.S. et de la Gestapo se rapportaient à la religion. Il y avait là, outre les grandes illuminations prophétiques, comme les Védas, la Bible, l'Évangile, le Coran, il y avait, soit d'origine allemande, soit traduits du français, de l'anglais, du latin, du grec ou de l'hébreu, des exégèses et des commentaires, des traités de théologie, des textes mystiques, des ouvrages sur la juridiction de l'Église à toutes les époques.

Quand Kersten eut achevé de reconnaître ces volumes, il demanda à Himmler :

— Vous m'avez bien affirmé qu'un vrai national-socialiste ne peut pas appartenir à une confession quelconque ?

— Assurément, dit Himmler.

— Mais alors ? demanda encore Kersten, en montrant les rayons de la bibliothèque de campagne.

Himmler rit franchement.

— Non, non, je ne suis pas converti, dit-il. Ces livres sont de simples instruments de travail.

— Je ne comprends pas, dit Kersten.

La figure de Himmler devint soudain sérieuse, exaltée, et, avant même qu'il ne parlât, Kersten sut qu'il allait prononcer le nom de son idole. Himmler dit en effet :

— Hitler m'a chargé d'une tâche essentielle. Je dois préparer la nouvelle religion nationale-socialiste. Je dois rédiger la nouvelle Bible, celle de la foi germanique.

— Je ne comprends pas, répéta Kersten.

Himmler dit alors :

— Le Führer est décidé, après la victoire du IIIe Reich, à supprimer le christianisme dans toute la Grande Allemagne, c'est-à-dire l'Europe, et à établir, sur ses ruines, la foi germanique. Elle conservera la notion de Dieu, mais très vague, très confuse. Et le Führer prendra la place du Christ comme Sauveur de l'Humanité. Ainsi des millions et des millions d'hommes invoqueront, dans leurs prières, le seul nom de Hitler et, cent ans plus tard, on ne connaîtra plus que la religion nouvelle qui durera des siècles et des siècles.

Kersten écoutait, la tête basse. Il craignait de montrer sur son visage, dans son regard, qu'il jugeait ce projet démence pure, et fous dangereux les gens qui l'avaient conçu. Enfin, ayant composé ses traits, il leva les yeux sur Himmler. Rien n'avait changé dans cette figure, devenue si familière, de maître pédant, aux pommettes mongoloïdes.

— Vous comprenez, pour cette nouvelle Bible, j'ai besoin de documents, acheva Himmler.

— Je comprends, dit Kersten.

Le soir même, il résumait cet entretien dans le journal qu'il s'était mis à tenir. Ces notes, prises d'abord pour se distraire, devenaient une habitude, un besoin.

Cependant, l'agonie de la France arrivait à son terme. Le maréchal Pétain demanda l'armistice. Avant de se rendre à Compiègne pour assister à la cérémonie de la signature, Himmler offrit à Kersten de l'emmener. Cette fois encore, Kersten refusa. Il n'était pas, en général, amateur de spectacles historiques, encore moins de ceux qui lui faisaient toucher le fond de la détresse.

Quelques jours plus tard, le train spécial de Himmler regagna Berlin.

2

La vie reprit son cours normal en apparence pour Kersten. Il retrouva son appartement, ses aises, son travail, son appétit. Il retrouva ses amis, sa famille. Il retrouva, à chaque fin de semaine, la paix des champs et des arbres dans son domaine de Hartzwalde.

Sa femme Irmgard y demeurait maintenant d'une façon permanente. Kersten préférait qu'il en fût ainsi pour sa sécurité et celle de son fils. De plus, elle aimait, depuis son enfance, le plein air et les occupations de la campagne. Elle dirigeait la basse-cour, augmentait le nombre des vaches et des porcs. Les restrictions alimentaires commençaient à se faire sentir et Irmgard savait combien la bonne chère comptait pour son mari.

À Berlin, Elisabeth Lube tenait la maison et, dans ses loisirs, Kersten cultivait quelques belles personnes, car les penchants amoureux et le goût de la diversité demeuraient chez lui très puissants.

Tout était en place, tout était pareil à l'ordre d'autrefois. Mais, en même temps, tout était changé. Il y avait pour cet épicurien, pour ce sybarite, l'intérêt douloureux qu'il prenait aux événements publics. Il y avait, pour un médecin uniquement attaché jusque-là aux travaux de sa profession, un besoin nouveau et singulier de tenir son journal où il notait les propos de Himmler sur les francs-maçons, les Juifs, les « poulinières », de vraies femmes allemandes, destinées à maintenir la pureté de la race aryenne.

Il y avait, pour ce bon bourgeois épris de liberté, l'obligation de vivre au milieu de policiers odieux entre tous, et le sentiment d'être leur captif. Il y avait enfin, pour cet homme de cœur, l'idée fixe que la nation qui lui était la plus chère, celle où il avait choisi d'établir son foyer et trouvé ses meilleurs amis, étouffait sous l'oppression d'un envahisseur sans merci. Déjà, il avait reçu des lettres de Hollande qui lui faisaient deviner des faits épouvantables.

Kersten mangeait bien, dormait bien, traitait ses malades avec la même gentillesse et la même efficacité, continuait d'avoir le teint rose, la bouche vermeille et le front débonnaire. Les gens qu'il rencontrait pensaient de lui : « Voilà un homme heureux. »

Cet aspect cachait un tourment profond.

Non seulement Kersten songeait sans cesse au malheur qui atteignait des millions d'êtres, et auquel il ne pouvait rien, mais encore il avait à soigner, à soulager l'homme qui en était l'instrument principal.

Ne plus s'occuper de lui ?

Le tour qu'avaient pris les événements empêchait un refus.

Faire seulement semblant de le traiter ?

Rien n'était plus facile, mais le culte qu'avait Kersten pour son métier, toute son éthique professionnelle, lui interdisaient d'y penser. Un malade, quoi qu'il pût faire dans l'existence, n'était pour son médecin qu'un malade et avait droit à toute sa science et à tout son dévouement.

L'état de trouble et de malaise où se trouvait Kersten, il le livra par un mot qui l'étonna lui-même.

Le 20 juillet 1940, le comte Ciano, gendre de Mussolini, et ministre des Affaires étrangères d'Italie, venu à Berlin pour affaires d'État, demanda à Kersten de l'examiner, ainsi que le docteur l'avait fait régulièrement avant la guerre. Les deux hommes avaient de l'amitié l'un pour l'autre ; ils parlèrent librement :

— Vous êtes vraiment le médecin de Himmler ? demanda Ciano.

— Eh oui ! dit Kersten.

— Comment est-ce possible ! s'écria Ciano.

Sa voix exprimait tout le mépris d'un aristocrate beau, élégant, arrogant, brillant, pour l'exécuteur des besognes les plus sordides, les plus sanglantes.

À sa propre surprise, Kersten répondit :

— Que voulez-vous, il arrive qu'on dégringole dans son métier. Je suis tombé de haut et bien bas.

Cet aveu, qui lui avait échappé avant même qu'il s'en fût rendu compte, Kersten se le reprocha aussitôt. Ciano rit aux éclats et dit :

— Je ne le vois que trop.

Les sourcils de Kersten se rejoignirent ; le sillon qui, juste au-dessus, labourait son front, se creusa. Les rapports qu'il entretenait avec Himmler ne regardaient que lui seul. Personne n'avait à les juger et moins que tout autre l'allié de l'Allemagne hitlérienne. Il demanda :

— Pourquoi êtes-vous entrés en guerre ? Vous m'avez toujours assuré que cela serait stupide et criminel ?

Ciano ne riait plus.

— Je suis toujours du même avis, dit-il. Mais c'est mon beau-père qui gouverne.

Il fit un geste comme pour chasser des pensées importunes et reprit :

— Vous devriez venir à Rome.

— Je suis prisonnier ici, dit Kersten.

— J'arrangerai cela facilement, dit Ciano avec superbe.

Le soir même, il annonça à Kersten :

— C'est fait. Vous pouvez venir.

Puis il raconta la scène :

— J'ai vu, dit-il, Himmler à déjeuner, et je lui ai demandé : « Donnez-moi Kersten un mois ou deux, j'ai besoin de son traitement pour des maux d'estomac. » Himmler m'a regardé sans amitié. Il me déteste autant que je le méprise. Il a répondu : « Nous avons besoin de Kersten ici. » Je l'ai regardé alors à mon tour et de telle façon qu'il a pris peur ; il sait combien les bons rapports avec l'Italie sont importants pour l'Allemagne en ce moment. Il sait l'influence de mon beau-père sur Hitler. Il s'est repris et m'a dit : « On verra… seulement, remarquez bien, je n'ai pas le pouvoir de disposer de Kersten. Il est finlandais. » Le bon apôtre ! À quoi j'ai répliqué : « Nous sommes au mieux avec les Finlandais, je vais en parler à l'ambassadeur. » Que voulez-vous que fît Himmler ? Pour ne pas perdre la face, il s'est empressé de dire : « Oh ! ce n'est pas la peine. Le docteur pourra vous suivre. »

Kersten secoua la tête.

— Je vous remercie, dit-il, mais ma femme attend un enfant, je ne peux pas la laisser seule.

— Qu'à cela ne tienne ! Prenez votre femme ! s'écria Ciano. Votre enfant sera romain.

— Non, vraiment, dit Kersten, les difficultés seraient trop grandes.

Était-ce la raison véritable de son refus ou bien éprouvait-il un scrupule obscur, qui, par ces temps terribles, lui interdisait de goûter en paix la félicité du ciel de Rome ?

3

Au début d'août, Irmgard Kersten accoucha d'un fils dans les meilleures conditions. Le docteur, après quinze jours passés auprès d'elle à Hartzwalde, reprit ses occupations à Berlin.

Il reçut alors la visite de Rosterg, le grand industriel auquel il devait son domaine et dont les instances l'avaient amené à soigner Himmler.

Rosterg lui dit :

— Je viens vous demander un service que seul vous pouvez me rendre. J'avais dans le personnel de mes usines un bon vieux contremaître, honnête, consciencieux, tranquille, mais social-démocrate. Pour ce crime, il a été envoyé dans un camp de concentration. Je sais que vous avez la confiance et l'amitié de Himmler. Faites libérer le pauvre homme.

— Mais je n'y peux rien ! Himmler ne m'écoutera même pas ! s'écria Kersten.

Sa réponse était d'une sincérité absolue. L'idée qu'il pût obtenir une faveur de cette sorte n'avait jamais effleuré son esprit. La simple hypothèse d'intervenir auprès de Himmler lui faisait peur.

Mais Rosterg avait de l'obstination et de l'autorité.

— Vous verrez bien, dit-il. En tout cas, voici une fiche avec toutes les données sur l'affaire.

— Je veux bien la prendre, mais je ne promets rien, car je n'ai aucune influence, dit Kersten.

Il enfouit la note de Rosterg dans le fond de son portefeuille et, en vérité, l'oublia complètement.

Deux semaines passèrent.

Le 26 août, Himmler eut une crise de crampes déchirantes. Kersten accourut à la Chancellerie et, comme à l'ordinaire, allégea rapidement les souffrances de son malade. Mais la crise avait été si violente que, même lorsqu'elle fut dissipée, Himmler demeura couché à moitié nu sur son divan.

Du fond de sa faiblesse bienheureuse, il considéra Kersten avec une gratitude sans bornes :

— Cher monsieur Kersten, dit-il, et sa voix exténuée tremblait d'émotion, que ferais-je sans vous ! Jamais je ne saurai vous exprimer combien je vous suis reconnaissant, d'autant plus que j'ai très mauvaise conscience à votre égard.

— Que voulez-vous dire ? demanda Kersten avec un étonnement mêlé d'inquiétude.

La réponse le rassura.

— Vous me soignez si bien, dit Himmler, et je ne vous ai pas encore payé le moindre honoraire.

— Vous savez bien, Reichsführer, que je ne fixe pas mes honoraires par séance, mais par cure entière, dit Kersten.

— Je sais, je sais, dit Himmler. Cela n'empêche pas que j'aie très mauvaise conscience. Vous avez à vivre et comment vivre sans argent ? Il faut me dire la somme que je vous dois.

Ce fut alors que vint à Kersten l'une de ces intuitions qui sont décisives pour toute une vie. Il sut que, s'il acceptait d'être payé par Himmler, il deviendrait à ses yeux un médecin ordinaire, un simple salarié à son service et que Himmler se sentirait dégagé de toute obligation à son égard dans la mesure même où son traitement lui coûterait cher. Car Himmler, et Kersten le savait, ne disposait que de très modestes ressources personnelles. Son fanatisme et son manque de besoins faisaient de lui le seul dignitaire honnête — et d'autant plus inaccessible — parmi les grands chefs nazis. Des fonds secrets, des frais de représentation, il ne détournait rien à son profit et se contentait de ses émoluments ministériels qui ne dépassaient pas deux mille marks par mois. Avec cette somme, il lui fallait faire vivre non seulement sa femme légitime et sa fille, mais encore une maîtresse maladive qui lui avait donné deux enfants.

Kersten prit son visage le plus enjoué et dit gentiment, bonnement :

— Reichsführer, je ne veux rien de vous, je suis beaucoup plus riche que vous ne l'êtes. Vous n'ignorez pas que j'ai une très belle clientèle et que je reçois de très hauts honoraires.

— C'est vrai, dit Himmler, je ne suis pas aussi riche que Rosterg, par exemple. Comparé à lui, je suis même un pauvre homme. Mais cela ne fait rien, mon devoir est de vous rétribuer.

Kersten eut un mouvement plein de bonhomie joviale et répliqua :

— Je ne prends rien des gens pauvres. C'est un principe, chez moi. Je fais payer les riches pour eux. Quand vous serez plus fortuné, soyez tranquille, je ne vous épargnerai point. En attendant, laissons les choses comme elles sont.

Le torse dénudé, les jambes pendantes, Himmler s'assit sur le divan. Jamais le docteur n'avait vu tant d'émotion sur ses traits. Il s'écria :

— Cher, cher monsieur Kersten, comment ferai-je pour vous remercier ?

Par quel ressort de la mémoire, par quel ajustement de la pensée et de l'instinct, Kersten se souvint-il tout à coup de la demande que lui avait faite Rosterg ? Parce qu'il avait entendu Himmler prononcer le nom du grand industriel un peu auparavant ? Parce qu'il sentit, comme dans une illumination, que c'était l'instant ou jamais de tenter la chance ?

Kersten lui-même n'aurait su le dire, mais il prit son portefeuille et, sans presque avoir conscience de ses gestes, il en tira la note qui concernait le vieux contremaître socialiste. Avec un sourire innocent, épanoui, il la tendit à Himmler en disant :

— Voilà mes honoraires, Reichsführer : la liberté de cet homme.

Himmler eut un sursaut qui agita sa peau et ses muscles lâches, puis il lut la note, puis il dit :

— Du moment que c'est vous qui le demandez, naturellement je vous l'accorde.

Il cria :

— Brandt !

Le secrétaire particulier entra.

— Prenez cette fiche, lui commanda Himmler,

faites élargir le prisonnier, notre bon docteur le demande.

— À vos ordres, Reichsführer, dit Brandt.

Il resta un instant immobile, mais adressa à Kersten un bref regard d'approbation. Ce fut alors que Kersten acquit la certitude définitive d'avoir en Brandt un ami, un allié sûr contre la Gestapo et les camps de mort. Ce fut également son regard qui lui fit croire à l'incroyable : il avait arraché une existence à Himmler.

Il se confondit en remerciements.

4

Trois jours plus tard, le Reichsführer, complètement guéri de sa crise, demanda sèchement à Kersten :

— Est-il vrai, ainsi que m'en informent mes agents de Hollande, que vous avez conservé votre maison à La Haye ?

Himmler prit à deux mains les verres de ses lunettes à monture d'acier et se mit à les faire monter et descendre sur son front : c'était chez lui un signe de colère. Il reprit avec violence :

— Cela doit cesser. Il est impossible que vous possédiez un domicile à La Haye. Je vous ai averti plus d'une fois : le parti national-socialiste de Hollande et son chef sont terriblement montés contre vous à cause des relations que vous avez eues là-bas et que vous continuez d'avoir.

Le va-et-vient des lunettes s'accentua sur le front de Himmler.

— Vous pensez peut-être, s'écria-t-il, que nous ignorons les lettres que vous recevez, et de qui elles sont ? Je ne veux plus vous couvrir davantage. Liquidez-moi cette maison.

Kersten comprit que toute discussion serait inutile et même dangereuse. Il connaissait maintenant à fond le comportement de son malade. Rendu à la santé, Himmler ne se laissait plus influencer par lui et se montrait, même à l'égard de son docteur-magicien, aussi fanatique et intraitable que pour tout autre.

Il fallait obéir.

Devant cette nécessité, deux sentiments tout à fait contraires assaillirent Kersten. Il éprouvait un chagrin profond à se séparer du logis qui avait abrité ses années les plus heureuses dans un pays auquel l'attachaient les liens les plus forts et les plus doux. En même temps, il découvrait, dans l'accomplissement de ce chagrin, l'occasion unique de retrouver ce pays qui lui était interdit.

— Je ferai ce que vous voulez, dit-il à Himmler. Seulement, il est indispensable que je dirige moi-même le déménagement.

— D'accord, grommela Himmler. Mais je vous donne dix jours et pas un de plus. Et partez tout de suite.

Le 1er septembre, Kersten, muni des papiers nécessaires, était à La Haye. Son émotion à retrouver une ville qu'il aimait tant fut encore plus grande qu'il ne s'y était attendu. Chaque rue, chaque détour lui rappelait quelque souvenir faste. Travail, honneurs, amitiés, douces aventures, tout lui avait réussi en ces lieux, tout lui souriait d'un passé encore proche. Mais cette joie fut de courte durée. De la gare même, Kersten dut aller chez le grand chef de la Gestapo en Hollande. C'était un Autrichien du nom de Rauter, bestial et retors à la fois. Il reçut Kersten avec une rudesse qui confinait à la grossièreté. Le docteur frémit en pensant que la liberté et la vie de millions d'hommes et de femmes dépendaient de son arbitraire.

Kersten avait obligation de se présenter au bureau de Rauter chaque jour. Ainsi en avait décidé Himmler lui-même. « Question de politesse », avait-il dit au docteur, mais d'un ton qui ne cherchait même pas à dissimuler qu'il plaçait Kersten sous une surveillance étroite. La seule perspective d'avoir à se rendre quotidiennement chez ce personnage assombrit à l'avance pour Kersten son séjour à La Haye.

Pourtant, il ne savait rien encore de la manière dont Rauter exerçait son pouvoir. Il l'apprit dès qu'il eut gagné sa maison et donné quelques coups de téléphone. Des amis affluèrent et chacun avait une histoire plus atroce que l'autre à raconter sur la situation désespérée où l'occupation allemande avait, par l'initiative et l'intermédiaire de la Gestapo, placé le pays. Arrestations, famine, déportations, tortures, exécutions sommaires, une fresque de cauchemar se développait devant Kersten. Il écouta longtemps sans rien dire.

On ignorait en Hollande sa situation auprès du maître des S.S. et de la Gestapo. Il fallait être prudent. Mais quand la plupart de ses visiteurs l'eurent quitté et qu'il fut entouré seulement de quelques hommes dont il était pleinement sûr, Kersten parla sans réserve.

— Je crois avoir acquis une certaine influence sur Himmler, dit-il. Envoyez-moi donc régulièrement des lettres pour m'informer sur tout ce que vous pourrez apprendre : détentions injustifiées, vols, pillages, supplices.

— Mais comment expédier un courrier aussi compromettant sans risques terribles pour nous et pour vous ? demandèrent ses amis.

— Vous n'avez qu'à l'envoyer, dit Kersten, au Secteur Postal Militaire n° 35360.

Une voix s'éleva, incrédule, craintive :

— Et le secret sera...

— Absolu, j'en réponds, dit Kersten.

Le ton interdisait toute question nouvelle et, en même temps, commandait la confiance.

Peu après, ses amis le laissèrent.

La certitude exprimée par Kersten n'avait rien de hasardeux. Le numéro postal qu'il venait d'indiquer était, en effet, celui de Himmler lui-même. Ce privilège exorbitant avait été obtenu, comme il arrive souvent pour les réussites les plus invraisemblables, avec une extrême facilité.

Avant de quitter Berlin, Kersten, qui prévoyait combien il pouvait lui être utile de mettre sa correspondance à l'abri des censeurs et des espions, avait dit à Rudolph Brandt, sur un ton de confidence gênée, qu'il allait retrouver en Hollande plusieurs femmes avec lesquelles il avait eu des relations amoureuses. Ces femmes, il était sûr qu'elles allaient lui écrire. Et Brandt devait comprendre, Kersten en était persuadé, combien il était déplaisant pour lui de penser que des lettres d'amour seraient lues par des censeurs. Surtout, avait ajouté Kersten, que personne, jamais, n'était à l'abri de l'indiscrétion et que sa femme risquait d'apprendre l'existence de ses liaisons.

Alors Brandt, qui ne cachait plus une vive amitié pour le docteur, lui avait dit : « Prenez donc le secteur postal de Himmler. C'est moi qui trie le courrier, je vous donnerai vos lettres. » Et comme Kersten demandait si le moyen était vraiment sûr, Brandt avait répondu : « C'est le seul numéro en Allemagne qui soit inviolable. »

Mais Himmler donnerait-il son accord ?

— J'ai de bonnes raisons pour le croire, avait dit Brandt en souriant.

Il comptait sur une faiblesse du Reichsführer, bien connue dans son entourage, et souvent moquée par les officiers S.S. de haut rang. Himmler, ce pédant chétif et malingre, étriqué au moral comme au physique, dont la vie était strictement, petitement réglée entre ses dossiers, son régime alimentaire, son épouse et sa maîtresse d'une égale insignifiance, rêvait d'être en personne le surhomme dont il voulait faire le prototype de l'Allemand : athlétique, guerrier, mangeur et buveur intrépide, étalon inépuisable pour la reproduction de la race élue.

Parfois il essayait de vivre ce rêve. Il convoquait son état-major pour des exercices de gymnastique auxquels il prenait part. La misère de ses muscles, sa gaucherie, sa raideur faisaient alors de lui une silhouette risible et clownesque, une sorte de « Charlot parmi les S.S. ». Ses mouvements étaient la caricature de ceux qu'exécutaient en même temps que lui des corps violents et souples, rompus, endurcis à toutes les épreuves.

Le contraste était si manifeste que le Reichsführer finissait par s'en rendre compte et retournait avec un acharnement redoublé à son travail, à ses rapports secrets, à la liste interminable de ses victimes, au sentiment de ses pouvoirs terribles.

Mais l'image du héros charnel, dont il souffrait tant qu'elle ne fût pas la sienne, continuait à nourrir son esprit de songes exaltés.

Cette frustration chronique, organique, servit à merveille les desseins de Kersten.

Du prétexte que le docteur avait inventé pour assurer le secret de sa correspondance — histoires de femmes à cacher — Himmler tira un plaisir extrême.

Dès qu'il fut informé par Brandt, il en parla à Kersten avec approbation et chaleur. Par là, un rapport nouveau s'établissait entre eux. Ce n'était plus celui de malade à médecin, mais d'homme à homme, de mâle à mâle, complices en leur virilité — et comme l'auraient fait deux reîtres de la Vieille Allemagne.

Pour tromper un rêve qu'il ne pouvait exaucer, Himmler, qui se méfiait de tout et de tous, accorda joyeusement à Kersten l'asile tabou de son Secteur Postal.

Cette extraordinaire faveur permit à Kersten d'organiser en quelques jours un véritable réseau de renseignements personnels en Hollande. Il avait des informateurs partout ; il choisit les plus discrets, les plus avertis, pour correspondre avec lui.

Kersten avait passé cinq jours à La Haye, c'est-à-dire la moitié du temps que Himmler lui avait accordé, quand arriva chez lui, de très bonne heure, et alors qu'il était encore couché, un ami à bout de souffle qui balbutia :

— Docteur, docteur, la police allemande entoure depuis l'aube la maison de Bignell, perquisitionne et menace de l'arrêter.

Bignell était antiquitaire et commissaire-priseur. Kersten avait acheté ses meilleurs tableaux de maîtres flamands par son intermédiaire et s'était pris pour lui d'une grande sympathie.

Il se leva, s'habilla, saisit sa canne, monta dans le premier tramway à sa disposition, gagna la maison de l'antiquitaire. La police, en effet, la cernait et en interdit l'entrée à Kersten. Il monta dans un autre tramway et se rendit au Quartier Général de la Gestapo en Hollande, chez Rauter, le grand chef.

Celui-ci vit entrer le docteur sans étonnement : Kersten avait à se présenter à lui chaque jour.

À l'ordinaire, Kersten écourtait le plus possible l'odieuse formalité. Il entrait et, aussitôt après un grognement qui servait de salut à Rauter, s'en allait. Cette fois, il ne quitta pas les lieux aussi vite. Une fois observés les rites habituels, il dit d'un ton neutre :

— J'ai voulu rendre visite, ce matin, à mon ami Bignell, mais on perquisitionnait chez lui et on m'a empêché de pénétrer dans la maison.

— C'est un ordre, dit Rauter en fixant sur Kersten ses yeux cruels. Un ordre de moi. Bignell est un traître en rapport avec Londres. Après la perquisition il ira en prison (Rauter eut un sourire glacé) où je l'interrogerai.

En arrivant au siège de la Gestapo, Kersten s'était promis de rester maître de ses nerfs. Mais la perspective de ce qui attendait son ami, homme d'âge mûr, et de santé précaire, le fit frémir. Il dit d'un seul mouvement :

— Je garantis son innocence, il n'a rien fait contre les Allemands, libérez-le.

Une expression d'incrédulité passa sur le visage de Rauter. Quoi ! Un étranger, un suspect, soumis à son contrôle quotidien, se permettait de donner des avis, presque des ordres ! Il frappa du poing contre la table et se mit à hurler :

— Libérer un salaud ? Pour rien au monde, et surtout pas après votre demande. Et un bon conseil : mêlez-vous de vos affaires, sinon, gare !

La colère engendre la colère. Kersten, si calme à l'ordinaire, se sentit soudain enragé. Il ne pouvait pas accepter de telles insultes. Il devait mater, humilier cette brute. N'importe comment !

Des remous de la fureur une idée surgit, que, en tout autre temps, il eût jugée folle. Mais sa rage lui donna l'impulsion qu'il fallait pour la suivre. Il demanda froidement :

— On peut téléphoner d'ici ?

Rauter s'attendait à tout, sauf à cela.

— Évidemment, dit-il.

— Très bien, dit Kersten. Demandez-moi Himmler, à Berlin.

Rauter quitta son fauteuil d'un bond. Il cria :

— Mais c'est impossible. Im-pos-si-ble. Même pour moi. Quand je veux téléphoner à Himmler, je dois passer par Heydrich, le chef de tous nos services, vous comprenez, et vous, vous n'êtes rien qu'un civil sans titre, sans mission.

— Essayez toujours, on verra, dit Kersten.

— D'accord, dit Rauter.

On allait voir, en effet, comment serait châtié, pour atteinte aux règlements les plus rigoureux, ce gros médecin infatué de lui-même jusqu'à l'impudence.

Rauter décrocha le téléphone, transmit la demande de Kersten et fit semblant de s'absorber dans ses dossiers.

Cinq minutes ne s'étaient pas écoulées que la sonnerie crépita. Rauter prit l'écouteur avec un rictus de mauvais augure. On allait bien voir, en vérité…

Une surprise qui tenait de la panique envahit ses traits. Il poussa l'appareil vers le docteur. Himmler était au bout du fil.

Si Kersten l'avait pu, il eût annulé son appel. L'attente lui avait permis de réfléchir. Il connaissait Himmler et sa détermination aveugle à couvrir les chefs de ses services. La démarche qu'il entreprenait n'avait pas la moindre chance de réussite. Mais il n'était plus de recul possible.

Alors Kersten se rappela Bignell et les tourments qui lui étaient promis. La colère lui revint. Il saisit le téléphone et dit presque avec violence :

— Un de mes meilleurs amis vient d'être arrêté, je me porte garant pour lui, faites-moi plaisir, Reichsführer : qu'on suspende l'affaire.

Himmler ne semblait pas avoir entendu le docteur. Il demanda d'une voix dolente et fébrile à la fois :

— Quand revenez-vous ? J'ai très mal.

Kersten éprouva un soulagement immense. Le sort se déclarait pour lui. Himmler souffrant et qui appelait son guérisseur à l'aide n'était plus pour Kersten le bureaucrate fanatique et souverain du supplice et de l'extermination. C'était l'autre Himmler, la pauvre pâte humaine, malléable à volonté, le drogué prêt à tout pour sa drogue.

— Mon délai de séjour ici n'expire que la semaine prochaine, dit Kersten, et si mon ami est arrêté, je reviendrai à Berlin complètement abattu.

— D'où téléphonez-vous ? cria Himmler.

— Du bureau de Rauter, dit Kersten.

— Passez-le-moi, vite ! ordonna Himmler.

Le chef de toute la Gestapo des Pays-Bas prit l'écouteur, debout, les talons joints, le buste raide, le visage figé. Pendant toute la conversation, il conserva cette attitude. Et tout ce que Kersten entendit fut :

— À vos ordres, Reichsführer !

— Reichsführer, à vos ordres !

Puis Rauter donna de nouveau le téléphone à Kersten, et Himmler dit à ce dernier :

— Je vous fais confiance. Votre ami sera libre, mais rentrez, rentrez le plus vite possible.

— J'obéis de tout cœur et c'est de tout cœur que je vous remercie, dit Kersten.

La communication fut coupée. Il y eut entre Kersten et Rauter un long et profond silence. Les deux hommes se regardaient fixement et comme sans se voir, en proie à un étonnement qui suspendait en eux l'exercice des sens. Mais, tandis que chez Rauter la stupeur était simplement celle de l'humiliation et de l'impuissance, il s'agissait de bien autre chose pour Kersten.

Certes, il lui était déjà arrivé d'arracher une victime à Himmler : le vieux contremaître de Rosterg. Mais l'occasion avait été vraiment unique. Il avait, en fait, échangé le montant de ses honoraires contre la liberté d'un homme. De plus, l'affaire avait eu lieu en Allemagne, et le pauvre vieux n'était coupable que d'appartenir au parti social-démocrate. Ici, quelle différence ! Bignell était accusé d'un crime de haute trahison. Et par qui ? Par Rauter lui-même, le grand maître de la Gestapo de tous les Pays-Bas. Et il avait suffi à Kersten d'un mot pour l'emporter sur lui.

Le docteur passa lentement une main sur son front buriné. Il ressentait une sorte de vertige.

Enfin Rauter rompit le silence.

— Himmler m'a donné l'ordre de libérer Bignell, dit-il. Moi, je sais que Bignell est un traître, mais un ordre est un ordre. Je vais vous donner une voiture et l'un de mes hommes de confiance. Allez le chercher vous-même.

Rauter avait parlé à son ordinaire, brutalement. Il dut se souvenir du crédit que Kersten avait auprès de Himmler, car il obligea son visage à la grimace de l'amabilité et demanda :

— Cela vous fait plaisir ?

— Beaucoup, et je vous en remercie beaucoup également, dit Kersten.

Ni la rudesse de Rauter, ni sa colère n'avaient effrayé Kersten, mais le sourire forcé auquel les yeux cruels ne prenaient aucune part lui donna un profond malaise : cet homme ne pardonnerait jamais.

Rentré chez lui après avoir libéré Bignell, Kersten ne laissa pas un moment de répit aux gens qui travaillaient dans sa maison. En vingt-quatre heures, tout fut mis en caisses. Cependant, quand il prit le train pour Berlin, Kersten n'emmena rien avec lui et laissa ouverte sa demeure de La Haye, contrairement aux ordres de Himmler. Il voulait se ménager un prétexte pour revenir.

Himmler en fut averti aussitôt par Rauter, mais sans doute se sentait-il trop malade et avait trop besoin de Kersten pour prendre ombrage de sa désobéissance. En tout cas, il ne lui en dit pas un mot.

CHAPITRE V

Gestapo

1

Brandt, que ses fonctions de secrétaire privé auprès de Himmler mettaient à même de savoir beaucoup de choses, félicita Kersten de son succès pour la libération de Bignell. Il fit remarquer toutefois au docteur que Rauter avait l'appui absolu de Heydrich, le grand chef de tous les services de la Gestapo, à l'étranger comme en Allemagne. Et Heydrich n'oublierait jamais que Kersten avait humilié l'autorité de son représentant en Hollande et la sienne propre en s'adressant par-dessus sa tête à Himmler.

— Soyez prudent, acheva Rudolph Brandt.

Kersten fit part de cette conversation à Elisabeth Lube qui tenait sa maison à Berlin. Il ne lui cachait rien. C'était une habitude prise vingt années auparavant, alors que, très jeune, très seul et très pauvre, il avait trouvé en elle une sœur aînée.

Par contre, à l'égard de sa femme qui vivait à Hartzwalde, sans presque en bouger, un instinct de protection lui commandait de la laisser ignorer complètement la partie de sa vie qui commençait à devenir dangereuse.

Elisabeth Lube écouta le docteur en silence, hocha la tête et dit :

— Quoi qu'il arrive, tu as eu raison. Ce vampire de Himmler, il faut bien qu'il serve à quelque chose.

Cependant Himmler, rétabli de sa crise, ne parlait que de la victoire allemande toute proche. Hitler l'avait promis une fois de plus.

C'était le temps de la bataille aérienne d'Angleterre. Les bombardiers de la Luftwaffe, disait Himmler, allaient rendre le peuple britannique à la raison. Il se débarrasserait de Churchill, ce Juif, et demanderait la paix.

Mais les pilotes anglais gagnèrent leur bataille et les lettres de Hollande commencèrent d'arriver pour Kersten au seul numéro postal qui fût inviolable dans toute l'Allemagne.

Brandt lui transmettait, avec un clin d'œil complice, et en toute innocence, les enveloppes qu'il croyait emplies d'effusions tendres. Kersten répondait par un clin d'œil de même nature et emportait les messages.

Au début, il eut peur. Chaque lettre qu'il recevait au Quartier Général S.S., il avait l'impression qu'elle brûlait sa peau à travers les vêtements. Mais quand il en avait, chez lui, achevé sa lecture, il oubliait le risque encouru. Ce n'était qu'un long cri de détresse, un appel désespéré.

Il était naturellement impossible à Kersten d'intervenir pour toutes les injustices et les souffrances dont ses amis l'informaient et même pour la plupart d'entre elles. Dans la liste atroce, le docteur choisissait les cas particuliers les plus pathétiques, les mesures générales les plus barbares, et, au moment propice, pendant le traitement, il en parlait à Himmler.

Peu à peu, il avait élaboré, pour ses demandes, toute une technique. Lorsque le mal dont Himmler était atteint traversait une phase aiguë et que, seules, les mains de Kersten avaient le pouvoir de l'apaiser, le docteur s'adressait, comme il l'avait fait jusque-là, aux sentiments de gratitude et d'amitié du Reichsführer. C'était en son nom personnel, pour sa propre satisfaction, qu'il demandait une grâce, un élargissement, l'annulation ou la suspension d'un décret.

Mais les périodes où il pouvait user de ces moyens étaient les plus rares. Aussitôt la crise passée, Himmler y devenait insensible. Alors, Kersten eut recours à la vanité, si l'on peut dire, historique du Reichsführer.

L'ancien instituteur avait le culte du haut Moyen Âge allemand. Il avait trouvé ses héros, ses modèles idolâtrés dans les Empereurs et les Princes de cette époque, tels que Frédéric Barberousse et, au Xe siècle, Henri Ier l'Oiseleur. La gloire de ce dernier, surtout, l'exaltait jusqu'aux limites du délire. Il éprouvait un tel besoin de s'identifier à lui qu'il croyait parfois réincarner, dans notre siècle, sa personne.

Kersten, à qui, plus d'une fois, Himmler avait fait confidence de ses rêves, les mit au service de ses desseins. Il le fit d'abord avec précaution, par crainte de dépasser la mesure. Mais il s'aperçut très vite que, tout en se défendant pour la forme, Himmler était heureux de l'entendre. De douce violence en douce violence à la vanité du Reichsführer, Kersten finit par lui dire avec cette intonation persuasive que les psychiatres emploient pour les fous :

— On parlera de vous dans les siècles à venir comme du plus grand chef de la race allemande, comme d'un héros de la Germanie, l'égal des anciens chevaliers, l'égal de Henri l'Oiseleur. Mais souvenez-vous qu'ils ne devaient pas leur gloire à la seule force et au seul courage. Ils la devaient aussi à leur justice et à leur générosité. Pour ressembler vraiment à ces paladins, à ces preux, il faut être, comme ils l'étaient, magnanime. En parlant de la sorte, Reichsführer, je pense à vous, dans les siècles de l'Histoire.

Et Himmler, qui avait une confiance absolue dans les mains de Kersten parce qu'elles avaient su deviner et apaiser son mal physique, accordait foi, maintenant, à ses louanges, car elles découvraient et calmaient en même temps son mal psychique.

— Cher monsieur Kersten, disait-il, vous êtes mon seul ami, mon Bouddha, le seul qui sache me comprendre aussi bien que me soigner.

Et Himmler appelait Brandt, lui ordonnait d'établir une liste de noms désignés par Kersten et signait l'arrêté libérateur. Et souvent, lorsqu'il restait une place libre sur la feuille entre le dernier nom et la signature, Brandt, qui était entré complètement dans les intérêts de Kersten, par amitié pour lui, mais aussi et surtout parce qu'au fond de lui-même il ressentait une honte et une horreur toujours croissantes d'avoir à préparer, rédiger et transmettre, toujours plus nombreux, les documents qui faisaient le malheur des hommes, Brandt ajoutait à l'insu de Himmler, et après avis de Kersten, deux ou trois autres noms. Et ceux qu'il désignait retrouvaient, grâce au sceau et à la griffe du Reichsführer, la liberté au lieu des tortures, et la vie au lieu du gibet.

Chacun de ces sauvetages donnait une grande joie à Kersten, mais, en même temps, une inquiétude profonde. Les chefs de la Gestapo, les inquisiteurs, les chasseurs d'hommes, les affameurs et les bourreaux, ne pouvaient pas manquer de se demander les raisons qui poussaient Himmler à ces libérations, à ces grâces. Il ne les avait pas habitués à tant de mansuétude. Il avait exigé d'eux, et continuait à le faire, un acharnement inexorable dans la persécution et la terreur. Pourquoi ce changement ?

Kersten pensait qu'un jour ou l'autre l'idée viendrait fatalement à Rauter ou à Heydrich d'en attribuer la responsabilité à celui qui avait arraché l'antiquaire Bignell à son cachot.

Mais les semaines passaient et la Gestapo ne se manifestait point.

2

Au mois de novembre 1940, Kersten accompagna Himmler à Salzbourg. Une grande conférence y réunissait Hitler et Mussolini, Ribbentrop et Ciano.

Kersten eut beaucoup de travail. Il continuait à s'occuper de Himmler. Il donnait des soins à son vieil ami Ciano. Enfin, Ribbentrop demanda à Kersten de le traiter.

Ciano profita de cette rencontre avec Himmler pour lui demander de nouveau qu'il laissât aller Kersten à Rome. Il fut appuyé par Ribbentrop, qui devait poursuivre les négociations dans la capitale italienne. Devant les deux ministres des Affaires étrangères de l'Axe, Himmler dut s'incliner.

Kersten resta deux semaines à Rome. Pendant ce séjour, Ciano donna un grand dîner en son honneur et le décora, au nom du roi, du grade de Commandeur dans l'Ordre de Maurice et Lazare, l'un des plus enviés d'Italie, car il était aussi ancien que la Toison d'or.

Aucun des Allemands de la suite de Ribbentrop n'en fut jugé digne. Les distinctions qu'ils reçurent étaient de bien moindre valeur. Ils acceptèrent mal cette préférence accordée à un civil, à un neutre, sur eux, les alliés, les militaires, les nazis.

Quand Kersten revint à Berlin, les premières paroles de Himmler en le voyant eurent trait à sa décoration :

— Vous vous êtes fait par là de nouveaux ennemis, dit-il rudement. Comme si, déjà, vous n'en aviez pas assez !

Alors, Kersten, à qui son voyage et les plaisirs romains avaient fait oublier les Rauter et les Heydrich, retrouva d'un seul coup le climat sinistre d'où il s'était, pour quelques jours, évadé.

On était à la fin de décembre. Il partit fêter Noël et le Nouvel An à Hartzwalde.

3

Ce domaine était devenu une sorte de monde clos, bucolique, dans un pays en armes. On y vivait pour la terre et les bêtes. Irmgard Kersten, conseillée, dirigée par son beau-père, le vieil agronome qui, à quatre-vingt-dix ans, gardait l'ardeur et la vigueur de la jeunesse, ne pensait qu'à cela. Les cultures se développaient, les vaches, les cochons, les poules, les canards, les oies se multipliaient.

Les regardant, Kersten soupirait d'aise. Malgré les assurances de Himmler qui continuait toujours à prédire la victoire pour le mois prochain, la guerre menaçait d'être longue, et les restrictions se faisaient sans cesse plus sévères. Au moins, on aurait toujours du lait, du beurre, des œufs, de la volaille, du jambon. Cela comptait beaucoup pour le docteur.

Il regagna Berlin au commencement de l'année nouvelle, l'année 1941, rassasié, reposé, rafraîchi. Dans sa grosse voiture, conduite par un chauffeur qu'il avait depuis quinze ans, il chantonna tout le long des soixante kilomètres qui séparaient sa propriété de la capitale. Là, il retrouva avec plaisir son appartement familier et spacieux, dans le quartier de Wilmersdorf, aux abords d'un grand parc.

Le premier jour, il reçut quelques patients, rencontra des amis. Il ne devait voir Himmler que le lendemain.

Or, le matin suivant, à six heures, la sonnette de son appartement retentit avec violence. L'aube de janvier était encore pleine de nuit. Les domestiques dormaient. Kersten alla ouvrir lui-même.

« Un malade qui souffre trop », pensa-t-il en traversant les vastes pièces. Sur le palier, il trouva deux agents de la Gestapo en uniforme.

Sa surprise le tint un instant immobile. Ils restèrent face à face : eux, raides dans leurs tuniques, lui, engourdi, amolli encore de sommeil et couvert seulement d'un pyjama.

— Nous voudrions vous parler, dit rudement l'un des policiers.

— À votre disposition, répondit Kersten.

Tandis qu'il conduisait les deux hommes vers le bureau, son esprit travaillait anxieusement. Enfin Heydrich se vengeait. Mais pour quel délit ? quel crime ?... Un ami hollandais avait-il trahi ou simplement avoué sous la torture qu'il envoyait des renseignements au docteur et à quel numéro ? Avait-on découvert que Brandt, sur son instigation, inscrivait, sur les listes de grâce, des noms à l'insu du Reichsführer ? Dans les deux cas, c'était Himmler lui-même qui envoyait les policiers et Kersten était perdu. Et il ne voyait rien d'autre qu'on pût lui reprocher.

Dans son cabinet, le docteur voulut proposer aux deux hommes de s'asseoir. Il n'en eut pas le temps. Celui qui avait déjà parlé demanda d'une voix brutale :

— Avez-vous soigné des Juifs ?

— Bien sûr, dit Kersten sans hésiter un instant.

Après ce qu'il avait redouté, il éprouvait un soulagement intense.

— Vous ne savez donc pas que c'est interdit, absolument interdit ? cria le policier.

— Non, répondit Kersten.

Il considéra l'un après l'autre les deux hommes et poursuivit :

— Et d'ailleurs cela ne me regarde pas.

Les policiers parlèrent ensemble :

— Vous vous mettez hors la loi du peuple allemand, dit le premier.

— Vous avez une conduite qui n'est pas celle d'un médecin allemand, dit le second.

De nouveau, le regard de Kersten alla de l'un à l'autre.

— Je ne suis pas un médecin allemand, répondit-il avec politesse, je suis finlandais.

— C'est ce que vous prétendez.

— Montrez-nous ce fameux passeport.

— Mais très volontiers, dit Kersten.

Quand ils eurent entre les mains la preuve indéniable que le docteur avait, depuis plus de vingt ans, la nationalité finlandaise, les policiers eurent soudain l'air très stupide et celui qui avait été le plus agressif se montra aussi le plus servile en excuses.

— Pardonnez-nous, Herr Doctor, dit-il, ce n'est pas notre faute, on nous a donné une fausse information, on nous a formellement assuré que vous étiez un médecin allemand.

— J'ai aussi un diplôme allemand, dit Kersten, mais avant tout je suis finlandais, et même, dans mon pays, Medizinälrat[1]. Voulez-vous aussi ce document ?

— Oh ! non, je vous en prie, s'écria le policier, comme écrasé par le titre. Nous n'avons plus rien à faire ici. Encore mille excuses.

Kersten alla réveiller Elisabeth Lube et lui demanda de faire un café très fort. Tout en le buvant, terriblement sucré comme à l'ordinaire, et mangeant tartines beurrées sur tartines beurrées, il fit, avec sa vieille amie, le tour des hypothèses que soulevait la visite de la Gestapo. Les chefs qui avaient envoyé les deux agents avaient-ils vraiment cru que le docteur n'était pas finlandais ? Certes, dans sa jeunesse, il avait changé de citoyenneté trois fois en trois ans, et pendant la guerre de 1914, avant de s'engager dans l'armée finnoise, il avait eu la

1. Voir Appendice, note 3.

nationalité allemande. Mais dans le cas où il l'eût conservée, il aurait été mobilisé dans la Wehrmacht. Et puis la Gestapo avait tous les moyens de se renseigner à l'ambassade de Finlande. Non, cela ne tenait pas debout.

Alors ? Avertissement ? Intimidation ? Chantage ?

— Ce qui importe, dit Elisabeth Lube à la fin de cet entretien, est de savoir si Himmler était au courant et d'accord.

À midi, l'heure accoutumée, Kersten entra dans le bureau de Himmler, à la Chancellerie, et, avant même d'enlever son manteau, il dit gaiement au Reichsführer :

— Quand vous voudrez apprendre quelque chose sur moi, il n'est pas besoin de m'envoyer la Gestapo. Vous n'avez qu'à me le demander vous-même.

Himmler, qui n'avait pas vu le docteur depuis les fêtes de Noël et qui avançait vers lui les mains tendues, s'arrêta net, comme frappé au plexus solaire :

— Vous avez reçu la visite de la Gestapo ? s'écria-t-il. Ce n'est pas possible.

Himmler saisit le téléphone et ordonna qu'on le renseignât sur-le-champ. Quand il eut obtenu les informations nécessaires, il laissa pendre l'écouteur au bout de son fil et dit à Kersten, sans le regarder et d'une voix pleine de gêne :

— En effet, on devait vous arrêter pour avoir soigné des Juifs.

Brusquement, Himmler reprit le téléphone et, le visage blêmi par la fureur, cria :

— J'interdis, j'interdis que, sous aucun prétexte, on se mêle de la conduite du docteur Kersten. C'est un ordre absolu. Le docteur est sous ma responsabilité personnelle.

Il raccrocha l'écouteur avec violence, reprit difficilement sa respiration, puis se mit à faire glisser les verres de ses lunettes contre son front, de haut en bas et de bas en haut. Kersten vit à ce mouvement que sa colère n'était pas apaisée et se tournait contre lui.

— Vous ne pouvez pas soigner de Juifs en étant mon médecin, s'écria Himmler.

— Comment voulez-vous que je sache la religion de mes patients ? répliqua Kersten. Je ne demande jamais cela. Juifs ou pas Juifs, ils sont mes malades.

Ce n'était pas la première fois que Himmler et Kersten parlaient de la question juive, et Himmler savait très bien que, pour le docteur, il n'y avait point de différence entre les autres hommes et ceux que le national-socialisme tenait pour indignes de vivre. Mais ces entretiens étaient purement abstraits et Himmler pouvait s'offrir le luxe de les mener avec un sourire d'ironie supérieure ou les rompre d'un haussement d'épaules. Maintenant, il s'agissait de tout autre chose. Du plan des idées, l'opposition de Kersten passait dans le domaine de la vie quotidienne. Elle devenait offense à la loi, rébellion active, crime contre le dogme hitlérien, tout ce que, précisément, Himmler avait pour devoir, pour mission de traquer, punir, extirper, écraser.

Et il ne voulait pas, il ne pouvait pas perdre son guérisseur.

Dans la colère, la voix du Reichsführer montait de plusieurs tons. Il glapit :

— Les Juifs sont nos ennemis ! Vous ne pouvez pas traiter un Juif. Le peuple allemand est engagé dans une guerre mortelle contre les démocraties enjuivées.

Kersten dit doucement :

— N'oubliez pas que je suis finlandais. En Finlande, il n'y a pas de problème juif. J'attendrai que mon gouvernement me dicte une ligne de conduite.

— C'est un raisonnement stupide ! s'écria Himmler, vous comprenez fort bien ce que je veux dire ; faites-moi le plaisir de laisser les Juifs.

Kersten s'était trop engagé. S'il cédait à présent, ne fût-ce qu'en apparence, il se reniait lui-même. Il dit à mi-voix :

— Je ne peux pas. Les Juifs sont des hommes comme les autres.

— Non, glapit Himmler, non ! non ! Hitler l'a dit. Il y a trois catégories d'êtres : celle des hommes, celle des bêtes et celle des Juifs. Et ces derniers doivent être détruits pour que les deux autres puissent exister.

Le visage gris du Reichsführer prit soudain une teinte verdâtre, la sueur lui mouilla le front, ses mains se crispèrent sur son estomac :

— Voilà que cela commence, gémit-il.

— Je vous ai pourtant assez prévenu de ne pas vous laisser aller à vos nerfs, dit Kersten comme s'il parlait à un enfant pas sage. C'est très mauvais pour vos crampes. Allez, déshabillez-vous.

Himmler s'empressa d'obéir.

4

Heydrich, chef de tous les services de la Gestapo en Allemagne et pays occupés, connaissait bien Kersten. Les deux hommes se rencontraient souvent à travers l'énorme édifice de la Prinz Albert Strasse : dans les couloirs du Grand Quartier S.S., dans les bureaux de la Chancellerie, au mess de l'état-major. Il arrivait même — et cela donnait la mesure de ses privilèges — que Heydrich, pour les cas urgents, entrât chez Himmler tandis que le docteur lui donnait ses soins.

Dans toutes ces occasions, Heydrich n'avait montré envers Kersten qu'amabilité et courtoisie. Cela convenait à son physique. Il était grand et mince, élégant. Il avait un beau visage blond, il ne portait aucune des traces, aucun des stigmates que le métier de police peut laisser sur un homme qui l'exerce avec passion. D'une intelligence aiguë et prompte, il excellait également aux épreuves de force, d'adresse. Il pratiquait chaque jour le tir au pistolet et l'escrime. Il avait le goût du danger poussé à l'extrême. Pilote occasionnel, il n'avait eu de cesse que Goering le laissât voler dans l'aviation de chasse où soixante missions lui avaient valu la Croix de Fer de Première Classe.

Pourtant, à cet homme beau, raffiné, brave, prestigieux, on ne connaissait pas un seul ami, pas même un camarade. Les fonctions de Heydrich et l'espèce d'aura sinistre qu'elles lui donnaient ne suffisaient point à expliquer cela. D'autres hauts fonctionnaires de la Gestapo, et spécialisés dans les besognes les plus inhumaines, tel Müller, par exemple, chef des arrestations et des interrogatoires, tortionnaire avéré, possédaient des compagnons avec lesquels ils partageaient leurs plaisirs ou leurs amertumes. Sa solitude, Heydrich l'avait lui-même choisie. Les gens ne comptaient pour lui que dans la mesure où ils étaient utiles à son métier, à sa carrière. Ensuite, il les rejetait froidement. Avec les femmes, ses rapports étaient brefs, brutaux, cyniques. Il ne vivait que pour sa propre gloire.

Ces traits de nature et de comportement effrayaient tous ceux qui avaient affaire à Heydrich. Et même Kersten, malgré la faveur que lui montrait Himmler, et bien qu'il ne prît aucune part aux rivalités secrètes et implacables qui affrontaient ses familiers, éprouvait un malaise chaque fois qu'il apercevait, grand, net, sanglé dans un uniforme parfait, l'Obergruppenführer des S.S., le chef de la Gestapo, Reinhardt Heydrich et son profil aigu, ses cheveux d'un blond fauve, ses yeux d'un bleu glacé.

« Cet homme, pensait Kersten, ne peut admettre qu'il y ait auprès de Himmler une influence qui échappe à son contrôle. »

Peu de temps après que le docteur eut reçu, à l'aube, la visite des agents de la Gestapo, Rudolph Brandt le prévint de se tenir plus que jamais sur ses gardes. Heydrich avait dit à ses adjoints qu'il soupçonnait Kersten d'être un agent ennemi, ou, pour le moins, un partisan actif des pays en guerre avec l'Allemagne et d'employer en leur faveur son pouvoir sur Himmler. Heydrich assurait qu'il pourrait bientôt en fournir la preuve.

Dans les derniers jours de février 1941, vers midi, comme Kersten sortait du bureau où il venait de soigner Himmler, il se trouva en présence de Heydrich qui lui dit avec sa politesse coutumière :

— J'aimerais beaucoup bavarder un peu avec vous, Docteur ?

— Quand il vous plaira, répondit Kersten le plus aimablement possible. Aujourd'hui même si cela vous convient.

Rendez-vous fut pris pour la soirée dans la partie du bâtiment réservée aux services du chef de la Gestapo.

L'un des premiers mouvements de Heydrich, lorsqu'il vit Kersten dans son bureau, fut d'appuyer sur un bouton dissimulé sous sa table. Le geste avait été si prompt et naturel, et le déclic par lequel il fut suivi si feutré qu'un homme non averti n'aurait pu les remarquer. Mais Kersten savait par Brandt que Heydrich usait et abusait du microphone. Il dit avec bonhomie :

— Cher monsieur Heydrich, si vous désirez que nous parlions sans réticence, j'aimerais mieux vous inviter chez moi à Hartzwalde.

— Pourquoi ? répliqua Heydrich. Nous pouvons aussi bien converser ici.

— Oui, mais là-bas, c'est moi qui pourrais appuyer sur le bouton, dit gaiement Kersten.

Le chef de la Gestapo se montra beau joueur. Il arrêta l'espion mécanique et dit en souriant :

— Vous semblez très informé des instruments d'écoute, Docteur, et très savant en politique.

— Tous ceux qui ont à fréquenter ce bâtiment doivent être préparés à l'usage du microphone, répondit doucement Kersten. Mais, en politique, je n'ai à vrai dire aucune connaissance.

— Ce serait très regrettable si c'était exact… ce que je ne crois pas, dit Heydrich très doucement lui aussi.

Son visage et ses yeux se figèrent soudain. Il continua :

— Vous soignez le Reichsführer avec succès. Or, il arrive aux grands hommes, lorsqu'un docteur allège leurs souffrances, de considérer ce médecin comme un sauveur et de prêter une oreille favorable à toutes ses suggestions. Aussi aimerais-je vous savoir très bien renseigné. Vous seriez alors en mesure de choisir en toute connaissance de cause les opinions que vous faites partager au Reichsführer.

Sans répondre, Kersten croisa les mains sur son ventre et attendit la suite.

Heydrich commença son approche de loin.

— Je pense, dit-il, que cela vous intéresserait d'étudier les textes originaux — instructions, rapports, etc. qui définissent l'esprit des S.S. et montrent leurs réussites.

— Dans ce domaine, j'ai déjà tous les éclaircissements nécessaires, dit Kersten. Mes lectures et mes entretiens avec Himmler m'ont permis d'acquérir une impression personnelle très nette.

— Nous sommes donc plus avancés que je ne l'avais cru, observa Heydrich. Mais je suis sûr que vous aimeriez lire les rapports qui m'arrivent sur la situation en Hollande et en Finlande et voir quelle est, là-bas, notre politique.

Aussitôt Kersten pensa : « Il sait que je reçois des renseignements de mes amis hollandais et finlandais et que les changements apportés par Himmler à certains de ses plans sont dus à mon intervention. »

Rien dans le comportement de Heydrich ne justifiait cette crainte. Sa voix avait été naturelle, presque amicale, et ses yeux d'un bleu de gel ne livraient aucun de ses sentiments. Mais la certitude subite de Kersten était faite d'une intuition qui, jusque-là, ne l'avait jamais trompé aux moments essentiels. Il répondit sans hésiter :

— Je serai très heureux de lire ces rapports. La Hollande et la Finlande sont les deux pays qui me sont les plus proches. Je prends part à tout ce qui peut leur arriver.

— Parfait, parfait, dit Heydrich.

Il plissa les paupières comme pour mieux voir le chemin à suivre. Puis il dit :

— Savez-vous, Docteur, que nous pourrions vraiment vous être très utiles ? Quand des gens viennent vous demander d'intervenir auprès du Reichsführer, votre devoir, n'est-ce pas, avant d'aller trouver celui-ci, est de vous faire une opinion objective au sujet de ces gens : leur appartenance sociale et politique, leur caractère, leurs ressources, etc. Il est toujours ennuyeux d'avoir à changer d'attitude après coup si l'on s'est trompé. Vous avez eu beaucoup de mal jusqu'à ce jour, je pense, pour réunir les renseignements nécessaires. Nous prendrions très volontiers ces recherches à notre charge. Remarquez bien : vous êtes entièrement libre de juger si nos informations sont véridiques ou non et d'en faire l'usage qui vous plaira. Tout ce que je vous demande, c'est, quand vous utiliserez nos sources, de dire au Reichsführer que je vous suis venu en aide. Il saura de la sorte que je coopère avec un homme qu'il estime tant.

Ce discours, Kersten l'écouta, sous un calme apparent, avec l'attention la plus aiguë. Heydrich y dévoilait enfin son dessein véritable. Et, quoi qu'il en eût, le docteur ne pouvait pas s'empêcher d'admirer la manœuvre. Quelle sincérité dans le ton, quelle spontanéité dans l'offre ! Et combien le prétexte final était vraisemblable pour qui connaissait l'ambition dévorante de Heydrich et son désir de se pousser toujours davantage dans la faveur de Himmler ! En fait, tout cela n'avait qu'un but : obtenir de Kersten qu'il livrât le nom de ses correspondants de Hollande et de Finlande à la Gestapo.

« Jamais, jamais », pensa le docteur.

Il dit cependant, et, lui aussi, avec un air de sincérité absolue :

— Je vous suis très reconnaissant de votre proposition. Cela peut m'aider beaucoup en effet.

Heydrich parut satisfait de la réponse.

Le docteur raconta cet entretien à Brandt.

— Je vous en supplie, je vous en supplie, redoublez de précautions, dit le secrétaire particulier de Himmler.

— Soyez tranquille, j'y suis bien décidé, dit Kersten.

Quelques jours plus tard, il fut obligé de renoncer à toute prudence.

CHAPITRE VI

Tout un peuple à sauver

1

Le 1er mars 1941, Félix Kersten descendit de sa voiture devant le Quartier Général S.S. Il était midi, l'heure où, suivant une longue routine, le docteur venait traiter Himmler.

Les sentinelles au casque lourd le laissèrent entrer sans qu'il eût à présenter son laissez-passer ou même dire un mot. L'officier de garde fit de même. Le docteur Kersten était devenu un familier dans la maison des militaires et des policiers, lui et ses vêtements civils, sa grosse canne, sa corpulence, sa bonhomie.

Il monta jusqu'à l'étage où se trouvaient les services personnels de Himmler et son bureau. Tout en gravissant les grands escaliers de marbre, Kersten songeait que deux années s'étaient déjà écoulées depuis qu'il était venu pour la première fois en ce lieu et soupira. Comme la vie alors était bonne et belle ! Rien n'attentait à sa condition d'homme libre ! À présent…

Mais la philosophie optimiste de Kersten lui représenta aussitôt qu'il n'était pas à plaindre. La guerre l'avait épargné dans sa personne, dans ses biens, dans sa famille. Il avait sa femme et ses deux fils, son père, Elisabeth Lube. Il avait une vie matérielle très large. Enfin, après la semonce qu'ils avaient reçue de Himmler et la conversation qu'il avait eue lui-même avec Heydrich, les gens de la Gestapo le laissaient en paix.

Kersten déposa au vestiaire canne, chapeau et manteau, et entra dans le bureau de Brandt pour se faire annoncer à Himmler. Le secrétaire particulier demanda au docteur d'attendre une demi-heure environ : le Reichsführer tenait une conférence importante qui se prolongeait.

— Bon, dit Kersten, faites-moi prévenir quand cela sera fini.

Il n'avait pas besoin de préciser le lieu où on le trouverait. Il lui était souvent arrivé d'avoir à patienter jusqu'à ce que Himmler eût achevé sa tâche et, dans ces occasions, il se rendait toujours au mess de l'état-major.

La salle était très vaste car l'état-major comptait deux cents officiers environ. De plus, Himmler avait une garde personnelle beaucoup plus nombreuse que n'importe lequel des grands chefs nazis. Il se voulait sans cesse entouré, protégé. Il redoutait toujours les attentats. L'homme qui rêvait d'être Henri l'Oiseleur vivait en état de panique pendant les alertes aériennes ; il tremblait littéralement de tous ses membres, de toutes ses jointures.

Kersten traversa en habitué la salle surpeuplée et bourdonnante de voix rudes. Les têtes ne se levèrent pas sur son passage. L'hostilité contre lui était toujours vive, mais sa faveur bien établie auprès du Maître imposait silence.

Kersten trouva une place dans un coin. Le directeur du mess, sous-officier d'élite, accourut aussitôt. Le Reichsführer en personne lui avait ordonné de prendre du docteur le plus grand soin. Il connaissait les goûts de Kersten et lui apporta un café très fort, lourd de sucre et les gâteaux les plus copieux et les plus riches en crème qu'il put trouver.

Le docteur se laissait aller à une gourmandise qui augmentait avec les années, lorsqu'il eut conscience d'une sorte de remous dans le mess. Il s'arrêta un instant de manger et vit deux hommes traverser la salle. Dans l'un, bref et carré, il reconnut Rauter ; dans l'autre, élancé, élégant, Heydrich. C'était l'apparition de ce dernier qui avait suscité le mouvement dans la salle. Les officiers se levaient, saluaient, écartaient leur chaise avec empressement. Dans la hiérarchie de la terreur, seul Himmler était au-dessus de Heydrich.

Les deux hommes, cependant, passaient indifférents à ces hommages. Tout à leur conversation, le chef de la Gestapo de Hollande et le chef de la Gestapo dans tous les pays soumis à Hitler avançaient vers le fond de la vaste pièce, du côté où Kersten dévorait ses pâtisseries.

« Viendraient-ils pour moi ? » ne put s'empêcher de penser le docteur, qui continuait à recevoir régulièrement des informations de Hollande au numéro postal de Himmler. Mais, bien qu'ils se fussent assis à une table toute proche de la sienne, ni Rauter ni Heydrich ne le remarquèrent, tellement ils étaient absorbés dans leur entretien.

Kersten effaça son visage et ses épaules autant qu'il put le faire et se remit à ses gâteaux. Soudain, il eut besoin de toute sa volonté pour ne pas se retourner d'un bloc. À la table voisine, les voix s'étaient élevées, et celle de Rauter, dont Kersten ne se souvenait que trop bien, disait avec exaltation :

— Quel choc pour ces salauds de Hollandais, quelle panique cela va être ! Enfin, ils vont avoir ce qu'ils méritent. Cette semaine encore, dans une émeute, ils ont lapidé deux de mes hommes. Têtes de cochon !

— Il fait assez froid en Pologne pour les geler, dit Heydrich avec un rire un peu métallique.

Kersten se pencha davantage sur ses gâteaux et son café, mais il avait l'impression que ses oreilles viraient à 90° vers les voix qui parlaient dans son dos.

— Je viens de recevoir les directives générales pour la déportation, reprit Heydrich, vous aurez sous peu les plans opératoires et alors il n'y aura pas un jour à perdre.

— C'est pour quand ? demanda Rauter avec avidité.

— Pour...

À ce moment, Heydrich baissa la voix et Kersten ne put rien distinguer de plus. Mais ce qu'il avait entendu suffisait : une nouvelle épreuve et, semblait-il, plus lourde, plus sinistre encore que toutes celles qui avaient précédé menaçait la Hollande.

« Reste calme, reste calme », se dit Kersten. « Fais comme si tu n'avais rien appris, comme s'ils n'étaient pas là. »

Bien que chaque battement de son sang l'incitât à se précipiter dehors pour quêter des renseignements, pour se former une certitude, il acheva bouchée par bouchée son assiette de gâteaux, vida à gorgées lentes son pot de café et quitta le mess nonchalamment, à pas mesurés, comme à l'ordinaire.

Seulement alors, il courut chez Brandt, mais Brandt n'était pas là. Kersten voulut aller à sa recherche. Un aide de camp l'avertit que le Reichsführer était enfin libre et attendait son docteur.

2

— J'ai bien besoin de vous, cher monsieur Kersten, dit Himmler.

Kersten demanda machinalement :

— Vous avez mal ?

— Non, mais je me sens surmené, nous avons travaillé depuis ce matin à un projet très important, très urgent.

Le Reichsführer ôta sa vareuse, sa chemise,

s'étendit sur le divan. Kersten s'assit près de lui. Tout se déroulait comme à l'accoutumée, et, pourtant, tout semblait irréel, impossible.

Car ce projet qui avait provoqué la fatigue dont Kersten allait soulager Himmler, ce projet (Heydrich ne sortait-il pas de la conférence ? Rauter n'avait-il pas été convoqué pour cela à Berlin ?) devait être celui-là, précisément, qui allait atteindre le peuple de Hollande. Mais que pouvait faire Kersten et même que pouvait-il dire ? Il avait surpris un secret d'État. Il n'avait pas le droit d'y faire allusion.

Les mains du docteur, d'elles-mêmes et sans qu'il eût vraiment part à leur mouvement, suivaient un tracé connu, pétrissaient, modelaient sous la peau les faisceaux nerveux. Himmler tantôt poussait un petit cri, tantôt soupirait d'aise. Tout était dans l'ordre quotidien.

Il y eut cependant un défaut dans le mécanisme. Dans les intervalles du traitement, Kersten, attentif et disert d'habitude, écoutait mal, ne parlait pas.

— Vous êtes aujourd'hui bien rêveur, lui dit enfin Himmler avec amitié. La faute en est à votre courrier de Hollande, je parie. Brandt m'assure que ces belles dames vous écrivent souvent. Les dames, ah, les dames !

Himmler donna une légère tape à Kersten sur l'épaule, d'homme à homme, de mâle à mâle, de complice à complice.

— Cela ne vous a pas empêché, reprit-il, de me soigner à merveille. Je vais travailler comme un dieu. À demain…

3

Quand Kersten revint chez lui, il avait un tel visage qu'Elisabeth Lube ne put s'y méprendre. Un grand malheur était arrivé.

À mesure que le docteur lui confiait ce qu'il avait surpris, elle participait à son tourment, mais, depuis vingt années, elle s'était donné pour tâche de l'aider, de l'encourager aux instants difficiles. Elle représenta à Kersten qu'il se torturait peut-être sans raison. Il n'avait entendu que des propos fragmentaires. Et encore, était-il sûr de les avoir interprétés exactement ? Avant de se laisser aller au désespoir, il fallait se renseigner davantage.

Elle réussit à faire déjeuner Kersten, mais, après le repas, il sentit qu'il ne pourrait pas supporter plus longtemps de rester sans réponse à toutes les questions, et toutes atroces, qu'il se posait sans répit.

Il téléphona à Brandt et lui demanda de le voir seul à seul. Brandt lui fixa rendez-vous pour le soir même, à six heures, dans son bureau.

Kersten, avec Brandt, n'essaya pas de jouer au plus fin. Il alla droit au but. Il rapporta ce qu'il avait entendu dire par Heydrich à Rauter, dans le mess de l'état-major.

Tandis que Brandt l'écoutait, ses traits fins, sensibles se creusaient peu à peu et son regard évitait celui de Kersten. Il dit enfin à voix basse :

— Alors, vous savez…

— Est-ce vrai ? Vous êtes au courant ? Que se passe-t-il ?

Ces questions étaient comme des cris.

Brandt hésita, puis il fixa ses yeux sur la figure du docteur, la seule qui, entre toutes les faces par lesquelles il était entouré jour et nuit, ressemblait à l'image qu'il se faisait d'un être humain. Brandt ne put résister à ce qu'il vit sur cette figure. Il alla fermer la porte à clé et, toujours à demi-voix, dit à Kersten :

— Si par hasard quelqu'un vient, je répondrai que vous me soignez.

Puis il se dirigea vers l'une des tables chargées de documents classés dans un ordre méticuleux. D'une pile de dossiers il tira une enveloppe qui portait en lettres capitales l'inscription « ULTRA-SECRET » et la plaça au sommet de la pile. Ceci fait, il s'approcha de Kersten à le toucher et chuchota :

— N'oubliez pas que je ne vous ai rien dit, que je n'ai rien vu, ne l'oubliez pas, au nom du ciel !

Il tourna brusquement le dos et alla jusqu'à la fenêtre, colla son front contre la vitre. En bas, dans la Prinz Albert Strasse, au fond du crépuscule, une mince pluie de fin d'hiver faisait hâter les passants.

Mais Brandt voyait-il cela ?

Kersten resta quelques instants debout, la grande enveloppe entre ses mains, sans oser prendre les feuillets qu'elle contenait. Enfin, il se laissa tomber dans un fauteuil et commença à lire.

Alors, il vit se développer, noir sur blanc, détail après détail, paragraphe par paragraphe, de virgule en virgule, la condamnation de tout un peuple.

Le document qu'il avait sous les yeux était formel et précis. Les Hollandais, disait-il, entre toutes les nations occupées, méritaient le châtiment le plus lourd ; ils étaient coupables non seulement de résistance, mais de trahison. En effet, ses habitants étaient de pure race germanique et ils auraient dû avoir une reconnaissance infinie pour l'Allemagne qui les avait délivrés d'une reine et d'une démocratie enjuivées. Au lieu de cela, ils s'étaient tournés contre leurs sauveurs et se montraient favorables aux Anglais. Ils avaient forfait à la gratitude et, crime capital, ils étaient félons envers leur race.

Tout récemment encore, dans Amsterdam, des émeutiers avaient infligé des pertes aux policiers de la Gestapo. La mesure était comble, il fallait mettre les traîtres hors d'état de nuire.

Donc, Adolf Hitler, Führer de la Grande Allemagne, avait prescrit à Heinrich Himmler, Reichsführer des S.S., d'assurer la déportation massive du peuple hollandais en Pologne, dans la province de Lublin.

Et Himmler prescrivait, à son tour, de procéder ainsi qu'il suit :

Trois millions d'hommes seraient dirigés à pied vers les terres qui leur étaient dévolues. Leurs familles — femmes, enfants et vieillards — seraient embarquées dans les ports néerlandais pour la ville de Kœnigsberg, et, de là, expédiées par chemin de fer sur Lublin.

L'exécution de ces mesures devait commencer à la date du jour où Hitler était né, comme cadeau de fête pour son anniversaire, le 20 avril.

Kersten avait fini sa lecture, mais continuait de garder les feuillets entre ses doigts et il ne pouvait les empêcher de trembler légèrement.

Des visions se levaient de ces pages comme une fresque infernale.

Arrachés aux douces rives de la mer d'Occident, des millions d'hommes avançaient vers les terres glaciales de l'Est. Ils avaient toute l'Europe à traverser sous la schlague et les crosses des gardes-chiourme. Ils marchaient en colonnes interminables sur des routes sans fin, affamés, les chaussures et les vêtements en lambeaux, trempés de pluie, mordus par le vent. Parfois, au fond de ce cauchemar éveillé, des visages se dessinaient pour Kersten dans les files de l'exode. C'étaient ses amis les plus chers.

Et il voyait les femmes, les enfants, les vieillards, entassés à fond de cale, jusqu'à l'étouffement, ou parqués dans les wagons de marchandises, torturés par la soif, asphyxiés par le manque d'air et leurs propres déjections...

Kersten laissa retomber les feuillets sur la table,

tira d'une poche son carnet de notes, en arracha une page et sur ce petit morceau de papier résuma les données du document terrible. Sa main si forte et si agile était mal assurée.

On était au soir du 1er mars, Dans quelques semaines Himmler allait offrir à Hitler son présent d'anniversaire.

Kersten replaça les feuillets dans l'enveloppe, remit l'enveloppe dans la pile de dossiers à laquelle elle appartenait. Brandt se retourna et rencontra le regard du docteur :

— Vous trouvez que cette décision est bonne ? demanda Kersten.

— C'est épouvantable, dit Brandt, tout un peuple transporté en captivité, en esclavage.

Il se couvrit des mains la figure comme s'il ne pouvait supporter la honte de participer à cette besogne monstrueuse. Puis il murmura d'une voix imprégnée en même temps par le dégoût de lui-même et la peur du supplice :

— Rappelez-vous bien, cher Kersten, ne dites jamais, jamais à personne que je vous ai laissé lire ce dossier.

4

La grosse voiture qui lui plaisait tant par son confort, le chauffeur avec lequel il entretenait des rapports affectueux depuis quinze ans, son appartement dont il retrouvait avec joie, d'habitude, chaque pièce, meuble, livre ou tableau, et jusqu'à Elisabeth Lube enfin, merveilleuse compagne des bons et des mauvais jours, son soutien, sa confidente, — Kersten eut le sentiment, cette nuit-là, de ne reconnaître et de n'aimer rien, ni personne.

Il allait d'une chambre à l'autre, absent, hébété. Il lui semblait porter une horloge dans sa tête ; et à chaque battement du pendule, il entendait :

Déportation, Hollande,

Hollande, Déportation…

Elisabeth Lube, dès qu'elle l'avait vu rentrer, avait compris que le désastre dépassait les pires hypothèses. Elle essaya de faire parler Kersten. Mais, de toute la soirée, il ne dit pas un mot.

Lui qui aimait tant manger, il lui fut impossible d'avaler une bouchée.

Lui qui savait si bien dormir, il ne put trouver un instant de sommeil.

Elisabeth Lube passa la nuit entière à son chevet.

Kersten, prostré, la respiration irrégulière et sifflante, écoutait dans sa tête le battant de l'horloge grincer :

Déportation, Hollande,

Hollande, Déportation…

Il se sentait près de l'étouffement, du délire.

Enfin, quand le jour parut, il eut l'impression qu'un ressort se brisait en lui et il fut incapable de continuer à soutenir, seul, le poids qui l'écrasait. Il montra à Elisabeth Lube le lambeau de papier sur lequel il avait griffonné les lignes essentielles du dossier que Brandt lui avait laissé lire. Tantôt allant de long en large, les deux mains sur son front moite, tantôt s'arrêtant auprès d'Elisabeth Lube pour la regarder avec des yeux vides, il exhala tout haut, et pendant des heures, l'obsession qui le hantait : ce cortège sans fin, chassé à travers toute l'Europe et où il reconnaissait, trébuchants, exténués, poussés à coups de cravache, ses compagnons, ses amis les plus précieux.

Il acheva presque en larmes :

— Comment empêcher, comment arrêter cela ?

— Essaye d'en parler à Himmler, dit Elisabeth Lube.

— Mais c'est impossible, s'écria Kersten ; c'est justement là ce qu'il y a de plus atroce : *je ne dois pas savoir*, tu comprends : *je ne peux pas savoir.* Dieu garde qu'il soupçonne que je puisse être au courant. Il n'y a rien à faire… rien… rien.

Il voulut recommencer son va-et-vient à travers la chambre. Elisabeth Lube l'en empêcha.

— Écoute-moi, dit-elle, tu vas t'asseoir tranquillement dans ce fauteuil et tu vas retrouver ton sang-froid. Il le faut pour ceux-là mêmes que tu veux tellement aider.

À bout de forces, Kersten obéit comme un enfant. Elisabeth Lube alla lui faire du café très fort. Puis elle lui prépara un déjeuner aussi succulent qu'abondant et le força à le manger.

Alors elle lui dit :

— Midi approche. Il est temps de t'habiller pour aller à la Chancellerie.

À la pensée de soigner l'homme qui devait organiser et diriger la déportation, Kersten eut un mouvement de révolte furieuse.

— Je n'irai pas, cria-t-il. Quoi qu'il puisse arriver, je ne veux plus, je ne peux plus m'occuper de ces gens.

Mais la vieille amie de Kersten était sage et tenace. Elle savait quelle part de la raison et de la sensibilité il fallait émouvoir chez le docteur. Elle trouva les mots nécessaires pour le convaincre. La seule chance, fût-elle infime, qu'avait Kersten de secourir un peuple qui lui tenait tant à cœur, était de rester auprès de Himmler.

Quand le docteur se fit conduire à la Prinz Albert Strasse, il était résolu à tenter l'impossible. Mais comment ?

5

Et voici Kersten, une fois de plus, dans le bureau de Himmler où il pourrait se déplacer en aveugle, tellement il en connaît les meubles et les objets. Et, une fois de plus, voici le Reichsführer étendu sur son divan, à demi nu, qui abandonne en toute confiance, en toute certitude, son misérable torse aux mains puissantes et savantes dont il connaît le pouvoir. Et voici qu'elles opèrent le miracle familier. Et, de béatitude, le Reichsführer ferme les yeux, et sa respiration devient facile, paisible, comme sous l'effet d'une drogue bienfaisante.

Et Kersten, lui, voit les troupeaux d'esclaves, de damnés, amis connus et inconnus, qui vont entreprendre leur voyage au bout de l'horreur.

Alors, tout à coup, sans qu'il l'ait médité ou même voulu, un mouvement intérieur le pousse, une inspiration lui commande, qui n'admet ni doute ni délai. Il appuie doucement sur le centre nerveux qu'il sait, chez Himmler, le plus vulnérable, le plus prompt à réagir, et il demande, très simplement, de sa voix habituelle :

— À quelle date, exactement, allez-vous déporter les Hollandais ?

Ses mains sont maintenant au repos. Dans les nerfs de son malade, le reflux succède au flux, et, par le jeu d'un automatisme qui a pris la force d'un réflexe, Himmler parle, lui aussi, le plus naturellement du monde :

— Nous commençons le 20 avril, dit-il. Pour l'anniversaire de Hitler. Ce peuple hollandais est toujours en révolte. Quand on appartient au camp des traîtres, le châtiment est inévitable.

Fut-ce l'intensité du silence qui s'établit à ce moment dans la pièce, ou bien l'engourdissement se dissipa-t-il de lui-même, qui avait fait répondre Himmler comme sous l'influence de l'hypnose, mais il se releva brusquement, approcha son visage de celui de Kersten et demanda à voix très basse :

— D'où et comment savez-vous cela ?

Les yeux gris sombre, entre deux pommettes mongoloïdes et sous les verres à monture d'acier, épiaient Kersten avec une acuité de soupçon, une cruauté glacée que le docteur n'y avait jamais vues à son égard.

— Hier, en attendant de venir vous soigner, dit Kersten, j'ai pris, au mess, un café et quelques gâteaux. Heydrich et Rauter se sont assis non loin de moi. Ils ont débattu de la déportation assez haut pour que je les entende. Cela m'a intéressé, naturellement, et je me suis promis de vous en parler.

— Quels idiots ! glapit Himmler (mais son visage montrait, en même temps, combien il était heureux de voir son docteur innocent). Ils bavardent en public d'une affaire absolument secrète et dont ils ne connaissent même pas la moitié ! Je ne leur ai donné ni tous les détails, ni tous les documents. Et ces messieurs osent !... en plein mess ? C'est très important pour moi de savoir qu'ils sont aussi bavards. Merci de m'avoir mis au courant.

Himmler se laissa retomber à plat sur le divan. Les mains de Kersten reprirent leur travail. Elles lui semblaient animées d'une vie toute neuve.

Il avait passé l'instant du péril mortel : Himmler acceptait qu'il eût connaissance d'un secret d'État majeur, et même qu'il en parlât. C'était un progrès énorme. Il donnait à Kersten, pour défendre le peuple de Hollande, une possibilité, fût-elle la plus ténue, un espoir, fût-il chimérique.

Son dessein, il ne le savait que trop, était d'une ambition presque folle. Il n'y avait pas de commune mesure entre le fait d'avoir réussi à obtenir, comme à la sauvette, quelques grâces isolées et celui d'arrêter un décret souverain du maître du IIIe Reich et qui, déjà, mettait en branle tous les rouages, et tous inexorables, d'un immense mécanisme policier. Mais, précisément, chaque démarche, chaque succès dans la conquête de ces grâces avait permis à Kersten de toujours mieux connaître la psychologie de Himmler et lui avait donné toujours plus d'emprise, de pouvoir sur l'homme qui avait la charge entière de l'exode monstrueux, l'homme nu soumis de nouveau, en ce moment, à ses mains.

Son torse massif porté en avant, ses lourdes paupières closes sous le haut front crevassé, son puissant estomac touchant le divan, penché sur Himmler avec l'attitude et les mouvements du boulanger quand il pétrit la pâte, Kersten dit avec beaucoup de force et de sérieux :

— Cette déportation est la plus grande bêtise que vous puissiez faire.

— Qu'est-ce que vous racontez ! cria Himmler. C'est une opération absolument indispensable et le plan du Führer est génial.

— Du calme, Reichsführer, je vous en prie, du calme, dit Kersten. Ou alors j'abandonne le traitement. Vous savez combien la colère est mauvaise pour vos nerfs.

— Mais tout de même, quand on ne connaît rien à la politique, comme vous ! s'écria Himmler.

— Justement, je ne m'intéresse pas à la politique et vous ne l'ignorez pas, l'interrompit Kersten sur le ton du docteur irrité par la désobéissance de son malade. Je suis préoccupé par votre santé.

— Oh ! voilà ce qui vous fait parler ainsi, dit Himmler.

Son visage portait une expression de reconnaissance presque puérile et il y avait du remords dans sa voix.

— J'aurais dû le deviner, reprit-il. Vous ne savez pas, mon cher monsieur Kersten, combien votre attention me touche ! Mais je ne dois pas penser à ma santé. Mon travail passe avant tout, jusqu'à la victoire.

Kersten secoua la tête avec l'entêtement d'un homme sûr de lui-même.

— Votre raisonnement est faux, dit-il. Je défends votre travail en même temps que votre santé. L'un ne va pas sans l'autre. Vous devez être capable de tenir jusqu'à la victoire, si vous désirez mener à bien les tâches qui vous sont confiées.

Himmler voulut parler. Kersten l'en empêcha par une pression un peu plus violente sur un faisceau nerveux.

— Laissez-moi achever, dit le docteur.

C'était un des moments où le traitement demandait une pause.

Kersten rassembla tout son pouvoir de persuasion et continua :

— Vous souvient-il qu'il y a quelques jours vous m'avez demandé de redoubler de soins ? Outre toutes vos obligations habituelles et qui, déjà, sont écrasantes, Hitler, vous m'en avez informé vous-même, vous a chargé d'une mission capable, à elle seule, de dévorer un homme : vous devez, et cela avant le début de l'été, porter le nombre des Waffen S.S. à un million alors qu'ils sont à peine cent mille aujourd'hui. C'est-à-dire, en trois mois, choisir, habiller, armer, encadrer, entraîner neuf cent mille soldats. Avez-vous oublié cela ?

— Comment le pourrais-je ! s'écria Himmler. C'est le premier de mes devoirs.

— Et vous prétendez, s'écria Kersten à son tour, vous prétendez ajouter à ce travail énorme celui de la déportation des Hollandais ?

— Je le dois, dit Himmler avec fermeté. C'est un ordre personnel du Führer.

— Eh bien moi, dit Kersten, je suis incapable, je vous en préviens, de vous donner assez de forces pour remplir ces deux missions à la fois.

— Et moi, dit Himmler, je me crois capable de le faire.

— Vous avez tort, dit Kersten avec une intonation très grave, presque solennelle. Il y a une limite à la résistance de l'organisme et moi-même, une fois qu'elle est dépassée, je n'y peux plus rien.

— Mais je dois, je dois exécuter le plan, cria Himmler sur un diapason suraigu.

Puis, se relevant à moitié, il parla avec une exaltation croissante et comme s'il cherchait à oublier, dans la perspective qu'il développait devant Kersten, les avertissements du docteur.

— Écoutez, écoutez comme c'est magnifique, s'écria-t-il.

« Nous avons pris la Pologne, mais les Polonais nous haïssent. Il nous faut là-bas du vrai sang germanique. Les Hollandais en sont issus : cela est indéniable malgré leur trahison. En Pologne, ils apprendront à changer d'attitude envers nous. Les Polonais vont les traiter en ennemis, puisque nous allons donner leurs terres aux Hollandais. Alors, perdus au milieu des Slaves, et poursuivis par leur haine, les Hollandais seront bien obligés de nous être fidèles, à nous, leurs protecteurs. Nous aurons ainsi, à l'est de l'Europe, toute une population germanique alliée à nous par la force des choses. Et en Hollande, nous enverrons de bons jeunes paysans allemands. Et les Anglais auront perdu leur meilleure plate-forme de débarquement. Avouez, avouez, seul le Führer pouvait trouver une solution aussi parfaite. N'est-ce pas génial ?

Kersten sentit son pouls battre plus vite. Il y avait en effet, dans ce plan, une perfection terrible, celle qui marque la logique des fous.

— Possible, dit-il sèchement. Moi, je ne pense qu'à votre santé. Entre vos deux missions, il faut choisir.

Le temps de pause était écoulé. Les doigts de Kersten pétrissaient de nouveau, dans le corps de Himmler, les faisceaux nerveux défaillants.

— Je vous demande, dit Kersten, de me répondre sans réticence, de malade à médecin. Des deux ordres que vous avez reçus, lequel est-il le plus important, le plus urgent ? Élever l'effectif des S.S. à un million d'hommes ou déporter les Hollandais ?

— Les S.S., dit Himmler. Sans aucun doute.

— Alors, dit Kersten, il vous faut, au nom de votre santé, remettre la déportation jusqu'à la victoire. Qu'est-ce que cela peut vous faire ? Vous m'assurez vous-même que vous aurez gagné la guerre dans six mois ?

— Impossible, dit Himmler, la déportation ne peut souffrir aucun délai : Hitler le veut ainsi.

Les soins étaient terminés. Himmler se leva, s'habilla. Il devenait invulnérable. Mais Kersten n'avait pas cru un instant qu'il pouvait l'emporter d'un seul coup. L'essentiel était que le débat fût engagé tout naturellement et sur le seul terrain où Kersten avait toute liberté de le poursuivre sans éveiller de soupçon. Le destin pouvait encore changer de chevaux.

Soudain, une angoisse saisit le docteur. Si, par miracle, Himmler renonçait à déporter le peuple hollandais, la besogne ne serait-elle pas confiée à Heydrich ou à quelque général ou à un grand dignitaire sur lequel lui, Kersten, n'aurait aucune influence…

En prenant congé du Reichsführer, il lui demanda avec sollicitude :

— Êtes-vous le seul capable d'assurer la déportation ? Pourquoi ne pas chercher quelqu'un d'autre ?

Himmler frappa du plat de la main sur sa table et cria :

— Pour une mission de cette importance, de cette envergure, le Führer n'a confiance qu'en moi ! Personne que moi ne peut s'en acquitter, je ne le permettrai à personne !

La vanité exaspérée, implacable, qu'exprima le visage de Himmler à cet instant rassura Kersten. Si jamais il lui fallait abandonner son horrible tâche, Himmler irait jusqu'au meurtre pour interdire à un rival de l'y remplacer.

Quand Kersten revint chez lui, il ne ressemblait en rien à l'homme rompu, défait, qui avait quitté ce même logis une heure plus tôt.

— J'aurai Himmler, je l'aurai dit-il à Elisabeth Lube.

Et il frottait ses mains l'une contre l'autre, non pas en signe de réjouissance mais comme on fourbit des armes pour un long combat.

— J'ai du temps devant moi, s'écria-t-il.

Le délai que, la veille, il trouvait dérisoire, lui semblait maintenant plus que suffisant.

6

L'assurance de Kersten, d'autant plus exaltée qu'il avait connu le fond du désespoir, fut de courte durée : Himmler ne cédait point.

Le docteur avait beau user de tous les moyens qui lui avaient, jusque-là, si bien réussi — la prière amicale, la menace de conséquences graves pour la santé du Reichsführer, l'appel à la reconnaissance du malade, la flatterie — et employer ces moyens aux instants les plus favorables, rien n'y faisait. « La déportation aura lieu et au jour dit », répétait Himmler.

Cette fois, il avait pour le défendre contre l'influence de Kersten une autre influence et souveraine : celle de Hitler, son maître, sa divinité.

Kersten percevait presque physiquement cette présence entre son patient et lui. Elle rendait ses efforts inutiles. Chaque matin, jour après jour, il recommençait à raisonner, avertir, supplier. En vain. Il avait l'impression de livrer combat, non à Himmler, mais à l'ombre qui le couvrait.

Et le temps passait. On approchait de la fin de mars. La peau de chagrin se rétrécissait avec une vitesse terrible. Kersten devinait, savait que se mettaient en place les ressorts et les rouages de l'appareil fait pour arracher le peuple hollandais à sa terre et le jeter sur une route atroce. Bientôt la machine infernale serait montée, prête. Et tout serait fini.

Alors, se produisit un phénomène très étrange. Pour la première fois depuis des années, le traitement de Kersten cessa d'agir sur Himmler. Les mains miraculeuses dont le contact avait eu tout pouvoir sur ses souffrances furent incapables, soudain, de les guérir ou même de les alléger.

Était-ce voulu de la part de Kersten ? Ou bien, comme il l'assure, l'obsession, l'angoisse où il vivait sans répit, troublaient ses propres nerfs au point de paralyser ses dons et rendre ses soins inefficacesces ? Quoi qu'il en fût, consciemment ou non, les mains de Kersten se refusaient à Himmler.

Et comme la réorganisation de l'armée des Waffen S.S. et les préparatifs pour la déportation des Hollandais exigeaient un énorme effort et sans cesse accru, Himmler eut tout de suite très mal. Et la douleur le tenailla davantage de jour en jour.

Chaque matin, plus cireux et les pommettes plus saillantes, trempé de sueur, il s'étendait sur son divan et offrait sa chair, lacérée de l'intérieur, aux doigts de Kersten, avec une espérance avide, effrénée. Il en avait tant de fois reçu apaisement qu'il n'arrivait pas à croire qu'ils fussent tout à coup privés de leur magie. L'exaspération, l'acuité de l'attente redoublaient son tourment. Et les mains de Kersten se posaient aux endroits accoutumés et faisaient les mêmes gestes, opéraient les mêmes pressions, les mêmes torsions. Les nerfs de Himmler se crispaient de plus en plus, appelaient le miracle… Il allait, il devait enfin venir. Arqué par la souffrance, le corps misérable priait, mendiait. En vain. Les mains du docteur n'avaient plus la grâce.

— Je vous avais prévenu, disait Kersten. Vous ne pouvez pas mener de front ces deux labeurs écrasants : décupler le nombre des S.S. et organiser la déportation de tout un peuple. Votre système nerveux est à trop rude épreuve. Il ne m'obéit plus. Renoncez à la mission la moins importante et je réponds de vous guérir.

— Impossible, pleurait presque Himmler, impossible, c'est un ordre de mon Führer.

Un instant après, il suppliait :

— Essayez, essayez encore…

— Je veux bien, disait Kersten. Mais je sens que c'est inutile.

Et c'était inutile.

7

Dans les premiers jours d'avril 1941, les troupes allemandes se jetèrent sur la Yougoslavie. L'énorme supériorité en nombre, en armement et en savoir stratégique assurait à la Wehrmacht un nouveau triomphe de la guerre foudroyante. Hitler, pour assister à la curée, fixa son Grand Quartier sur la frontière de l'Autriche et du pays envahi.

Comme à l'accoutumée, Himmler eut à le suivre. Son train spécial fut garé à Bruck-an-Denmur, sur la même frontière.

Le départ avait exigé de Himmler un effort physique effrayant. Le voyage acheva de le briser.

À Bruck, il ne quittait sa couchette dans le train spécial que pour se rendre auprès de Hitler dont le Q.G. était établi à une vingtaine de kilomètres.

Kersten vivait pour ainsi dire dans le compartiment du Reichsführer. On l'y appelait à tout instant.

— Faites quelque chose, je n'en peux plus, criait Himmler.

— Mais je vous ai déjà fait plusieurs traitements depuis ce matin, répondait Kersten. Ils n'ont pas eu de résultat. Celui-ci n'en aura pas davantage.

— Essayez, essayez tout de même, j'ai trop mal.

Kersten essayait une fois de plus, vainement.

Chaque séance — et il y en avait maintenant dix par jour — était un nouveau débat, un nouveau combat pour le même objet.

Au-delà des voies de garage, on voyait, par les fenêtres du train immobile, le printemps paraître sur les collines et dans les bois, mais Himmler et Kersten, entièrement pris par un tourment d'une essence différente, mais d'une force égale, y étaient insensibles.

— Vous êtes fou, Reichsführer, répétait, répétait, répétait Kersten. Vous voyez bien l'état auquel vous êtes réduit. Vous voyez bien que vous ne pouvez pas tout faire en même temps. Remettez la déportation jusqu'à la fin de la guerre et je vous garantis que mon traitement agira comme il agissait avant.

Himmler était tordu, ravagé par la souffrance. Sur son visage cireux et pincé, comme celui d'un agonisant, ruisselaient une sueur froide et des larmes de douleur qu'il ne pouvait pas retenir.

Pourtant il résistait, résistait.

— Je ne peux pas, disait-il, c'est un ordre du Führer.

— Je ne peux pas, le Führer n'a confiance qu'en moi.

— Je ne peux pas, je dois tout à mon Führer.

Il ne restait plus qu'une semaine avant que la déportation commençât.

Si Kersten luttait encore, c'était uniquement par devoir et parce qu'il ne pouvait pas faire autrement. Il n'avait plus d'espoir. Il savait que rien d'organique n'était atteint chez Himmler et que celui-ci pouvait, de son compartiment, diriger, assurer l'exode monstrueux, à condition d'avoir assez de stoïcisme pour accepter de souffrir. Ce courage, il le trouvait dans la crainte et l'idolâtrie que lui inspirait Hitler.

Cependant, Himmler se sentit si mal qu'il ne supporta plus la dureté, l'étroitesse de sa couchette dans le train. Il prit un appartement dans un petit hôtel des environs. Kersten, naturellement, y vint habiter aussi.

À deux heures du matin, et alors que le docteur dormait, le téléphone sonna dans sa chambre.

L'esprit de Kersten avait la propriété d'être alerte et clair dès le premier instant du réveil. Le docteur eut, pourtant, de la peine à reconnaître la voix de Himmler. Ce n'était qu'un souffle haletant, indistinct et coupé de sanglots.

— Venez, venez vite, cher Kersten. Je n'arrive plus à reprendre ma respiration.

Kersten, tout habitué qu'il fût à voir souffrir Himmler, demeura stupéfait par la violence de son tourment. Himmler avait rejeté couvertures et draps, incapable de supporter leur contact, et dénudé, immobile, crispé dans chaque muscle, les bras étendus à plat, gisait comme crucifié. Il haletait :

— Aidez-moi, au secours !

L'idée ne vint pas à Kersten, en cet instant, que la torture subie par Himmler pouvait être une forme de justice immanente et que l'homme qui avait approuvé, ordonné, dirigé, organisé tant et tant de supplices, méritait bien celui-là. Pour le docteur, Himmler était un malade qu'il soignait depuis deux ans et la conscience professionnelle, si puissante chez Kersten, lui faisait un devoir absolu de le soulager de son mieux et au plus vite. En outre, à force de vivre avec Himmler, de le manier, de l'étudier dans toutes ses réactions et tous ses réflexes, Kersten, par le jeu le plus naturel de l'accoutumance, ne voyait plus en lui seulement le policier et le bourreau, mais aussi l'être humain.

Au spectacle de ce corps convulsé, Kersten éprouva, dans toute leur force, l'impératif du médecin et la pitié la plus simple pour un homme, quel qu'il fût, qui souffrait à ce degré. Il sentit qu'il était sur le point de céder. Ses mains, d'elles-mêmes, se tendirent vers Himmler.

Elles retombèrent aussitôt. Obnubilée un instant, l'autre exigence reprenait son empire sur Kersten, celle d'épargner à un peuple tout entier le sort le plus effroyable de son histoire.

Et Kersten comprit que, malgré le sens du devoir qui le poussait à secourir Himmler et la pitié qu'il éprouvait pour lui, il serait incapable de le soigner efficacement tant qu'il serait obsédé, pétrifié, par l'horreur de la déportation imminente. Il n'y pouvait rien : c'était une sorte de paralysie intérieure. Mais si Himmler renonçait au projet maudit, oh ! avec quelle joie, quelle certitude il le délivrerait !

Kersten prit une chaise, la plaça contre le chevet de Himmler, s'assit, se pencha à toucher de son visage celui du malade. Cette fois, il ne discuta pas, il ne raisonna pas, n'essaya pas de lutter. Sur un ton humble, affectueux et presque implorant, il dit :

— Reichsführer, je suis votre ami. Je veux vous aider. Mais je vous en supplie, écoutez-moi. Reportez à plus tard cette histoire hollandaise et aussitôt vous irez mieux, je vous le promets, je vous le jure. Vous n'êtes pas médecin, mais un enfant comprendrait cela. Vos souffrances sont d'origine nerveuse. Je peux tout sur vos nerfs, sauf quand une préoccupation trop grave et constante les ronge comme un acide. Pour vous, l'acide est le souci dont vous obsède l'affaire de Hollande. Otez le souci de votre tête et je puis de nouveau agir sur vos nerfs et vous n'avez plus mal. Rappelez-vous comme le traitement vous faisait du bien avant cette affaire. Il en sera de même si seulement vous allez trouver Hitler pour lui demander de remettre la déportation jusqu'à la victoire.

Himmler écoutait avec avidité cette voix presque tendre, ces mots si faciles à comprendre, et regardait, comme hypnotisé, ces paumes, ces doigts qui déjà s'offraient à lui pour arrêter une douleur infernale. Dans ses yeux, où brillaient des larmes, la hantise de Hitler s'estompa, s'effaça.

Himmler saisit convulsivement l'une des mains du docteur et gémit :

— Oui, oui, cher Kersten, je crois en vérité que vous avez raison. Mais qu'est-ce que je vais dire au Führer ? Je souffre tellement que je suis même incapable de lier mes pensées.

Ce fut alors que le docteur eut à faire le plus difficile effort sur lui-même : dissimuler son bonheur.

— C'est très simple, répondit-il du ton désintéressé d'un homme que les problèmes politiques n'ont jamais ému. Très simple. Vous direz que vous ne pouvez pas faire face à toutes les missions à la fois. Parlez du manque de bateaux, de l'encombrement des routes, montrez à quel point ce travail surhumain menace votre santé et que, si cela continue, vous ne pourrez pas assurer la réorganisation des Waffen S.S., qui est votre devoir essentiel, et de beaucoup.

— C'est vrai ! C'est juste ! cria Himmler. Mais comment irais-je parler à Hitler ? Je suis incapable d'un mouvement, j'ai trop mal.

Kersten demanda, la voix un peu rauque :

— Êtes-vous bien décidé ? C'est sûr ? bien sûr ? Sans quoi, je vous le répète, je ne peux rien.

— Vous en avez ma parole, ma parole de chef allemand, gémit Himmler. Donnez-moi seulement la force.

La joie cachée de Kersten fut si exubérante qu'il se surprit à penser : « Sois tranquille, mon bonhomme, dans une demi-heure tu seras tout à fait capable d'y aller. »

Jamais il n'avait eu une telle assurance de réussir une cure. Jamais il n'avait senti, des poignets jusqu'à l'extrémité des phalanges, l'afflux d'un sang aussi chaud, ni cette élation inspirée. Et Himmler, qui s'était cru voué à un supplice sans rémission, retrouva le bienfait des mains de Kersten. Tremblant de faire un geste qui risquât de les contrarier, il commença à se détendre, à respirer. De temps à autre, il murmurait, incrédule :

— Je pense… oui, il me semble que la douleur s'en va.

Puis il se tut comme anéanti par la félicité. Kersten travailla en silence. Quand il eut achevé, Himmler, usant de mouvements lents et craintifs, se leva, respira à fond et s'écria :

— Mais je vais mieux… mais je ne souffre plus.

— C'est uniquement, dit Kersten, parce que vous avez pris la résolution de parler à Hitler. Dépêchez-vous de le faire, on ne sait jamais quand les crampes reprennent.

— J'y vais… j'y cours, s'écria Himmler.

Il saisit ses vêtements, s'habilla en toute hâte.

À ce moment retentit la sonnerie du téléphone :

— Oui, dit Himmler à l'appareil, c'est moi !

Il écouta sans prononcer un mot, puis il raccrocha, se tourna vers Kersten et dit :

— La campagne de Yougoslavie est achevée. Le Führer vient de partir pour Berlin et ordonne que je le suive.

Il passa rapidement sa vareuse et ajouta :

— Faites votre valise. Notre train est déjà sous pression.

Himmler avait retrouvé ses gestes et sa voix de commandement. Et Kersten, qui savait combien le Reichsführer changeait d'attitude et devenait intraitable quand il se sentait mieux, ne put s'empêcher de penser : « Je l'ai guéri trop vite ; il va se reprendre, oublier sa promesse, revenir à la détermination fanatique d'arracher à la Hollande le peuple hollandais au jour prévu. »

Mais le sort avait choisi, cette nuit-là, d'aider Kersten. Pendant le voyage, Himmler fut repris de crampes atroces. Et, tandis que le train spécial roulait dans les ténèbres, Kersten dut traiter le Reichsführer une fois de plus. Ses soins furent efficaces. Il les ménagea toutefois de telle façon que Himmler en eût besoin jusqu'à l'instant où le convoi s'arrêta en gare de Berlin.

— Vous voyez, dit alors le docteur à son malade ; vous voyez, c'est déjà plus long, plus difficile. Vous avez encore en tête cette histoire de déportation. Il faut vous en libérer, sinon tout recommence.

— Oh ! soyez tranquille, cher Kersten ! J'ai compris, dit Himmler.

De la gare même, il se fit conduire chez Hitler. Deux heures plus tard, il téléphonait à Kersten.

— Le Führer est aussi magnanime que génial. Il a eu compassion de ma fatigue. La déportation est remise. J'ai l'ordre écrit. Je vous le montrerai.

Elisabeth Lube se trouvait auprès de Kersten tandis qu'il écoutait le message incroyable. Il le lui répéta mot pour mot. Ensuite, ils restèrent longtemps côte à côte sans pouvoir parler.

8

Épuisé par tant d'émotions, Kersten alla se reposer à Hartzwalde. Il ne dit rien à sa femme des épreuves qu'il venait de traverser pendant les dernières semaines. Mais il alla cueillir des fleurs dans son jardin et les plaça devant les portraits signés de Wilhelmine, reine de Hollande, et de son mari, le prince Henri, qu'il gardait sur son bureau malgré la haine implacable que leur portaient les nazis.

CHAPITRE VII

Génocide

1

Pendant tout le débat sur la déportation du peuple hollandais, Himmler ne soupçonna jamais Kersten d'avoir obéi à d'autres mobiles que le devoir du médecin et la sollicitude amicale.

Hitler, de son côté, admit sans la moindre méfiance les motifs — santé, trop de tâches essentielles et simultanées, hiérarchie des problèmes — que lui donna le Reichsführer pour suspendre l'exode. Et comment Hitler eût-il imaginé que son séide le plus ancien, le plus fidèle, le plus zélé et le plus soumis ait pu tomber sous une autre influence que la sienne ?

Mais il y avait un homme que ses fonctions et son caractère prédisposaient à moins de crédulité. Heydrich pensa tout de suite au docteur Kersten. Il ne pouvait rien pour l'instant. Il attendit.

2

Dans le très haut personnel du régime, Himmler était le seul qui disposât de Kersten comme de son médecin permanent et privé. Mais d'autres grands dignitaires se faisaient à l'occasion traiter par lui.

Le premier fut Ribbentrop. Kersten détestait le ministre des Affaires étrangères du IIIe Reich pour sa vanité, sa jactance, son arrogance et pour une bêtise qu'il estimait confondante à un poste capital. Ces sentiments, le docteur les traduisit en demandant à Ribbentrop des honoraires si considérables que le ministre arrêta sa cure.

Puis vint Rudolph Hess. À son égard, Kersten n'éprouva pas la même animosité. Le déséquilibre mental de Hess était évident. Mais à la mesure des fous et demi-fous qui dirigeaient le IIIe Reich et dont la démence avait un tour répugnant et dangereux — mégalomanie, fanatisme, sadisme, racisme — le délire de Hess semblait anodin. Il vivait dans un état d'exaltation puérile. Il adorait les romans de Jules Verne et ceux de Fenimore Cooper sur les Indiens des prairies américaines du XIXe siècle. Quand il voyait dans la rue une jeune fille au bras d'un soldat, il sanglotait d'attendrissement : « Quelle pureté et quelle virilité réunies », disait-il.

Très religieux, mystique effréné, il avait résolu, après la guerre dont il déplorait les ravages, de se retirer dans un désert pour y vivre en ascète. En attendant, il rêvait et parlait sans cesse d'accomplir un acte grandiose qui laisserait son nom dans la mémoire des hommes, un acte qui servirait l'Allemagne et le monde, la guerre et la paix — il ne savait trop. En même temps, il était désespéré de ne pouvoir participer au combat, lui, excellent pilote, dans une escadrille. Hitler, qui l'aimait beaucoup, le lui avait défendu expressément.

Kersten traitait Hess pour des crampes d'estomac et du sympathique. Mais Hess avait recours à d'autres médecins et consultait en outre des rebouteux, des devins, des astrologues.

Au début du mois de mai 1941, il dit à Kersten :

— C'est décidé. Je vais faire quelque chose de si grand que l'univers en sera secoué.

Le 12 mai, à bord de son avion personnel, il s'envola secrètement vers la Grande-Bretagne, persuadé qu'il allait convaincre les Anglais de signer enfin cette paix que voulait tant Hitler pour conquérir plus facilement le reste de l'Europe.

Il atterrit en Écosse, fut arrêté, interné.

Si la nouvelle n'ébranla pas le monde, elle fut, du moins, un coup très dur pour le parti nazi dont Rudolph Hess était le secrétaire général et pour Hitler, dont il était le lieutenant préféré.

Le surlendemain de ce départ extravagant, Kersten fut informé qu'il aurait à se présenter dans le bureau de Heydrich à trois heures de l'après-midi. Cet ordre inquiéta beaucoup le docteur : Hitler avait prescrit d'arrêter tous les médecins — vrais ou faux — que Hess avait vus dans les jours qui avaient précédé son envol, de crainte qu'il ne leur eût fait des confidences dangereuses pour le Parti et l'État.

Aussi, avant de se rendre chez Heydrich, Kersten alla voir Himmler. Mais celui-ci était parti à l'improviste pour Munich et avait emmené Brandt avec lui. Kersten dit alors à l'officier S.S. de service :

— Prévenez sans faute, je vous prie, le Reichsführer par téléphone que je dois être dans quelques instants chez Heydrich. C'est très important.

L'officier promit de transmettre le message.

À trois heures juste, Kersten fut introduit dans un bureau des services de Heydrich. La pièce était déserte. Une demi-heure s'écoula. Personne n'était venu, personne n'avait appelé Kersten. Il voulut aller aux nouvelles. Les portes du bureau étaient fermées de l'extérieur.

Kersten avait beaucoup de sang-froid, de patience. Il s'efforça de dominer ses nerfs. Enfin Heydrich parut, très élégant, très soigné, très courtois, comme à l'accoutumée.

— Excusez-moi d'être en retard, dit-il. Mais, ces temps-ci, j'ai beaucoup de travail.

Puis il demanda :

— Est-ce que Hess vous a fait des confidences qui intéressent l'État ?

— Aucune, dit Kersten.

Heydrich le considéra de ses yeux clairs et froids, sourit et lui offrit une cigarette.

— Merci, je ne suis pas fumeur, dit Kersten.

Il se rappelait ce que Himmler lui avait raconté des cigarettes droguées que l'on donnait aux gens pendant les interrogatoires et ajouta :

— De toute façon, je n'aimerais pas fumer du tabac magique.

Le sourire de Heydrich devint plus aimable encore.

— Celui-là ne l'est point, dit-il. Mais je vois que vous connaissez nos méthodes.

Sans changer de ton ni de sourire, il poursuivit :

— Je regrette beaucoup, mais je dois vous arrêter. Je ne crois pas un mot de ce que vous dites. C'est vous, j'en suis sûr, qui avez influencé Himmler dans l'affaire de la déportation hollandaise.

Kersten pensa : « Nous y voilà... mais il n'a aucune preuve. » Il dit :

— C'est vraiment me faire trop d'honneur.

Heydrich se rejeta légèrement en arrière, passa une main très soignée sur ses cheveux blonds très lisses.

— Personne ne pourra me convaincre, dit-il, qu'un médecin qui a travaillé à la Cour de Hollande soit de nos amis. Je voudrais bien savoir qui vous a envoyé en Allemagne.

— Himmler pourrait mieux vous répondre que moi, dit Kersten.

Les yeux de Heydrich étaient devenus immobiles et son sourire figé.

— Le jour n'est plus loin où c'est vous qui aurez à me répondre, dit-il.

— Ne pensez-vous pas que vous présumez trop de votre pouvoir ? demanda Kersten.

Il avait parlé tranquillement pour ne pas donner prise sur lui, pour ne point paraître coupable, mais la peur commençait à le saisir. Jusqu'où allaient les ordres de Hitler ? Avait-on pu joindre Himmler à Munich ? Sa liberté, sa vie dépendaient de cela…

Dans un bureau voisin, le téléphone sonna. Heydrich s'y rendit. Resté seul, Kersten regarda sa montre. Il y avait des heures qu'il était dans cette pièce. Il tendit l'oreille. Était-ce enfin Himmler qui appelait ? Mais il n'entendit rien.

Heydrich revint, reprit son siège, alluma une cigarette, sourit.

— Où en étions-nous… ah, oui… la Hollande, dit-il. Je m'étonne en particulier que vous soyez si bien informé sur ce pays.

La peur de Kersten se fit plus vive. La correspondance secrète qu'il entretenait avec ses amis des Pays-Bas, si elle était surprise, le vouait au pire châtiment. En principe, le numéro postal de Himmler lui garantissait une sécurité absolue. Mais de quoi pouvait-on être sûr ?

— Ne voudriez-vous pas me confier la source de vos renseignements ? demanda Heydrich.

Pour cacher sa crainte, Kersten se mit à rire.

— Peut-être suis-je clairvoyant, dit-il.

— Peut-être le suis-je aussi, dit Heydrich. Je commence même à deviner qui vous êtes et je le prouverai bientôt.

Les yeux fixés sur le docteur exprimaient une résolution impitoyable. Kersten pensait à la manière dont se poursuivaient les interrogatoires dans les caves de la Gestapo, sur la chair des hommes.

Heydrich se leva et dit :

— Vous êtes libre. Himmler vient de me téléphoner. Il se porte garant de votre loyauté devant le Führer lui-même. Je suis donc forcé de vous laisser aller. C'est un ordre formel de mon chef. Mais soyez prêt à revenir ici, dès que je vous en aviserai. Nous nous reverrons, soyez tranquille.

Kersten sortit de son pas habituel. C'est dehors seulement qu'il sentit combien il avait eu peur[1].

3

À son retour de Munich, Himmler fit venir Kersten tout de suite. Mais non pour recourir à ses soins. Il fumait un cigare, ce qui était signe de santé, et faisait descendre et remonter sur son front les verres de ses lunettes, ce qui était signe d'humeur agressive.

Il ne fit pas une seule allusion cependant à l'interrogatoire mené par Heydrich. À cet égard, sans doute, il jugeait Kersten au-dessus de tout soupçon. Et il n'aimait pas désavouer ses subordonnés ouvertement.

— J'ai là, dit-il en frappant avec irritation du

1. Voir Appendice, note 4.

plat de la main le dossier placé devant lui, j'ai là un rapport de La Haye qui m'informe que vous avez toujours votre appartement et vos meubles dans cette ville. Est-ce vrai ?

— C'est vrai, dit Kersten.

— Je vous ai pourtant envoyé là-bas, il y a presque un an, avec instruction formelle de tout liquider, cria Himmler.

Kersten savait qu'il était très dangereux — même pour lui — de donner au Reichsführer le sentiment que l'on se moquait de ses ordres. Heydrich n'avait pas perdu de temps. Mais la réplique était facile et depuis longtemps préparée.

— Rappelez-vous, dit Kersten, que j'ai dû interrompre tout à coup mon déménagement de Hollande afin de revenir vous soigner. Vous étiez très mal. J'ai tout laissé pour vous obéir.

Himmler se calma aussitôt. Il souffrait toujours d'avoir à soupçonner Kersten, son guérisseur, son seul confident, son seul ami.

— Vous avez raison, dit-il. Mais cette fois, je vous en prie, il faut en finir. Vous aurez tous les camions nécessaires.

Il ajouta comme pour s'excuser :

— Vous comprenez, il m'est impossible d'avoir l'air, pour mes services, de manquer d'autorité.

— C'est promis, dit le docteur. Pour faire plus vite, ma femme viendra avec moi.

Le 6 juin, tous les biens que le docteur avait possédés en Hollande — vieux meubles, beaux livres, tableaux de maîtres — étaient à Hartzwalde.

4

Deux semaines plus tard, le 21 juin 1941, Hitler jeta toutes ses forces à la conquête de la Russie.

Kersten s'attendait à ce coup de dés suprême. Quelques propos de Himmler et surtout sa hâte furieuse pour porter à un million l'armée des Waffen S.S. avaient suffisamment informé le docteur. Des préparatifs d'une pareille envergure annonçaient une nouvelle guerre, et immense.

Dans la journée même du 21 juin, le train spécial de Himmler se mit en route vers les marches de l'Est. Sur l'exigence formelle du Reichsführer, Kersten s'y trouvait. Il partit avec le sentiment d'être un prisonnier. La Finlande avait également pris les armes contre la Russie. Elle s'associait à une mauvaise cause et que le docteur jugeait à l'avance perdue. Son pays cessait d'être neutre, pour devenir l'allié, le partenaire du IIIe Reich. Kersten voyait sa liberté se rétrécir encore.

L'endroit choisi pour le Quartier Général mobile de Himmler était, en Prusse-Orientale, un grand bois en partie défriché et sillonné de voies ferrées. Le train du Reichsführer se gara sur l'une d'elles et le travail habituel de son état-major commença : espionnage policier, arrestations, établissement de camps de concentration, supplices, exécutions sommaires.

Autour du train spécial, des baraquements nombreux s'élevaient pour les services et les troupes de garde. L'un d'eux abritait même une salle de cinéma qui pouvait recevoir cinq cents spectateurs. À l'écart, une demi-douzaine de grands abris bétonnés étaient dissimulés sous les arbres.

Himmler se rendait chaque nuit auprès de Hitler dont le Grand Quartier se trouvait, comme toujours, à faible distance, et revenait très tard. À son réveil, Kersten le soignait. Le reste de la journée, le docteur n'avait rien à faire.

Les repas lui étaient pénibles. Il les prenait dans le wagon-restaurant qui servait de mess à l'état-major de Himmler. Les premiers succès remportés sur les Russes enivraient les officiers nazis. Ils étaient tous persuadés que leur victoire serait absolue et foudroyante. Ils voyaient déjà le Grand Reich s'étendre jusqu'aux monts Oural. Et déjà — ne faisant que répéter les assurances de Himmler qui les tenait lui-même de Hitler — ils se distribuaient les dépouilles de l'immense pays réduit en esclavage.

— Chaque soldat allemand, affirmaient-ils, aura en Russie son domaine. Ce sera le paradis germanique.

— Je veux une usine, disait l'un.

— Je choisirai un château, criait l'autre.

Pour échapper à ces propos et tromper son ennui, Kersten avait recours à de menues occupations quotidiennes. Tandis que le sort du monde se jouait dans les batailles gigantesques d'un front qui allait de la mer Blanche à la mer Noire, Kersten cherchait des champignons dans le bois, les faisait sécher dans un four à pain pour les envoyer à Hartzwalde, cueillait des fraises sauvages, se promenait beaucoup, mettait en forme dans son journal les notes de plus en plus nombreuses qu'il prenait rapidement.

Le soir, il allait au cinéma, où l'on montrait chaque fois un nouveau film. Outre ceux qui, faits en Allemagne, étaient de consommation courante, on voyait sur l'écran des films anglais, américains ou russes, pris par les nazis. Ces projections étaient réservées à Himmler et à ses officiers principaux. Kersten avait le droit d'y assister. Mais les sièges du cinéma de campagne étaient très primitifs, très étroits, et la corpulence massive de Kersten en souffrait. Il s'en plaignit à Himmler. Le Reichsführer fit installer alors, pour l'usage exclusif du gros docteur, un fauteuil de cuir ample, confortable, bien adopté à sa nature.

De temps en temps intervenait une autre distraction nocturne : le grondement des avions russes au-dessus du bois où se camouflait le Q.G. de Himmler. Le Reichsführer, alors, même si l'alerte durait seulement quelques minutes, se précipitait en courant vers son abri et sa longue chemise de nuit en flanelle blanche battait contre ses mollets maigres.

Ce fut dans ces besognes et ces divertissements que Kersten eut à passer deux mois. Ils lui semblèrent interminables. Mais Himmler, à qui la rapide avance allemande donnait chaque jour plus de travail dans le domaine de la surveillance et de la répression, souffrait trop pour le laisser partir.

Enfin, vers la mi-octobre, Himmler se sentit mieux. Kersten put regagner Berlin.

5

Un hiver précoce et d'une terrible rigueur arrêta les opérations en Russie, pétrifia les armées allemandes au fond de trous glacés. Pour la première fois depuis 1940, le triomphe ne venait pas couronner la ruée éclair. Malgré des pertes très dures en territoires et en hommes, les Russes tenaient bon et ils avaient pour eux le temps et l'espace.

À l'ouest, l'Angleterre, plus tenace que jamais, se préparait aux batailles futures. L'intervention de l'Amérique approchait.

Les deux branches de la tenaille étaient encore très éloignées l'une de l'autre, mais leur dessin préfigurait le sort du IIIe Reich.

Kersten qui, au fond de son cœur, n'avait jamais pu croire — même quand tout semblait perdu — que les nazis imposeraient au monde leur loi, vit les données de la raison justifier sa révolte instinctive.

Himmler revint à Berlin et le docteur recommença de le soigner.

Un matin, il trouva le Reichsführer en proie à une mélancolie singulière. Himmler soupirait sans cesse et il y avait une sorte de désespoir dans ses yeux.

— Vous souffrez ? lui demanda Kersten.

— Il ne s'agit pas de moi, répondit Himmler sans le regarder.

— Que se passe-t-il alors ? demanda encore le docteur.

— Cher monsieur Kersten, dit Himmler, je suis dans une terrible détresse. Je ne peux pas vous en apprendre davantage.

— Tout ce qui vous préoccupe me préoccupe également, dit le docteur, car cela joue sur vos nerfs. Peut-être pouvons-nous parler de votre souci et je serai en mesure de vous aider un peu.

— Personne ne peut m'aider, murmura Himmler.

Il leva son regard vers le visage rond, fleuri, rassurant, vers les yeux bons et sages, et poursuivit :

— Mais je vais tout vous raconter. Vous êtes mon seul ami. Vous êtes le seul homme à qui je puisse parler sincèrement.

Et Himmler parla.

— Après la débâcle de la France, dit-il, Hitler a fait plusieurs offres de paix à l'Angleterre. Mais les Juifs qui dominent toute la vie de ce pays ont rejeté ces offres. C'est la plus grande catastrophe qui peut arriver au monde que de forcer l'Angleterre et l'Allemagne à se combattre. Et le Führer a compris que les Juifs iraient jusqu'au bout dans la guerre et qu'il n'y aurait pas de paix sur la terre tant qu'ils régneraient. C'est-à-dire tant qu'ils existeraient.

Les ongles du Reichsführer griffaient machinalement le bois de la table. Kersten pensa : « Hitler voit que la fortune des armes commence à se tourner contre lui. Mais sa folie ne peut pas l'admettre. Il a besoin d'une raison à ses revers qui, par son caractère insensé, explique tout, excuse tout. Une fois de plus, ce sont les Juifs. »

Le docteur demanda :

— Et alors ?

— Alors, dit Himmler, le Führer m'a ordonné de liquider tous les Juifs qui sont en notre pouvoir.

Ses mains, qu'il avait longues, minces et sèches, reposaient à présent inertes et comme gelées.

— Liquider… que voulez-vous dire par là ? s'écria Kersten.

— Je veux dire, répliqua Himmler, que cette race doit être exterminée entièrement, définitivement.

— Mais vous ne pouvez pas ! cria Kersten. Mais pensez donc à l'horreur que cela représente, aux souffrances sans nom, sans nombre, et à l'opinion que le monde prendra de l'Allemagne.

D'habitude, quand il discutait avec le docteur, Himmler montrait de la vivacité, et même de la passion. Cette fois, son visage resta terne et sa voix neutre.

— La tragédie de la grandeur, dit-il, est d'avoir à fouler des cadavres.

Himmler laissa fléchir son menton sur sa poitrine creuse et demeura silencieux, comme accablé. Kersten dit alors :

— Vous voyez bien : au fond de votre conscience, vous n'approuvez pas cette atrocité. Sinon pourquoi tant de tristesse ?

Himmler se redressa brusquement pour considérer Kersten avec surprise.

— Mais ce n'est pas cela du tout, s'écria-t-il. C'est à cause du Führer.

Il secoua la tête en tous sens, poursuivi par un souvenir intolérable.

— Oui, reprit-il, je me suis conduit comme un imbécile. Quand Hitler m'a expliqué ce qu'il voulait de moi, j'ai répondu sans réfléchir, par égoïsme : « Mon Führer, moi et mes S.S., nous sommes prêts à mourir pour vous. Mais je vous prie de ne pas me charger de cette mission. »

La scène qui avait suivi ce propos, Himmler la raconta, en respirant avec difficulté.

Hitler avait été emporté par un de ses accès de rage démente qui lui étaient habituels à la moindre contradiction. Il avait sauté sur Himmler, l'avait saisi au col et avait hurlé : « Tout ce que vous êtes, vous ne l'êtes que par moi. Et maintenant, vous refusez de m'obéir. Vous passez du côté des traîtres. »

Cette colère avait empli Himmler de terreur, mais encore plus de désespoir.

« Mon Führer, avait-il supplié, pardonnez-moi. Je ferai tout, absolument tout ce que vous m'ordonnerez. Et même davantage. Ne dites jamais, jamais, que je fais partie des traîtres. »

Mais Hitler ne s'était pas calmé. Il avait hurlé encore, trépignant, écumant :

« La guerre sera bientôt finie. Et j'ai donné au monde ma parole qu'à la fin de la guerre il n'y aurait plus un Juif sur la terre. Il faut aller fort. Il faut aller vite. Et je ne suis plus sûr que vous en êtes capable... »

Quand il eut terminé ce récit, Himmler adressa à Kersten un regard misérable de chien battu.

— Vous comprenez, maintenant ? demanda-t-il.

Kersten comprenait très bien : tout le chagrin de Himmler venait non point de ce qu'il avait des millions de Juifs à détruire, mais de ce que Hitler ne lui faisait plus une entière confiance pour mener à bien cette tâche. Et le docteur pensa avec épouvante au zèle meurtrier que le Reichsführer allait mettre en œuvre pour regagner cette confiance perdue.

Il sentit qu'il n'y avait rien à faire contre une telle aberration, une telle perversion des valeurs humaines. Il essaya toutefois d'émouvoir le sentiment de la vanité, de la gloire, qui était si puissant chez Himmler. Il demanda :

— Vous avez un ordre écrit ?

— Non, dit Himmler, seulement oral.

— Alors, dit Kersten, par cette mesure, Hitler vous déshonore avec le peuple allemand pour des siècles et des siècles.

— Ça m'est égal.

Tout le reste de la journée et au prix d'un effort immense, Kersten s'astreignit à n'avoir en tête que ses occupations immédiates : les malades, les menues besognes. Mais la nuit vint et il fut tout à une seule pensée. Ainsi, les bruits qu'il avait entendus circuler et auxquels il s'était refusé de croire étaient vrais. Ainsi, des millions d'êtres innocents allaient être traqués, parqués, détruits en masse, froidement, méthodiquement, industriellement. Cela dépassait les limites de la sauvagerie. Cela donnait honte d'appartenir à l'espèce des hommes.

Kersten songea à Hitler : le fou devenait furieux et exigeait des fleuves de sang.

Kersten songea à Himmler : le demi-fou obéissait au fou et, pour le contenter, déployait toute son énergie et tous ses talents.

Devant les images qui se présentèrent à son esprit, le docteur trembla d'horreur et d'impuissance. Il avait réussi à empêcher la déportation des Hollandais. Mais un miracle ne se répète point. Même s'il recommençait à jouer sur les souffrances de Himmler et même si Himmler était incapable de conduire à bien personnellement la tâche monstrueuse, cela ne servirait à rien. Le fou souverain la confierait à d'autres séides impitoyables.

La seule lutte que Kersten avait le moyen et le devoir d'entreprendre était — puisqu'il ne pouvait rien contre l'assassinat collectif — de sauver des individus chaque fois qu'il en aurait l'occasion.

Ce fut le serment qu'il se fit à la fin de cette nuit blanche.

Mais il n'en fut pas soulagé. Qu'importait tout ce qu'il pouvait faire auprès de ce massacre gigantesque, de cet holocauste où devaient périr, par millions, hommes, femmes et enfants juifs, et que Himmler offrait à son idole.

CHAPITRE VIII

Les Témoins de Jéhovah

1

Cependant les saisons suivaient leur cours, les hommes leurs habitudes, et Kersten alla passer son troisième Noël de guerre à Hartzwalde. Un grand malheur personnel l'y atteignit au début de l'année 1942.

Le père du docteur, le vieux Frédéric Kersten, était, à l'âge de quatre-vingt-onze ans, doué de la même robustesse, de la même activité surprenantes. Comme les mois d'hiver l'empêchaient de remuer la terre autant que ses muscles l'exigeaient, il faisait, pour les détendre, quatre à cinq heures de marche à travers le domaine. Un matin, il eut à passer un ruisseau sur lequel était jetée une passerelle étroite, faite de branches mal ajustées. Le vieil homme s'y engagea, glissa. L'eau, peu profonde, lui arriva néanmoins à la ceinture. Elle était glacée. Il s'en tira gaillardement, grimpa sur le bord opposé et, malgré le froid, continua sa promenade. Quand il revint à la maison, trempé jusqu'à la taille, et que, autour de lui, on s'inquiéta, il répondit :

— Ce n'est rien du tout. Le haut du corps est sec.

Deux jours après, il eut de terribles douleurs au ventre. Kersten conduisit son père à l'hôpital le plus proche. Le vieillard y fut opéré d'urgence d'une occlusion intestinale. Il ne se releva pas des suites de l'intervention.

Pendant quelque temps, le domaine de Hartzwalde, privé du vieil agronome, sembla très vide à Kersten. Mais des hôtes singuliers devaient bientôt le peupler.

2

La secte des Témoins de Jéhovah comptait en Allemagne quelque deux mille fidèles. Parce qu'ils disaient que la guerre était un fléau et qu'ils proclamaient que Dieu, pour eux, passait avant Hitler, ils furent saisis, enfermés dans des camps de concentration et soumis à un traitement particulièrement inhumain. Kersten en fut averti et résolut de les aider autant qu'il le pourrait.

La pratique du labeur forcé lui fournit une approche facile.

Il était devenu courant, en effet, à cause de la pénurie d'hommes provoquée par une guerre toujours plus exigeante en chair humaine, que l'on eût recours aux prisonniers des camps de concentration pour les besoins des usines et du sol. Des surveillants les accompagnaient, et même des chiens dressés à les faire travailler le plus vite possible.

Un jour, Kersten dit à Himmler qu'il manquait de main-d'œuvre à Hartzwalde et lui demanda s'il ne pouvait pas s'en procurer dans les camps de concentration.

— Quel genre de prisonniers voudriez-vous ? s'enquit Himmler.

— Vous avez beaucoup de Témoins de Jéhovah, dit Kersten. Ce sont des personnes honnêtes, de très braves gens.

— Voyons, voyons ! s'écria Himmler, ils sont contre la guerre, contre le Führer.

— Je vous en prie, dit Kersten, en souriant, n'entrons pas dans les idées générales — j'ai besoin de mesures pratiques. Faites-moi plaisir : donnez-moi des femmes de cette secte. Elles sont de vraies paysannes, et d'excellentes travailleuses.

— Bon, dit Himmler.

— Mais sans gardes-chiourme et sans chiens, demanda Kersten. J'aurais l'impression que je suis prisonnier moi-même. Je les surveillerai mieux que n'importe qui, je vous le promets.

— Entendu, dit Himmler.

Peu après, dix femmes débarquèrent d'un autocar à Hartzwalde, couvertes de haillons et si maigres que la peau collait au squelette.

Mais elles ne commencèrent point par demander à Kersten un morceau de pain ou un vêtement. Elles voulurent une bible. Elles en avaient été privées pendant leur internement. Pour elles, aucune faim, aucune torture ne pouvait se comparer à l'absence du Livre. Kersten leur en donna un tout de suite. Mais, comme la possession d'une bible était, pour un membre de la secte, un crime passible de pendaison immédiate, le docteur prit la précaution d'inscrire son nom en lettres capitales sur la page de garde. Les pauvres femmes fussent montées sur l'échafaud pour lui avec joie.

Le travail leur sembla un paradis. Elles étaient issues de générations de paysans. Elles avaient besoin de faire porter à la terre ses fruits. Irmgard Kersten qui, depuis la mort de son beau-père, avait toute la charge du domaine, trouva en elles un secours précieux.

Leur nombre était plus que suffisant pour les besoins de la propriété (avant la guerre, le personnel ne dépassait pas une demi-douzaine de serviteurs), mais le docteur demanda à Himmler d'autres Témoins de Jéhovah pour Hartzwalde. Il en eut ainsi trente, dont plusieurs hommes.

Ces gens décharnés, déguenillés, couverts de plaies, zébrés de coups de cravache, se jetaient sur la Bible, le pain et le travail avec une ardeur mystique. Pour eux, Kersten, qui les avait tirés de l'enfer et leur donnait tous ces biens, ne pouvait être qu'un messager des anges.

— Vous savez, lui disaient-ils, nous prions Dieu chaque jour pour vous et, chaque fois, nous voyons le fauteuil d'or qui vous attend déjà au ciel près du Seigneur.

— Merci, mes amis, répondait Kersten, mais je ne suis pas pressé.

Ce qui comptait beaucoup plus pour le docteur, c'était le dévouement que lui montraient les Témoins de Jéhovah et leur hostilité organique au régime nazi. Ils formaient autour du docteur un seul bloc, une seule famille en qui il pouvait avoir une confiance absolue. Il avait la liberté de parler librement avec les siens, avec ses amis sûrs, sans craindre que ses propos fussent rapportés. Quand il prenait les émissions en langue allemande de la radio de Londres, non seulement il n'avait pas à se cacher des Témoins de Jéhovah, mais ils écoutaient avec lui et communiaient dans la même espérance : Hitler serait vaincu.

L'amitié, la complicité des Témoins de Jéhovah aidaient également Kersten et sa famille pour d'autres problèmes, plus triviaux sans doute, mais qui prenaient, en ces temps difficiles, une importance croissante. La prolongation indéfinie de la guerre imposait à l'Allemagne des restrictions draconiennes. Des règlements féroces déterminaient à une tête près le nombre permis des volailles et du bétail. Or, Kersten possédait beaucoup plus de vaches, de porcs, de poules, de canards et d'oies qu'il n'était autorisé. Et la surveillance devenait toujours plus fréquente, plus sévère.

Mais, avec les Témoins de Jéhovah, le docteur n'avait rien à craindre. Incessamment aux aguets, ils repéraient les inspecteurs de loin. Aussitôt, s'il s'agissait du contrôle des poules, la basse-cour se dépeuplait par enchantement. Sur les cent vingt volailles qu'elle contenait, il n'en restait jamais plus de neuf. Et, comme le chiffre permis était de dix, Kersten se trouvait en dessous de la norme. Quant aux poules disparues, elles gisaient ficelées dans des sacs, parmi les buissons et les bois environnants.

S'agissait-il des cochons ou des vaches, les moyens variaient, mais ils donnaient lieu à un miracle de la même nature.

Quand des officiers S.S. de haut rang s'arrêtaient à l'improviste chez Kersten pour un repas ou pour le thé, les Témoins s'occupaient avec une sollicitude singulière des chauffeurs, des ordonnances, des soldats, des policiers de la suite. Ils les gavaient de nourriture, les gorgeaient de boisson. Les plus jolies filles — pourtant la secte était d'une pruderie extrême — ne leur ménageaient pas les sourires. On prévenait ainsi le désir qu'auraient pu avoir les visiteurs importuns de se promener un peu trop loin à travers les bois et d'y regarder de trop près…

3

Mais le bonheur que les Témoins de Jéhovah connaissaient à Hartzwalde ne leur faisait pas oublier les souvenirs qu'ils tenaient de leur internement. Ils furent les premiers à instruire Kersten avec précision et en détail des atrocités qui étaient en usage dans les camps de concentration. Kersten avait bien entendu parler de pratiques horribles, mais ce n'était pour lui, comme pour la plupart des Allemands, que des bruits vagues et impossibles à vérifier.

Les Témoins de Jéhovah lui permirent d'en avoir une vision nette et complète.

Ils le firent malgré la consigne de silence qui leur avait été donnée sous menace de mort et bien qu'ils eussent signé un papier à cet effet avant de quitter leurs camps respectifs. Ils passaient des nuits entières à raconter l'épouvante et il semblait qu'il n'y eût pas de fin aux tortures qu'ils évoquaient l'une après l'autre.

À l'aube, chaque fois, ils saluaient le gros docteur et disaient :

— C'est écrit dans la Bible : quand on est en grand-peine, un ange descend pour vous conforter. Cet ange, nous l'avons devant nous.

Ils s'en allaient, emplis de cette certitude triomphante.

Leurs récits obsédaient Kersten. En même temps, l'exaltation constante des membres de la secte le troublait. Ces gens qui voyaient en lui une créature céleste ne transposaient-ils pas dans le domaine terrestre les feux de l'enfer ? Il résolut d'en avoir le cœur net. Mais ce n'était pas facile. Les dires des Témoins de Jéhovah, il fallait les vérifier sans que jamais un rapprochement pût être établi entre ces informations et leur source. La moindre imprudence livrait les indiscrets au bourreau. On leur avait fait donner à l'avance leur consentement au supplice. Kersten devait donc attendre une occasion où il fût impossible, impensable d'établir un rapport entre ses renseignements sur les camps de concentration et les Témoins de Jéhovah.

Cette occasion, le docteur l'attendit longtemps. Il ne la trouva enfin qu'en Ukraine.

4

Le 3 juillet 1942, Himmler dit à Kersten :

— Préparez vos valises pour un séjour en Russie. Nous partons dans quelques heures.

Un mois auparavant, la deuxième offensive générale contre les armées soviétiques avait été lancée par la Wehrmacht en partant des territoires conquis l'année précédente. Elle visait la Volga et le Caucase. C'était le coup de boutoir suprême. Hitler y avait employé toutes ses forces et comptait bien, cette fois, mettre la Russie à genoux.

Les premières batailles lui avaient valu la prise de nouvelles provinces. Himmler, comme d'habitude, allait les « organiser ».

Le Grand Quartier de Hitler se trouvait à Vinnitza, en Ukraine. Celui de Himmler l'attendait, à soixante kilomètres de là, dans la ville de Jitomir.

Le 5 juillet, le Reichsführer débarqua de son train spécial pour gagner le groupe de bâtiments où il devait vivre et travailler avec son état-major.

C'était une vieille caserne russe, entourée de

hauts murs et de barbelés. Himmler y occupa une petite maison qui, avant l'invasion, abritait un officier supérieur soviétique. Kersten fut logé non loin de lui, dans une maison semblable.

La vie qu'eut à mener alors le docteur fut, pratiquement, celle d'un interné. Il ne pouvait se promener que dans les limites du camp sinistre. Autour de ses murailles et de ses barbelés, tout se trouvait surveillé, verrouillé, barricadé, miné. Quand le docteur voulait aller en ville, il lui fallait obtenir une permission et un laissez-passer en règle. Deux soldats en armes l'accompagnaient dans la voiture mise à sa disposition et lui interdisaient d'en descendre.

— Nous sommes ici en pays ennemi, je ne veux pas que vous preniez des risques, lui avait dit Himmler.

Lui-même, craignant sans cesse un attentat ou un raid de partisans russes, ne se déplaçait qu'au milieu d'une escorte nombreuse et redoutable.

Dans un cadre et un climat aussi étrangers à Hartzwalde, le souvenir des Témoins de Jéhovah ne pouvait même pas effleurer l'esprit de Himmler. Le docteur aborda enfin la question si longtemps différée.

— Est-il vrai, demanda-t-il un soir, que, dans vos camps de concentration, les hommes et les femmes sont systématiquement torturés à mort ? Jusque-là, je ne voulais pas vous en parler. Mais à Berlin, avant notre départ, j'ai eu de telles révélations que je suis forcé de vous le demander.

Himmler rit de grand cœur. Du moins il en eut l'air.

— Allons, mon cher monsieur Kersten, s'écria-t-il, voilà que maintenant vous donnez dans les panneaux de la propagande alliée. Mais, voyons, cela fait partie de leur guerre, les faux bruits.

— Il ne s'agit pas de propagande alliée ou autre, dit posément le docteur. Mais de faits que j'aimerais discuter avec vous, parce que je les tiens d'une source très sérieuse.

— Quelle source ? demanda vivement Himmler.

Alors Kersten lui conta l'histoire plausible qu'il avait minutieusement préparée, afin de détourner tout soupçon des Témoins de Jéhovah.

— J'ai rencontré, dit-il, à l'ambassade finnoise, à Berlin, deux journalistes suisses en route vers la Suède…

— Eh bien ? demanda Himmler.

Ici, Kersten tenta sa chance. Il avait entendu, au mess du Reichsführer, que, dans les camps de concentration, les gardes S.S. avaient reçu l'ordre de photographier et filmer toutes les tortures auxquelles se livraient les bourreaux. Il n'avait pu croire à une mesure aussi folle qu'abominable. Mais, dans cet entretien, il joua la certitude.

— Ces journalistes, dit-il, avaient acheté dans les environs des camps, à des gardes S.S., des photographies de tortures.

Au mouvement qui dressa Himmler sur son lit de camp, Kersten comprit que les bruits auxquels il avait refusé de prêter foi exprimaient la vérité.

— Ils sont encore en Allemagne, ces journalistes ? demanda rudement Himmler.

— Oh non, ils sont en Suède maintenant et peut-être déjà en Suisse, dit Kersten.

— Savez-vous comment je pourrais racheter ces photographies, à n'importe quel prix ? s'écria Himmler.

— Vraiment pas, dit Kersten.

Il secoua la tête en signe de reproche et poursuivit :

— Est-ce qu'il ne vaudrait pas mieux me parler franchement ? Vous ne croyez pas que je mérite un peu de vérité ?

Himmler détourna le regard. Un profond embarras se peignit sur ses traits.

— Vous avez vu les photographies vous-même ? demanda-t-il.

— Bien sûr, dit Kersten, sans hésiter un instant.

Seulement alors, Himmler se décida.

— Bon, dit-il. Je dois reconnaître qu'il se passe dans les camps des choses que vous, avec votre mentalité de Finlandais et les habitudes intellectuelles que vous avez prises dans votre démocratie de Hollande, vous ne pouvez pas comprendre. Vous n'avez pas été à l'école nazie.

Sans s'en apercevoir, le Reichsführer avait pris l'inflexion d'un pédant monté en chaire. Il continua :

— Je ne m'étonne donc pas que vous trouviez mauvaises certaines méthodes. Mais il est juste que l'on oblige à souffrir les traîtres, les ennemis du

Führer, aussi longtemps et aussi cruellement que possible. C'est à la fois un châtiment légitime pour eux et un exemple pour les autres. L'avenir nous donnera raison.

Sa voix s'éleva d'un ton, plus dogmatique encore.

— Savez-vous, dit-il, pourquoi les gardes S.S. ont l'ordre de photographier les tortures, toutes les sortes de tortures infligées dans les camps ? C'est afin que, dans mille années d'ici, on sache comment les vrais Allemands, pour leur plus grande gloire, ont combattu les adversaires du Führer germanique et la race maudite des Juifs. Et les générations futures vont admirer les images du siècle d'Adolf Hitler et lui en seront reconnaissantes — pour l'éternité.

Kersten avait envie de se boucher les oreilles. Il sentait dans sa bouche un goût de nausée. Jamais encore l'impression de vivre chez les déments n'avait été aussi forte. Le fou sanglant… le demi-fou fanatique — ce couple l'hallucinait.

— Alors, demanda-t-il en se forçant au calme, mais sachant très bien qu'il allait toucher Himmler au point le plus sensible, alors c'est ainsi que se manifeste le fameux honneur de vos S.S. ! Servir de bourreaux ?

— Ce n'est pas vrai, vous ne devez pas dire cela ! cria Himmler. Mes S.S. sont des soldats. Ceux qu'on trouve dans les camps c'est le rebut de notre armée. Tout est réglé à la perfection.

Habitué qu'il était à parler sans retenue devant Kersten quand le docteur le soignait, et la vanité professionnelle aidant, Himmler reprit son intonation de cuistre souverain.

— Voici comment les choses sont calculées, dit-il. Un soldat S.S. ou un sous-officier commet une infraction au règlement, — désobéissance à un supérieur, retard pour rentrer de permission, absence illégale ou autre délit de ce genre. Bien. Il passe devant un conseil de discipline. Là on lui propose l'alternative : être puni et voir cette punition inscrite sur son carnet militaire, ce qui lui enlève toute chance d'avancement, ou aller dans un camp de concentration à titre de gardien, avec tous privilèges et libertés à l'égard des prisonniers. Il choisit la dernière proposition. Bien. Peu après son arrivée dans le camp son chef lui demande — remarquez bien, n'ordonne pas, mais demande seulement — de torturer, puis d'exécuter un détenu. En général, le nouvel arrivant se révolte. Alors le chef lui donne le choix : être renvoyé à son corps, subir une peine disciplinaire aggravée ou accomplir la besogne. En général, le soldat préfère rester. La première fois qu'il fait souffrir et tue un homme, c'est à contrecœur. La deuxième expérience est plus facile. Finalement, il y prend goût et commence à se vanter de son ouvrage. Alors, comme il est encore trop tôt pour que ces choses deviennent publiques, il est liquidé à son tour et remplacé par un autre.

Les deux hommes gardèrent un assez long silence. Himmler pour goûter à loisir la juste fierté que lui inspirait une méthode aussi ingénieuse et Kersten pour reprendre son sang-froid.

— C'est vous, demanda-t-il enfin, qui avez mis au point le système ?

— Oh non ! s'écria Himmler dans un élan qui exaltait sa foi la plus profonde, oh non ! C'est le Führer en personne. Son génie va jusqu'aux plus petits détails.

— Et pour les tortures, demanda alors Kersten, est-ce lui également qui les a prescrites ?

Un mouvement d'indignation redressa de nouveau le torse étriqué du Reichsführer sur son lit de camp.

— Comment pouvez-vous penser qu'il puisse se faire quoi que ce soit sans l'ordre de Hitler ? s'écria-t-il. Et quand le plus grand esprit qui ait jamais vécu sur notre terre ordonne de pareilles mesures, qui suis-je pour le critiquer ?

Il regarda Kersten dans les yeux et dit à mi-voix :

— Vous savez bien que, de mes mains, je suis incapable de faire mal à quelqu'un.

C'était vrai. Et personne autant que Kersten ne pouvait connaître combien chez son patient les nerfs étaient faibles et lâches. Le chef suprême des bourreaux, le maître des supplices, ne supportait pas la vue des souffrances, ni d'une goutte de sang.

— Donc, reprit Kersten, si le plus grand esprit sur notre terre vous ordonnait de faire tuer votre femme et votre fille ?

— Je le ferais sans réfléchir une seconde, répondit Himmler avec emportement. Car le Führer saurait, lui, pourquoi il a donné cet ordre.

Kersten se leva lourdement de son siège. Le traitement était fini.

— Il n'empêche, dit le docteur, que vous entrerez dans l'histoire comme le plus grand meurtrier de tous les temps.

Himmler se leva à son tour et, à la stupéfaction du docteur, rit aux éclats.

— Non, cher monsieur Kersten, non ! Je ne serai pas responsable devant l'histoire.

Le Reichsführer tira son portefeuille d'une poche de son pantalon, y prit un papier et le tendit à Kersten.

— Lisez, s'écria-t-il gaiement.

La feuille portait en haut le nom de Hitler gravé en lettres d'or et en bas sa signature. Elle certifiait que, pour tous les ordres reçus par Himmler en ce qui concernait les tortures et l'extermination des Juifs et autres prisonniers des camps, Hitler les prenait entièrement à son compte et en déchargeait complètement le Reichsführer.

— Eh bien, vous avez lu ! dit Himmler d'une voix triomphante.

Mais il vit que le docteur n'était pas convaincu et voulait prolonger la discussion. Alors, il arrêta ce dialogue en remettant sur ses épaules chemise et vareuse, et déclara :

— Assez parlé de bêtises comme cela. Personne n'aura à me demander le moindre compte. L'Allemagne va gagner la guerre avant l'automne.

En effet, dans les mois de l'été 1942, les blindés à croix gammée poussaient des pointes jusqu'à la Volga et l'armée victorieuse de von Paulus approchait de Stalingrad.

CHAPITRE IX

Le mal du Führer

1

Mais l'été de 1942 passa et l'automne vint, sans apporter à Hitler la victoire qui lui était indispensable. Les assauts répétés, furieux, désespérés des meilleures troupes du IIIe Reich se brisèrent, vague après vague, contre les décombres de Stalingrad. La marée allemande avait atteint son ultime limite.

Après un voyage en Finlande[1], Himmler, accompagné de Kersten, avait regagné Berlin. C'était l'hiver, le deuxième hiver de la guerre contre la Russie et, malgré les ordres frénétiques, hystériques de Hitler, Stalingrad tenait toujours. Dans les steppes enneigées, arrosées de sang allemand, et saisies maintenant par le gel impitoyable, l'armée du général von Paulus attendait sa perte.

Et depuis le mois de novembre, les Alliés s'étaient installés en Afrique du Nord.

Le 12 décembre 1942, à la Chancellerie de la

1. Voir Appendice, note 5.

Prinz Albert Strasse, Kersten trouva Himmler dans un état de nervosité extrême. Il ne pouvait pas suivre une conversation. Il ne pouvait pas tenir en place. Visiblement, un souci essentiel le rongeait. Kersten lui en demanda le motif.

Himmler lui répondit par cette question :

— Pouvez-vous traiter avec succès un homme qui souffre de maux de tête graves, de vertiges et d'insomnie ?

— Assurément, dit Kersten. Mais avant de vous donner une réponse qui m'engage, il faut que j'examine cet homme. Tout dépend de la cause qui provoque ces états.

Himmler prit une aspiration profonde, comme si l'air lui manquait tout à coup ; ses pommettes, parce qu'il serra ensuite les mâchoires de toutes ses forces, devinrent plus aiguës, plus asiatiques. Il parla d'une voix étouffée :

— Je vous nommerai ce malade. Mais vous devez me donner votre parole, me jurer sur l'honneur de ne jamais le répéter à personne et recevoir ce que je vais vous confier comme un secret absolu.

— Reichsführer, répondit Kersten, ce n'est pas la première fois que j'aurai à garder un secret d'ordre médical. Ma vie professionnelle tout entière a été soumise à cette règle.

— Excusez-moi, cher monsieur Kersten, mais si vous saviez ! dit Himmler.

Il alla prendre dans son coffre-fort un portefeuille noir et en tira un manuscrit.

— Tenez, dit-il, en tendant le document à Kersten par un geste qui lui coûtait un effort visible. Lisez cela. Vous avez ici un rapport secret sur la maladie du Führer.

Par la suite, Kersten se demanda souvent pourquoi Himmler s'était décidé à lui montrer ces pages — et poussé par quelles angoisses.

Y avait-il eu récemment chez Hitler un affaissement subit des facultés mentales ? Un accès de furie plus inquiétant que les autres ? Quelque démentielle exigence ?

Ou bien Himmler voulait-il avoir, d'un médecin et d'un homme en lequel il avait toute confiance, un jugement, un verdict sur la santé du Führer, à l'instant où la fortune des armes se retournait brutalement contre l'Allemagne ?

Kersten ne sut jamais laquelle de ces hypothèses était juste.

Le document comprenait vingt-six pages et formait une somme des rapports médicaux qui concernait Hitler depuis l'époque où il avait été traité pour des troubles graves de la vue à l'hôpital de Pasevalk. Il établissait les faits suivants : dans sa jeunesse, Hitler avait contracté la syphilis ; il était sorti de Pasevalk guéri en apparence ; mais en 1937 des symptômes étaient apparus qui témoignaient sans doute possible que le mal continuait ses ravages ; enfin, au début de l'année 1942 — c'est-à-dire l'année en cours — des manifestations avaient montré, et de la façon la plus évidente, que le Führer était atteint de paralysie syphilitique progressive.

Kersten acheva la lecture de ce rapport et, sans dire un mot, le rendit à Himmler. Les implications du document étaient telles que le docteur, dans les premiers instants, se sentait incapable d'y réfléchir.

— Alors ? dit Himmler.

— Je ne peux malheureusement rien dans un cas pareil, répondit Kersten. Je suis spécialiste en manuélo-thérapie, et non en maladies mentales.

— Mais, d'après vous, qu'est-ce qu'on peut faire ? demanda Himmler.

— Est-ce qu'il suit un traitement ? demanda Kersten à son tour.

— Certainement, dit Himmler. Son docteur, Morrell, lui fait des injections dont il assure qu'elles arrêteront les progrès du mal, et, en tout cas, conserveront au Führer son aptitude au travail.

— Quelle garantie avez-vous que c'est vrai ? dit Kersten. Il n'y a pas, dans l'état actuel de la science médicale, de remède reconnu pour la paralysie syphilitique progressive.

— J'ai pensé à cela moi aussi, dit Himmler.

Soudain, il se mit à marcher à travers la pièce, le rapport dans ses mains, et à parler en même temps. À mesure qu'il avançait dans son discours, celui-ci devenait de plus en plus rapide, nerveux, exalté. Le Reichsführer, visiblement, pensait à haute voix et cherchait à convaincre moins Kersten que lui-même.

Il dit qu'il ne s'agissait pas d'un malade quelconque mais du Grand Chef du plus Grand Reich allemand. On ne pouvait pas le faire examiner dans une clinique pour maladies mentales.

Le secret absolu serait impossible à garder. Les services de renseignements alliés seraient informés. L'ennemi le ferait savoir par radio à l'armée, à la population allemandes. Et la plus désastreuse défaite suivrait. C'est pourquoi — entre des médecins classiques dont, sans doute, le verdict serait sans espoir et Morrell, qui assurait conserver à Hitler son activité normale et son génie — Himmler avait choisi de laisser faire ce dernier. Il le surveillerait certes, et sans arrêt, pour empêcher que rien d'irréparable n'arrivât. Mais l'essentiel était que Morrell maintînt le Führer jusqu'à la victoire. Ensuite, on verrait. Hitler pourrait prendre sa retraite et un repos bien gagné.

— Vous voyez, aujourd'hui, acheva Himmler, à travers quelles angoisses il me faut passer. Le monde considère Adolf Hitler comme un géant — et je veux qu'il le reste pour l'histoire. C'est le plus grand génie qui ait jamais vécu. Sans lui, est impossible le Grand Reich allemand — de l'Oural à la mer du Nord. Qu'importe s'il est malade maintenant, alors que son œuvre est presque accomplie.

Sur ces mots, Himmler remit le rapport médical dans le portefeuille noir et le portefeuille dans le coffre-fort, dont il brouilla les chiffres.

2

Kersten s'en alla lentement. Il lui semblait marcher dans une sorte de fumée. Mais, à travers ce voile, des lueurs apparaissaient qui éclairaient pour lui des questions, des énigmes jusque-là insolubles.

Avant tout, il voulut savoir combien de gens connaissaient le rapport médical. Pour cela, il se rendit dans le bureau de Brandt, et, avec beaucoup de précautions, lui demanda s'il était au courant d'un certain document secret, rédigé à la main sur du papier bleu et qui comportait environ vingt-six pages.

Le secrétaire privé de Himmler devint livide :

— Grands dieux ! s'écria-t-il, est-ce que vraiment le Reichsführer vous a parlé de cela ? Mais vous ne savez pas le danger que vous courez maintenant. Vous, un étranger, avoir connaissance du plus grand et terrible secret d'État en notre possession. Dans tout le Reich, Bormann[1] est le seul, avec Himmler, qui ait lu ce rapport. Et peut-être Gœring.

— Mais qui l'a rédigé ? demanda Kersten.

— Non, je ne vous le nommerai pas… dit Brandt. Pour rien au monde. Qu'il vous suffise de savoir que cet homme a un sens très profond de sa responsabilité et que son intégrité est indiscuta-

1. Secrétaire général du Parti national-socialiste qui avait succédé à Rudolph Hess.

ble. Il a cru qu'il était de son devoir de prévenir le Reichsführer et a eu avec lui un long entretien, il y a quelques semaines, au Q.G. de campagne. Himmler lui a demandé alors un rapport écrit. Maintenant, après beaucoup de réflexions et d'angoisses, Himmler n'ose plus douter des faits qui s'y trouvent relatés.

Comme Kersten parlait, Brandt lui cria :

— Au nom du ciel, ne faites plus jamais allusion à cela, même avec Himmler. Vous risquez votre tête.

Kersten suivit le conseil, et, dans la semaine qui suivit et où il vit Himmler chaque matin, aucune parole, aucune allusion n'eut trait, dans leurs entretiens, au rapport sur la santé de Hitler. Il semblait ne pas avoir existé. Mais pas un instant, pour ainsi dire, ne se passa, au cours de ces journées, où le docteur ne fût hanté par ce qu'il avait appris.

Ainsi, l'Allemagne et les pays qu'elle avait conquis et la puissance terrible qu'elle représentait encore étaient régies entièrement, souverainement, uniquement, par un syphilitique en pleine évolution, dont le corps et l'esprit subissaient depuis des années les ravages croissants de la paralysie générale. Et, par répercussion, le sort des hommes dans le monde entier dépendait d'un cerveau atteint en sa plus profonde substance.

Depuis juin 1940, où Kersten avait appris que Himmler était chargé de rédiger la Bible du IIIe Reich, le docteur avait le sentiment de vivre parmi des demi-fous. Et ce qu'il avait vu, ensuite, chez les grands chefs nazis, avait confirmé son inquiétude. Jusque-là, cependant, elle n'avait été fondée que sur des impressions, des déductions, des recoupements. Mais à présent, le docteur avait devant lui une étude clinique, une suite d'observations rigoureuses, bref, le fait médical dans toute sa nudité. Il *voyait* la maladie de Hitler. Et, pensant au pouvoir de ce dément, il se sentait envahi par une épouvante où ce n'était pas lui, Kersten, qui était en cause, mais l'humanité entière. Le roi des fous, au lieu de porter une camisole de force, disposait du sang des peuples pour alimenter les jeux de ses démences.

Et ce n'était encore rien, au regard de l'avenir. Le mal n'avait pas atteint sa plénitude.

3

Telle était l'obsession de Kersten, lorsque, le 19 décembre, ce fut Himmler lui-même qui revint au sujet tabou. Il demanda au docteur si, pendant la semaine écoulée, il avait réfléchi à quelque moyen de soigner Hitler avec efficacité.

Alors, comme une eau longtemps accumulée à laquelle enfin s'offre une ouverture, toutes les pensées, toutes les images, toutes les craintes que le docteur avait dû porter enfermées, murées, dans son esprit, se répandirent soudain en un flot de paroles que ni prudence, ni calcul ne pouvaient contenir.

Il fit d'abord à Himmler un tableau clinique du mal qui détruisait Hitler sans remède possible. Le jugement était atteint. Les facultés critiques étaient déséquilibrées. Les illusions délirantes, la mégalomanie avaient le champ libre. Les maux de tête, l'insomnie, la débilité musculaire, le tremblement des mains, la confusion du langage, les convulsions, la paralysie des membres allaient gagner sans cesse.

Dans ces conditions, dit Kersten, il ne comprenait pas comment Himmler avait choisi la solution de facilité et laissé Hitler aux mains de Morrell. Quelle effroyable responsabilité prenait le Reichsführer ! Il permettait que des résolutions, dont dépendait le sort de millions d'hommes, fussent obéies comme si elles avaient été conçues par un cerveau ordonné, alors qu'elles provenaient en fait d'un homme atteint d'une terrible maladie mentale. Qui pouvait dire si ces mesures étaient prises dans un intervalle de lucidité, ou, au contraire, sous l'effet de la folie ?

Le Reichsführer se taisait. Kersten, s'étonnant de sa propre audace, devint plus explicite encore.

Seul, un homme en pleine possession de ses facultés mentales avait le droit d'occuper un poste souverain. Du moment que cette condition n'était pas remplie, Himmler n'avait plus le droit de reconnaître Hitler comme son Führer.

Enfin Himmler parla. Mais ce ne fut point pour menacer Kersten du châtiment réservé au sacrilège, ni même pour lui imposer silence.

— J'ai considéré tout cela, dit le Reichsführer

à mi-voix et en hochant la tête. Logiquement, vous auriez raison. Mais ici la logique perd ses droits. Il est impossible de changer de chevaux au milieu d'une côte abrupte.

Jamais Kersten, malgré la connaissance qu'il avait de Himmler, n'eût pensé que celui-ci fût allé si loin dans ses réflexions et son angoisse. Qu'il eût envisagé, même un instant, de renier son idole. Cet aveu fit sentir au docteur qu'il lui était permis ce jour-là d'abandonner toute espèce de réserve. Himmler en était arrivé au point où il lui fallait, de nécessité absolue, transformer en un débat à haute voix le dialogue intérieur qui le déchirait.

— Tout est entre vos mains, Reichsführer, s'écria Kersten. Vous avez toujours vos S.S. et si vous réunissez les généraux les plus importants et si vous leur exposez les faits, pour démontrer que le Führer est un malade qui doit abdiquer dans l'intérêt suprême de la nation, ils verront en vous un homme d'État de la plus grande envergure. Et ils vous suivront. Mais c'est à vous d'agir le premier.

Himmler hocha la tête de nouveau, de manière à suggérer que cette solution lui était également apparue. Puis il répondit :

— C'est précisément ce qui est impossible. Je ne peux pas faire un geste contre le Führer, moi qui commande aux S.S. dont la devise est : « Mon honneur est ma fidélité. » Tout le monde croirait que j'agis pour des raisons personnelles et pour m'assurer du pouvoir. Oh ! bien sûr, je pourrais justifier mes actes par des certificats médicaux ! Mais chacun sait combien il est facile de se les procurer. Les apparences sont contre moi. La maladie du Führer ne serait indiscutée que s'il était examiné par des spécialistes, ouvertement, publiquement. Mais un tel examen ne serait possible que si déjà nous avions agi. C'est un cercle vicieux.

Soudain Himmler redressa ses épaules et sa nuque affaissées. Il était allé aux dernières limites de la sincérité vis-à-vis de lui-même. Il ne pouvait plus la supporter.

— Et puis, dit-il d'une voix sourde, pleine d'entêtement à espérer, songez à ce qui arriverait si le diagnostic des spécialistes montrait que le rapport que nous avons lu est erroné. J'aurais renversé le chef le plus génial, capable encore des idées les plus grandioses — sur un simple soupçon de docteurs.

— Ce n'est pas un simple soupçon, dit Kersten.

— Possible, cria Himmler. Mais on a vu la nature faire des miracles contraires à toute la science médicale. Et le Führer est un surhomme.

— Bien, dit Kersten. Vous laisserez donc les choses suivre leur cours et Hitler aller de mal en pis ? Et vous abandonnez tout le destin du peuple allemand à un paralytique général ?

Avant de répondre, Himmler réfléchit assez longtemps, les traits crispés. Il dit enfin :

— Les risques ne sont pas encore tels que je sois forcé d'agir. Et j'en aurai toujours le temps quand les faits montreront que le rapport ne prête pas au doute.

Sur ces mots l'entretien s'acheva.

4

Quatre jours plus tard — était-ce pour encourager Kersten à oublier un secret d'État capital ou au contraire en gage d'une solidarité nouvelle ? — Himmler donna une réponse particulièrement généreuse aux démarches que le docteur reprenait sans se lasser depuis six mois, en faveur d'un petit groupe de Suédois que lui avaient signalé Kivimoki, ambassadeur de Finlande, et Richart, ambassadeur de Suède. C'étaient des ingénieurs, des industriels qui avaient été arrêtés en Pologne par les services allemands et convaincus d'espionnage.

Deux comparses furent immédiatement élargis. Pour les autres, qui avaient été condamnés à mort, selon les lois en vigueur chez toutes les nations en temps de guerre, Himmler fit commuer leur peine en prison à perpétuité et promit au docteur de les libérer progressivement.

Kersten communiqua les résultats aux deux ambassadeurs et partit rencontrer l'année nouvelle à Hartzwalde, comme d'habitude.

5

Le domaine continuait à vivre en dehors du monde et de ses tourments. Dans Hartzwalde régnaient le calme enchanté de la terre et des arbres, l'abondance des fermes opulentes, les douceurs d'un foyer familial, la dévotion exaltée et fidèle des Témoins de Jéhovah.

Les deux fils de Kersten grandissaient, robustes et vifs. Irmgard, bien qu'elle attendît une naissance prochaine, se montrait aimable, gaie, s'occupait à merveille de la maison et comblait la gourmandise de son mari.

Lui, les pieds sur les chenets de la grande cheminée, emplie d'énormes bûches embrasées, ou bien emmitouflé jusqu'aux oreilles dans la petite charrette qu'un cheval tranquille promenait à travers champs et bois sur lesquels le givre formait ses dessins féeriques, il savourait chaque journée avec toute sa faculté de bonheur qui était si forte et si tenace. Mais les tragédies auxquelles il était mêlé sans cesse, son commerce avec leurs acteurs les plus sinistres, sa connaissance de terribles secrets, avaient dépouillé complètement l'ancien homme de ce cocon où il savait si bien s'abriter autrefois.

Les privilèges et les charmes de son domaine, Kersten ne parvenait plus à s'y engourdir. Bien au contraire, ils lui faisaient sentir davantage, par un effet d'opposition, la misère et la souffrance de l'Europe, dont il était plus averti que la plupart de ses contemporains.

Du fond de sa tiède sécurité, il pensait à tous ceux que, à chaque instant, la Gestapo arrêtait, torturait et livrait, dans les camps de concentration, aux bourreaux S.S.

Et à table, à table même, la richesse, la bonté

des plats lui rappelaient que la faim minait des nations entières jusqu'à menacer leur existence.

À cet égard, Kersten possédait une certitude effrayante : Himmler avait mis en œuvre un plan de famine organisée qui devait dépeupler la Hollande, la Belgique et la France.

Le docteur avait entendu parler de ce projet dès 1941, mais en termes très vagues. Ce fut au mois d'août 1942 seulement, c'est-à-dire six mois plus tôt, que, par divers recoupements et par des informations tirées de Brandt, Kersten en avait compris l'étendue et la monstruosité. Le plan avait pour but, outre les réquisitions et livraisons imposées par le droit de conquête, d'amener les pays envahis à mourir littéralement de faim, selon une méthode invisible.

Rien de plus facile, rien de plus simple : il s'agissait pour les services d'occupation — dont Himmler était le maître —, de faire rafler au marché noir tous les produits alimentaires par des citoyens qui appartenaient aux nations mêmes que l'on voulait affamer et qui les transmettaient ensuite à l'Allemagne.

Pour être sûr du fait, Kersten s'était adressé directement à Himmler. Afin de ne pas être soupçonné d'un intérêt suspect, il s'était borné à ne parler que de la Hollande, dont le Reichsführer savait combien elle était chère au docteur.

— Est-il vrai, avait demandé Kersten, que vous êtes en train d'épuiser complètement les Pays-Bas au point de vue nourriture ?

— Pas seulement les Pays-Bas, mais aussi la Belgique et la France, avait répondu Himmler.

— Pourquoi ?

— Pour deux raisons, dit Himmler avec contentement. La première est que nous obtenons ainsi des ressources complémentaires. La deuxième est que nous serons très contents de voir ces peuples crever de faim. Et par leur faute. Ainsi, un bon nombre de Français — et seuls, en vérité, ils comptent pour nous comme adversaires — vont rapidement disparaître. Moins il y en aura et mieux cela vaut pour l'Allemagne.

— Mais c'est diabolique, s'était écrié Kersten. Mais, sans parler d'humanité, pensez au niveau spirituel de ce peuple français que vous exterminez sournoisement. Pensez à sa culture, à ce qu'il a donné au monde.

Himmler avait souri et répondu :

— Cher monsieur Kersten, vous êtes trop humanitaire et trop humaniste. Dans une guerre à mort, tout moyen est bon. Pourquoi ces gens ont-ils voulu se battre contre nous ? Ils n'avaient qu'à être de notre côté.

Ensuite, Himmler s'était assoupi à moitié, les yeux clos, dans la béatitude que lui dispensaient les mains du docteur.

Alors, Kersten avait entrepris encore une fois d'arracher un geste de clémence à Himmler. Il avait fait porter ses efforts surtout en faveur de la France, car c'est elle que le plan de Himmler avait pour objectif principal. Kersten pensait que le jour où le Reichsführer cesserait d'affamer systématiquement ce pays, les deux autres — Hollande et Belgique — bénéficieraient de la même mesure, pour ainsi dire, automatiquement.

Le docteur avait parlé chaque matin à son patient des grands artistes, des grands écrivains de France, et davantage encore de ses grands rois, de ses chevaliers, de ses paladins. Mais Himmler, loin de céder aux efforts de Kersten, avait montré la fierté la plus grande pour son plan démoniaque. Il disait :

— Les paysans survivront toujours. C'est ce qu'il nous faut : une France purement agricole, vache à lait du Reich. Mais les citadins — donc les ouvriers, les intellectuels — vont périr. Une douzaine de millions environ — nous avons fait le calcul.

Himmler disait encore :

— Je suis certain du résultat. Si les Français hésitent à accepter du papier-monnaie, nous munirons les intermédiaires de bonnes pièces d'argent que nous avons ramassées dans toute l'Europe. Et si l'argent ne suffit pas, nous donnerons de l'or. Et à l'or les Français ne sauront pas résister.

Himmler achevait :

— Dans tout cela, l'Allemagne ne sera pour rien. La mort de millions de Français retombera sur les trafiquants du marché noir, c'est-à-dire des Français pur sang. Nous, nous garderons les mains propres.

Kersten était parti pour Hartzwalde, sans avoir pu obtenir la moindre atténuation à cette sorte de crime parfait. Et, juste avant son départ, il avait eu par Brandt les informations les plus inquiétantes sur la situation alimentaire de la France. Les trafiquants du marché noir, forts des sommes inépuisables qui venaient des caisses allemandes remplies par la contribution de guerre, suçaient comme des sangsues la substance vitale de la nation. La nourriture se raréfiait de plus en plus, le moral s'affaissait, la tuberculose faisait des progrès terribles...

Et la pensée des enfants sous-alimentés, à qui l'on mesurait avec avarice un pain immonde, ne quittait pas le docteur, tandis qu'il voyait ses fils élevés au lait le plus riche, avec les œufs les plus frais, la viande la plus saine. Et la vision le poursuivait de toutes les femmes, de tous les hommes affaiblis par la faim alors qu'Irmgard, grâce à l'abattage clandestin pratiqué sur le domaine, le gavait de tendres volailles, et de la chair des veaux et des porcs les plus gras.

6

Mais, après ces vacances, et au début de l'année 1943, l'occasion, si avidement attendue par Kersten, s'offrit enfin. Dans les premiers jours de février, Himmler, de son Quartier Général en Prusse-Orientale où il se trouvait alors, manda le docteur d'urgence.

Kersten trouva Himmler en pleine crise et dans un état de dépression profonde. La souffrance physique, cette fois, n'était pas seule en cause. Elle s'accompagnait d'une angoisse diffuse, d'une mélancolique détresse qui relevaient — pour étrange que cela fût chez le Reichsführer des S.S. — du pire sentimentalisme germanique.

Le paysage des voies ferrées, le brouillard glacial, le compartiment étroit du train qui servait de Quartier Général, la solitude qui était celle de Himmler au milieu d'un état-major dont il soupçonnait chaque officier de le trahir, expliquaient ce veule désespoir. Il fallait y ajouter le désastre enfin consommé de Stalingrad et le débarquement des Alliés en Sicile. Les écrits du destin flamboyaient sur le mur. Ces éléments conjugués rendaient Himmler aussi vulnérable aux propos d'un ami que l'eût été un adolescent du temps de Werther.

Kersten était trop averti des humeurs de son malade pour ne pas sentir chez lui cette tonalité intérieure. Après l'avoir soulagé de ses douleurs, il s'assit à son chevet et lui parla sur le ton le plus doux, le plus rêveur et le plus lamentablement romantique.

— Vous n'avez jamais réfléchi, Reichsführer, dit-il, combien il doit être douloureux, pour une mère française, de voir son enfant tordu par les crampes de la faim, alors qu'elle n'a rien à lui donner à manger. Vous ne le savez peut-être pas, mais les crampes de la faim viennent aussi — comme les vôtres — du sympathique. Et ces pauvres gens n'ont pas de médecin qui puisse les guérir. Pensez à ce que je fais pour vous et soyez, à votre tour, un docteur Kersten pour les malheureux Français. Et, dans mille ans, l'histoire parlera encore du Reichsführer Heinrich Himmler et célébrera la générosité de ce grand chef germanique.

Chaque mot de cette homélie touchait, émouvait chez Himmler — dans la disposition d'esprit et de nerfs qui était la sienne à cet instant — deux instincts essentiels : la sentimentalité, la vanité. Il s'abandonna à une tristesse métaphysique. Il prit en pitié la condition des hommes. Attendri, détrempé par la conscience de sa propre bonté, il pleura des larmes abondantes qui lui faisaient du bien.

— Mon bon et cher monsieur Kersten, mon Bouddha magique, vous avez sans doute raison, s'écria-t-il. Je vais voir le Führer et ferai tout au monde pour le persuader.

Himmler tint parole. Au cours de la conférence quotidienne qu'il avait avec Hitler, il dit à ce dernier que si l'on continuait d'affamer la population française, la Résistance n'en ferait que plus de recrues parmi elle et n'en gênerait que mieux la Wehrmacht. Hitler n'avait aucune raison de soupçonner que les raisons avancées par son « fidèle Heinrich » pouvaient venir d'une inspiration étrangère. Il se laissa convaincre facilement. Et, au nom du Führer lui-même, Himmler donna l'ordre de cesser tout achat au marché noir non seulement aux services qui, en France, étaient sous son commandement exclusif, mais le transmit également à l'armée d'occupation.

Mesure qui fut, comme l'avait pressenti Kersten, étendue aussitôt, et sans qu'il eût besoin d'intervenir, à la Hollande et à la Belgique.

7

Pendant les trois mois qui suivirent, la vie de Kersten n'offrit rien de particulier. Il passait à Berlin les jours laborieux de la semaine, et le samedi et le dimanche à Hartzwalde. Il soignait chaque matin Himmler quand ce dernier se trouvait dans la capitale et rejoignait le Reichsführer dans l'un de ses différents Quartiers Généraux s'il souffrait d'une crise subite. Bref, la routine. Mais cette routine comprenait également des notes semées dans le journal de Kersten et dont précisément — parce qu'elles étaient à l'époque trop banales — il ne se rappelle plus aujourd'hui à quelles circonstances et à quels efforts elles doivent d'avoir été écrites.

Des notes comme celles-ci :

« *Ai obtenu aujourd'hui la grâce pour quarante-deux Hollandais condamnés à mort.*

« *Aujourd'hui, la chance est avec moi. Ai réussi à sauver quatorze Hollandais condamnés à mort. Himmler souffrait beaucoup et il était très faible. Il était prêt à accepter tout ce que je lui demandais.*

« *Hier, réussi à tirer des camps de concentration trois Estoniens, deux Lettons, six Hollandais et un Belge* »[1].

1. Si la proportion des Hollandais parmi les victimes secourues est forte à ce point, c'est que le docteur Kersten n'avait qu'en Hollande une source de renseignements dont le numéro postal personnel de Himmler continuait de recevoir le flot régulier. Pour demander une grâce ou une libération individuelle, Kersten

L'existence du docteur alla de la sorte jusqu'au mois de mai. Sa femme, alors, lui donna un troisième fils. À cette occasion, il passa deux semaines très heureuses à Hartzwalde.

Il pensait y rester davantage, mais, le 18 mai, il fut appelé au téléphone par Brandt qui lui dit :

— Prenez immédiatement votre voiture et allez à Berlin. Un avion vous y attend qui vous mènera à Munich. À l'aérodrome, vous trouverez une automobile militaire pour vous conduire à Berchtesgaden : Himmler souffre terriblement.

L'avion personnel du Reichsführer sur lequel s'envola Kersten était un vieux Junker 52, appareil très lent mais solide, éprouvé. Himmler préférait la sécurité à la vitesse. Kersten, à cet égard, avait les mêmes goûts.

Il était en l'air depuis une heure environ, faisant route vers le sud-ouest, lorsqu'il aperçut, à gauche et bien au-dessus, un petit point brillant qui fondait sur lui. Puis d'autres et d'autres encore qui prirent, très rapidement, la forme d'avions légers, vifs et grondants.

« Voyons, qu'est-ce que ça peut bien être ? » se demanda Kersten avec une curiosité paisible et presque touristique.

La réponse lui fut donnée par un martèlement

---

avait besoin de connaître les noms des gens à sauver et posséder quelques détails élémentaires sur eux.

brutal, saccadé, contre le fuselage auquel il s'appuyait. Le vieux Junker plongea brutalement.

« Dieu de Dieu ! Les Anglais ! Nous sommes perdus », se dit Kersten.

Le pesant Junker, mal fait pour les acrobaties, piquait à la verticale.

En même temps, des réflexions rapides, précises et réunies en grappes, comme les rafales des mitrailleuses qui le poursuivaient, se succédaient dans l'esprit de Kersten.

« Fini..., pensait-il. C'est intéressant : en ce moment, le cerveau travaille encore. Comment prévenir ma femme que je suis mort ? En tout cas, ma vie est terminée... »

Un choc d'une telle violence secoua l'avion qu'il vibra, craqua, grinça de l'hélice à la queue, comme s'il volait en morceaux.

« Voilà, je suis mort », se dit Kersten. Et, un instant, il crut vraiment avoir passé le grand seuil.

Mais l'appareil cessa de trembler et le pilote sortit de sa cabine.

— Docteur, docteur ! cria-t-il. Nous avons eu une chance folle. Je ne sais pas comment j'ai réussi à leur échapper en rase-mottes... Mais regardez ! Regardez !

Le pilote montrait les impacts des balles anglaises dans le fuselage. Son doigt s'arrêta sur deux rangées de trous très régulières et qui encadraient exactement l'endroit où Kersten avait tenu sa tête appuyée contre un hublot. C'étaient les traces de deux rafales. Le mitrailleur avait tiré comme à l'exercice, avec la pause réglementaire d'une seconde entre deux pressions sur la détente. Cette seconde avait sauvé Kersten.

Le docteur comprit ce que signifiaient les petits orifices placés juste autour de l'endroit où s'était trouvé son visage. Il eut l'impression qu'il faisait soudain très chaud.

Le pilote tira de la poche de sa combinaison une gourde pleine de cognac et but avidement au goulot. Kersten tendit une main vers la gourde et, pour la première et unique fois de sa vie, avala une longue gorgée d'alcool. Il lui trouva un goût merveilleux.

Le pilote examina son appareil. Rien n'avait été touché dans les œuvres vives. Comme l'atterrissage s'était fait sur une vaste prairie, le Junker put décoller aisément. Il rejoignit même le terrain de Munich avec très peu de retard sur l'horaire prévu.

8

Quand le Reichsführer apprit le danger qu'avait couru Kersten, il montra l'émotion la plus vive. Puis il dit :

— C'est votre jour de chance, cher Kersten. Ici, à Berchtesgaden, vous venez d'échapper à un danger d'une autre nature, mais tout aussi grave. Le Führer m'a interrogé à votre sujet. On vous avait dénoncé à lui — je ne sais pas encore qui, mais je le saurai, soyez tranquille — comme un ennemi de l'Allemagne et comme un agent double placé près de moi. J'ai, naturellement, répondu entièrement de votre loyauté et cela, naturellement, a suffi.

Kersten remercia Himmler, mais celui-ci avait encore quelque chose à dire et qui, visiblement, le gênait. Il toussota et poursuivit plus rapidement :

— Alors Hitler m'a demandé si, à mon avis, vos soins pouvaient lui convenir.

Himmler toussa plus fort.

— Eh bien ? demanda Kersten.

— J'ai répondu que non, que vous étiez seulement spécialisé en rhumatismes, dit Himmler très vite. Vous comprenez, le Führer ne doit pas savoir à quel point je suis malade. Il n'aurait plus la même confiance en mes capacités.

Cette réaction n'étonna pas Kersten. Himmler cachait à tout le monde l'acuité de son mal. Seul, Brandt en était formé.

— Vous pouvez être sûr, continua Himmler, que tous ces ignobles arrivistes, Bormann, Gœring, Ribbentrop, Gœbbels, se serviraient de mes souffrances contre moi.

— C'est juste, dit Kersten.

— Et vous pouvez être sûr également, reprit Himmler, que Morrell et les autres docteurs du Führer vous ruineraient très vite auprès de lui. Vous ne m'en voulez pas, je l'espère ?

— Oh non, s'écria Kersten du fond du cœur[1].

1. Voir Appendice, note 6.

— Surtout, poursuivit Himmler, que vous m'avez dit vous-même ne rien pouvoir à...

Il n'acheva pas la phrase, mais elle était déjà assez explicite. Himmler songeait au rapport sur papier bleu qui concernait la santé de Hitler et qu'il avait montré un jour de décembre au docteur.

— Vous comprenez ? demanda-t-il.

— Je comprends, dit Kersten.

Ce fut entre eux la dernière allusion faite au mal du Führer.

CHAPITRE X

Le grand dessein

1

Au début de septembre 1943, le gouvernement de Finlande fit demander à Kersten, par Kivimoki, son ambassadeur à Berlin, de venir à Helsinki, pour y faire un rapport d'information générale.

Himmler pouvait malaisément s'opposer à cela. Kersten était à la fois *Medizinälrat* et officier finlandais. Le Reichsführer feignit même d'approuver le voyage.

— Ainsi, vous pourrez peut-être savoir, dit-il, pourquoi votre gouvernement ne nous a pas encore livré ses Juifs…

Kersten commença donc à se préparer au départ. Mais alors il reçut une autre invitation et beaucoup plus importante : Richart, l'ambassadeur de Suède, fit savoir au docteur que, sur son chemin aérien pour Helsinki, s'il s'arrêtait à Stockholm, il y serait le bienvenu. La halte, toutefois, devrait être assez longue, car des ministres suédois voulaient avoir avec lui de nombreux entretiens confidentiels.

Cette offre fit un peu, sur Kersten, l'effet que produit l'alcool sur les hommes qui n'en ont pas l'habitude. La tête lui tourna. Il ne pouvait pas croire au bonheur de passer quelques semaines, en liberté, dans une capitale libre.

Comment forcer Himmler à lui permettre cette évasion ?

D'abord, cela parut impossible au docteur. Et puis, justifiant un vieux proverbe russe qu'il avait entendu dans son enfance et qui disait « la misère est fertile en malices », il trouva, aidé par son ami Kivimoki, un prétexte qui pouvait passer pour une bonne raison.

Après l'avoir étudié, assimilé, tourné et retourné en tous sens au point de s'en être presque convaincu lui-même, Kersten dit à Himmler :

— J'ai reçu une grave nouvelle de mon ambassade. Mon voyage à Helsinki sera sans retour : je dois être mobilisé en Finlande.

Ce n'était pas vrai, mais comme Kersten avait souvent évoqué cette éventualité, Himmler le crut et s'écria, pris de panique :

— Pour rien au monde. Je ne veux pas, je ne peux pas vous perdre.

— Quand la mesure sera officielle, dit Kersten, je ne vois pas comment je refuserai.

— Il faut éviter cela, il le faut, cria Himmler.

— Il existe bien un moyen que j'ai envisagé avec notre ambassadeur, dit Kersten pensivement.

— Lequel ?

— Voici, dit Kersten. La Suède (et c'était la part

véridique du prétexte) a hospitalisé de cinq à six mille blessés finnois, mutilés, incurables, irrécupérables pour la guerre, parce que la Finlande est trop pauvre en personnel et matériel médical pour s'occuper d'eux comme il convient.

— Et alors ? demanda fébrilement Himmler.

— Je pourrais, reprit Kersten (et c'était la part mensongère), je pourrais sans doute avoir un long sursis pour ma mobilisation, si vous me donniez deux mois pour soigner les blessés finlandais en traitement dans les hôpitaux de Suède.

— Deux mois ? Si longtemps ! s'écria Himmler.

— Préférez-vous, dit Kersten, me voir mobilisé jusqu'à la fin des hostilités ?

Himmler ne répondit point. Et comme se prolongeait le silence, le souvenir d'un instant très pénible revint à la mémoire de Kersten. Il demanda doucement :

— Vous rappelez-vous, Reichsführer, qu'en mai 1940, vous préparant à envahir la Hollande, vous m'avez interdit de quitter Hartzwalde ? Et que j'ai parlé alors de m'adresser à mon gouvernement ? Et que vous avez bien ri à cette idée et m'avez répondu : « La Finlande ne nous déclarera pas la guerre à cause de vous ? »

— C'est possible, répondit Himmler sans regarder Kersten.

— Eh bien, reprit le docteur, plus doucement encore, aujourd'hui, c'est à mon tour de vous dire : « Si vous voulez me garder contre les ordres de mon gouvernement, déclarez donc la guerre à la Finlande. »

Cette conversation entre Himmler et le docteur se déroulait, comme la plupart de leurs entretiens décisifs, au cours d'une séance de traitement. Kersten vit s'affaisser les chétives épaules de son malade.

— La guerre à la Finlande ? dit Himmler à mi-voix. Non. Plus maintenant… Notre situation est devenue trop difficile.

Himmler se tut. Mais n'était-ce pas suffisant ? La fin de l'armée Rommel sur la côte africaine, la fin de l'armée von Paulus dans la steppe glacée de Stalingrad, l'avance des armées soviétiques pareille à une lame de fond qui prend sa lancée, les bombardiers alliés chaque jour au-dessus des grandes villes allemandes par flottes de centaines et centaines d'avions. Bref, un revirement complet et terrible en trois années pour les desseins de Hitler — tout se trouvait inclus dans la réponse de son Reichsführer, le « fidèle Heinrich ».

Kersten reprit son ton et son visage les plus débonnaires.

— Alors, dit-il, puisque la force n'est plus de saison contre la Finlande, usons de diplomatie. Croyez-moi, cela vaut mieux. Acceptez que je passe deux mois en Suède pour y soigner mes compatriotes.

— C'est bon, allez-y, soupira Himmler.

Soudain, il saisit la main de Kersten qui travaillait ses nerfs, et la voix changée, dure, rauque, s'écria :

— Mais vous reviendrez, vous reviendrez à coup sûr ? Sinon…

Le docteur retira sa main avec précaution, mais fermeté :

— Pourquoi me parlez-vous ainsi ? demanda-t-il. En quoi ai-je mérité ce manque de confiance ?

Une fois de plus, le remords le plus vrai se peignit sur les traits de Himmler.

— Je vous prie, cher monsieur Kersten, dit-il, je vous prie du fond du cœur, de m'excuser. Vous le savez, ma vie est telle que le soupçon est devenu chez moi une deuxième nature. Mais pas à votre égard. Vous êtes le seul homme au monde à la sincérité et à la bonté de qui je crois.

L'instinct, chez Kersten, le servait, pour ses rapports avec le Reichsführer, autant que la raison. Il fut prompt à profiter de cet état d'humilité :

— J'ai l'intention, dit le docteur comme la chose la plus naturelle, j'ai l'intention de prendre avec moi en Suède ma femme et mon plus petit garçon encore au sein — il n'a que trois mois — et sa nurse, une Balte…

Les ongles de Himmler griffaient d'un mouvement tout machinal le cuir du divan où il était allongé. Il observa un instant Kersten de biais. Son regard exprimait le soupçon chronique, aigu, redoutable. Mais sa voix demeura égale pour demander :

— Les deux autres garçons partent aussi ?

Kersten fut sur le point de dire « oui ». Comme il ouvrait la bouche pour le faire, il s'entendit répondre :

— Oh, pas du tout ! Eux, ils n'ont pas besoin de leur mère à chaque instant. Ils vont rester à Hartzwalde, avec Elisabeth Lube, ma sœur, que vous connaissez.

L'intuition qui, au dernier instant, lui avait fait changer de propos, Kersten en vit une fois de plus la justesse. Le visage de Himmler s'éclaira d'un seul coup. Il était toute bonté, toute confiance. Il dit avec un sourire entendu de père de famille :

— Vous avez bien raison. La campagne vaut tellement mieux pour les enfants qu'une grande ville, même si c'est Stockholm.

Kersten répondit avec un sourire pareil :

— C'est bien ce que je pense. Le lait est excellent à la propriété.

2

Pour comprendre l'exaltation, la fièvre d'allégresse qui saisit Kersten, il faut que ceux qui ont connu le temps de Hitler y retournent par le souvenir et que les autres essaient de l'imaginer.

Manque de nourriture, manque de chauffage, manque de vêtements, queues interminables pour les objets de la nécessité la plus élémentaire, villes qui jamais ne s'éclairent la nuit — voilà quelle était matériellement l'existence *normale* pour des millions et des millions d'hommes. Et sur ces êtres débilités, épuisés, régnait sans cesse la peur. Ils tremblaient pour ceux qui étaient au combat, pour ceux qu'attendaient ou déjà renfermaient camps et prisons. Ils tremblaient — du moins ceux qui survivaient — sous les explosions de bombardements gigantesques et, l'alerte passée, ils tremblaient, au petit jour, d'entendre contre leur porte frapper les poings des policiers.

Kersten souffrait beaucoup moins des privations que la plupart des gens. Mais l'élevage et l'abattage clandestins sur sa propriété lui faisaient courir des risques considérables et qui allaient jusqu'à la peine de mort.

La petite guerre contre les contrôleurs, les ruses des Témoins de Jéhovah, tout ce qui apparaît aujourd'hui histoire amusante, se payait alors en alertes, en inquiétudes, en profonde fatigue nerveuse. Et surtout, Kersten, depuis longtemps, n'était plus capable de fermer les yeux sur les souffrances qui l'environnaient. La disette, le froid, l'angoisse des familles pour leurs proches, la crainte de la délation, la peur de dire un mot de trop, pesaient sur lui d'un poids toujours croissant. Quant à la terreur policière, il vivait pour ainsi dire dans les entrailles mêmes de la pieuvre qui, de ses tentacules, enveloppait, étouffait presque toute l'Europe.

Un seul trait suffit à peindre la simplicité presque enfantine de la joie qui emplit le cœur de Kersten, quand il fut certain de pouvoir passer deux mois dans un pays libre de contraintes matérielles et morales : il choisit comme date, pour s'envoler vers Stockholm, le 30 septembre, jour de son anniversaire. Il marquait par là qu'il n'y avait pas de plus beau cadeau qu'il pût recevoir de la vie et de lui-même.

Kersten, qui partait en qualité de courrier diplomatique finlandais, n'avait pas à craindre les douanes ou les services de contrôle. C'est pourquoi, parmi ses bagages, se trouvait une très grosse valise toute bourrée de papiers compromettants. Elle contenait le journal qu'il tenait régulièrement depuis plus de trois années et où il avait noté, tantôt en bref, tantôt dans le détail, ses conversations avec Himmler et jusqu'à ses confidences les plus dangereuses, comme celles qui concernaient la syphilis de Hitler. Mais ce n'était pas tout. Kersten emportait également de nombreuses copies de documents secrets qu'il avait pu prendre, grâce à Brandt, à la Chancellerie du Reichsführer.

Irmgard Kersten — que son mari continuait à tenir dans l'ignorance la plus complète de cette partie de son existence — regarda avec étonnement la volumineuse et pesante valise qu'elle ne connaissait point.

— Je crois bien, lui dit en riant le docteur, que j'ai eu un peu trop peur du froid en Suède. J'ai pris des vêtements chauds pour un régiment.

La grande voiture de Kersten le déposa avec sa famille au terrain de Tempelhof. L'avion décolla. Mais ce fut seulement lorsque la mer mouvante et glauque s'étendit sous le fuselage de l'appareil que Kersten ressentit enfin dans tout son être l'émotion merveilleuse de la liberté.

À l'aérodrome de Stockholm, un de ses vieux

amis baltes, émigré en Suède, attendait Kersten. Il s'appelait Delwig. Un de ses ancêtres avait été le précepteur de Pouchkine.

Il accompagna Kersten et les siens jusqu'à une pension de famille confortable et modeste, en tout point telle que le docteur avait prié les Suédois de la choisir pour lui. Dès que les bagages y furent déposés, Kersten demanda à son ami s'il connaissait un endroit où il pourrait laisser en sécurité une valise très précieuse. Delwig lui conseilla de louer un coffre dans une banque et proposa de le faire tout de suite. Mais, quelle que fût son impatience de savoir ses documents à l'abri, Kersten avait un désir encore plus urgent à exaucer.

— Attendons jusqu'à demain, dit-il à Delwig. Maintenant, vite aux pâtisseries. Il n'y a plus rien de pareil en Allemagne.

Le lendemain, Kersten porta ses documents dans une banque. Il n'eut pas besoin d'y louer un coffre. L'employé lui dit qu'il suffisait de plomber la valise pour qu'elle fût en parfaite sécurité. On l'entoura donc de cordes solides et l'on y posa des sceaux sur lesquels le docteur imprima le cachet de sa bague, c'est-à-dire les armes que Charles Quint avait accordées, en 1544, à son aïeul, Andréas Kersten. Puis journal et papiers secrets furent mis dans un coin au sous-sol[1].

Deux jours après l'arrivée du docteur, un fonc-

1. Ils devaient y rester jusqu'à la fin de la guerre, quand Kersten les reprit.

tionnaire subalterne des Affaires étrangères vint l'informer discrètement que M. Gunther, son ministre, désirait le voir le plus vite possible, mais chez lui et d'une façon tout officieuse, presque en cachette.

L'appartement privé de Gunther était situé, comme par hasard, à deux pas de la pension où les autorités suédoises avaient retenu des chambres pour le docteur. Ce fut là que les deux hommes se rencontrèrent et que s'engagea entre eux une conversation qui devait, par la suite, être décisive pour le destin de milliers et de milliers d'êtres humains.

Le ministre des Affaires étrangères commença par remercier Kersten pour les commutations de peine qu'il avait obtenues en faveur des Suédois arrêtés par la Gestapo en Pologne et qui auraient dû être exécutés pour espionnage.

— Je pense réussir à les faire libérer un jour, dit le docteur.

— Ce sera inespéré, dit Gunther. Mais ce n'est pas le motif qui m'a incité à vous faire venir jusqu'ici, vous le pensez bien. Je voudrais vous parler d'une affaire beaucoup plus importante. La pression des Alliés s'accentue chaque jour que nous entrions en guerre contre l'Allemagne. Cela est contraire à toutes nos traditions nationales de neutralité et à tous nos intérêts. Le lendemain même, les avions allemands feraient de Stockholm un autre Rotterdam en ruine. Par contre, j'ai en tête une grande œuvre humanitaire, et qui pourrait rendre aux Alliés des services immenses. Il s'agit de sauver le plus grand nombre possible de gens qui sont enfermés dans les camps de concentration. Voulez-vous être avec nous ?

— Naturellement, dit Kersten. Je m'occupe depuis deux ans, vous le savez, de prisonniers et de condamnés à mort. Leur nationalité ne comptait pas. Hollandais ou Finlandais, Belges ou Français, Norvégiens ou Suédois, j'ai essayé d'aider tous les malheureux sur lesquels j'ai pu recueillir des renseignements précis. Et je suis prêt à mettre tous les moyens dont je dispose au service de tous ceux qui souffrent.

— Alors, dit Gunther, nous allons essayer de voir grand.

À partir de ce jour, Kersten rencontra très souvent le ministre des Affaires étrangères, et les deux hommes mirent au point un projet d'une telle envergure qu'il semblait chimérique : arracher aux camps de concentration des milliers de déportés et les amener en Suède. Le gouvernement de ce pays devait convaincre les Allemands qu'il donnerait asile aux malheureux et prendrait leur transport à sa charge. La Croix-Rouge, représentée par le comte Bernadotte, servirait d'intermédiaire.

Quant à Kersten, son rôle, de beaucoup le plus important et le plus difficile, consistait à obtenir de Himmler qu'il laissât partir les déportés.

3

Le 15 octobre 1943, Kersten prit l'avion de Stockholm pour Helsinki. À l'aérodrome, une voiture officielle l'attendait qui le conduisit immédiatement auprès de M. Ramsey, ministre des Affaires étrangères de Finlande. Leur conférence dura des heures. Kersten fit un rapport étendu sur la situation de l'Allemagne et l'acheva en disant que, d'après ses observations, le IIIe Reich ne pouvait pas tenir plus d'un an ou d'un an et demi. La guerre, à son avis, était perdue pour Hitler. Le ministre confia à Kersten que c'était également l'opinion de son gouvernement et qu'il n'avait qu'un désir : faire la paix avec la Russie. Mais il ne pouvait s'adresser directement à Moscou. Il y avait trop de soldats allemands en Finlande. Et Ramsey chargea Kersten d'essayer une négociation avec des représentants américains à Stockholm. Ainsi, le docteur, qui avait été l'homme le plus détaché des affaires politiques, devenait un messager secret de la diplomatie internationale.

Revenu en Suède, Kersten prit les contacts voulus. L'ouverture finlandaise fut communiquée à Washington. Roosevelt fit répondre que le gouvernement finnois devait s'adresser directement à la Russie. L'affaire en resta là.

Dans le même temps, Kersten fit une autre tentative en faveur de la paix. Tout en tenant rigoureusement cachée à Himmler la démarche de la

Finlande, il proposa au Reichsführer de sonder les Américains sur les conditions qui pourraient mettre fin aux hostilités.

Himmler, loin de se montrer contraire à cet avis, envoya dans le plus grand secret, à Stockholm, son chef d'espionnage et de contre-espionnage, Walter Schellenberg. Mais les pourparlers ne purent aboutir.

Schellenberg repartit pour Berlin et, à la fin du mois de novembre, Kersten lui-même dut envisager son retour en Allemagne. Il n'avait pas le choix.

Mais restait un problème autrement difficile et grave : celui de sa femme et de son enfant âgé de quelques mois. Allait-il les ramener dans un pays en guerre, où la situation se détériorait sans cesse et où lui-même allait courir des risques de plus en plus grands ? Leur sécurité était assurée à Stockholm, tandis que là-bas…

Kersten songea aux réactions de Himmler… Il savait que s'il rentrait, même seul, il serait le bienvenu… Le Reichführer avait trop besoin de lui. Mais, en même temps, Kersten sentit, de tout son instinct, que s'il voulait posséder la confiance absolue, aveugle, de Himmler, s'il voulait avoir toutes les chances de son côté, dans le jeu qu'il avait à jouer auprès du Reichsführer, *il fallait* que sa femme et son enfant regagnent l'Allemagne et servent de témoins, d'otages à sa fidélité.

Assis dans un fauteuil, au cœur de la nuit, les doigts entrelacés sur la courbe de son ventre, les sourcils joints sous le haut front, le docteur méditait avec l'intensité de l'angoisse.

Oh ! certes, avant ses conversations avec Gunther, le docteur eût laissé sans hésiter les siens à Stockholm. Mais, depuis, une perspective beaucoup plus vaste et un devoir plus exigeant s'ouvraient à lui. Jusqu'alors, le secours qu'il avait pu donner aux hommes menacés avait été pour ainsi dire inspiré par le hasard. Il ne s'était même pas rendu, chaque fois, un compte exact de ce qu'il faisait. Cela était entré dans sa routine quotidienne, comme une sorte de traitement ajouté aux autres. Une fois le résultat obtenu, il l'oubliait.

C'était à présent seulement qu'il prenait conscience de la mission qui lui était attribuée par les détours du destin. Un champ sans limites s'offrait, où il pouvait aider toute une humanité vouée au tourment, réduite au désespoir. La tâche qu'il devait accomplir, en travaillant avec Gunther, était d'une difficulté terrible. Et plus la situation de l'Allemagne deviendrait précaire, plus l'effort serait dangereux. Kersten eut la vision du roi des fous à l'instant de la débâcle.

Il trembla pour sa femme, pour son fils.

Mais, d'autre part, il se disait : « Si, justement à cause des heures redoutables qui se préparent, je ne donne pas une garantie entière de loyauté, d'attachement et de confiance à Himmler, ma mission devient impossible. Et la seule garantie de cette nature est le retour de ma femme et de mon enfant. »

La nuit insomnieuse s'achevait. Kersten quitta son fauteuil en soupirant. Les dés étaient jetés.

— Irmgard, nous allons rentrer, dit le docteur à sa femme, aussi gaiement qu'il put. Tu seras contente, j'en suis sûr, de revoir les deux garçons et de gouverner de nouveau la propriété.

Et Irmgard Kersten, qui, en effet, adorait Hartzwalde et les huit chevaux, les vingt-cinq vaches, les douze truies et leur mâle énorme, et les cent vingt poules dont elle prenait soin, et qui n'avait aucune notion des difficultés qui attendaient son mari en Allemagne, se réjouit de retrouver le domaine enchanté.

Quand Kersten monta dans l'avion de Stockholm pour Berlin, il avait le cœur très lourd, mais aussi la certitude que sa décision était celle qu'il fallait : sa vie et même celle de sa famille ne devaient pas compter en regard de la tâche qu'il entreprenait.

4

Le 26 novembre, Kersten était de retour à Hartzwalde. Il téléphona aussitôt à Himmler.

— Arrivez, arrivez tout de suite, s'écria celui-ci. Je suis si content de vous savoir revenu.

Il y eut un bref silence dans l'appareil, puis Kersten entendit de nouveau le Reichsführer.

— Vous avez, bien sûr, laissé votre femme et votre enfant en Suède ?

La voix avait un ton de politesse négligente,

indifférente. Kersten ne s'y méprit point. Et s'il répondit avec la même simplicité, c'est que lui aussi avait appris à feindre.

— Mais non, ils sont avec moi, déclara le docteur.

Un éclat de joie fit vibrer l'écouteur.

— Que dites-vous ? Comme je suis heureux ! criait Himmler. Vous croyez donc encore à la victoire allemande ! Maintenant je sais quel bon, quel vrai ami vous êtes ! Mais j'avais pensé...

— Quoi donc ? demanda Kersten.

— Oh ! non, rien... rien, excusez-moi, dit précipitamment Himmler. Encore des bêtises de ma part. Mais aussi, on me raconte tant d'histoires stupides sur vous... Non, non, je savais bien que vous ramèneriez ici votre famille... Venez tout de suite.

5

Kersten sentait que sa vie avait pris, pour ainsi dire, une dimension nouvelle.

Avant, il y avait eu sa famille, ses amis, ses malades, ses rapports avec Himmler et, confondus avec eux, au jour le jour, au gré de la chance, ses efforts pour aider les malheureux qui lui étaient signalés par les informateurs bénévoles ou le simple hasard. Depuis son voyage en Suède, il poursuivait les mêmes activités, mais au-delà et au-dessus d'elles, et les ordonnant et les sublimant, il apercevait sur l'horizon de son existence ce but si haut, qu'il avait, pour mieux l'atteindre, consenti à mettre en danger les êtres qui lui étaient les plus chers.

Déjà, quand il en avait discuté avec Gunther à Stockholm, leur projet avait paru à Kersten d'une difficulté extrême. Pourtant, il ne mesura vraiment tous les obstacles qu'après son retour en Allemagne. La liberté fait oublier très vite l'ombre et la tristesse des cachots. À Stockholm, en quelques semaines, le climat hitlérien avait été comme éclairé, dissipé par l'effet des lumières de la capitale suédoise, de ses pâtisseries, de ses mœurs décentes, des conversations qui se tenaient ouvertement, sans crainte de la police et de la délation. À Berlin, par la force du contraste, tout sembla plus pesant à Kersten, plus implacable et sinistre.

On était en décembre. Le froid et la brume pénétraient les maisons mal chauffées. Les visages faméliques prenaient leur teinte verdâtre d'hiver. La nuit venait vite dans les rues sans une lueur. Les bombardiers alliés avaient tout loisir pour déverser leur charroi de feu et d'acier. Ils arrivaient toujours plus nombreux, toujours plus souvent. Les nouvelles du front russe empiraient sans cesse. La peur, la faim, la méfiance, la haine remplaçaient peu à peu les autres sentiments chez les gens traqués par tant de misère. Pour désarmer, mater à l'avance le mécontentement que pouvaient susciter les temps cruels, la Gestapo redoublait de sévérité, de férocité envers les habitants.

Comment, dans ces conditions, espérer un mouvement d'humanité chez les maîtres d'un régime inhumain entre tous ? Comment penser, ne fût-ce qu'un instant, à faire sortir des camps de concentration les hommes et les femmes qui, pour Hitler, Himmler et les autres grands chefs nazis, étaient des rebelles, des traîtres, des sacrilèges, des Juifs ? Comment arracher à tant d'insensibilité et tant de mépris les victimes que leurs gardiens S.S. considéraient comme de la charogne, alors qu'elles respiraient encore ?

C'était pourtant la gageure que, à Gunther et surtout à lui-même, Kersten avait promis de tenir. Mais il comprit, dès qu'il fut de retour, que son seul pouvoir sur Himmler n'y suffirait pas. Il lui fallait repérer dans l'entourage immédiat du Reichsführer sinon des amis et des alliés sûrs — à part Brandt, c'était impossible — du moins des gens qui, par intérêt personnel ou par esprit de corps et de caste, ne fussent pas hostiles à son projet et consentissent à l'appuyer, en sous-main, auprès de leur chef.

6

Pour le soutenir auprès de Himmler, Kersten pensa au colonel Walter Schellenberg et au général Berger, l'un comme l'autre collaborateurs très proches et très importants du Reichsführer.

Il n'y avait pourtant aucun trait commun entre les deux hommes.

Schellenberg était jeune (trente-quatre ans), blond, très élégant, très soigné, d'une intelligence souple et prompte, d'une culture étendue. Il appartenait à une bonne famille sarroise, avait des manières sans défaut, parlait l'anglais à la perfection.

Godlob Berger, lui, approchait de la cinquantaine. Officier subalterne sorti du rang pendant la première guerre mondiale, il avait toutes les caractéristiques, physiquement et moralement, du soldat vieilli sous le harnais. Très grand, très large d'épaules, raide et rude, sans aucun goût ni intérêt pour la politique, n'aimant que l'armée, ses vertus et ses disciplines, il avait dû attendre longtemps jusqu'à ce que Himmler remarquât sa passion de la rigueur militaire, ses talents exceptionnels d'organisateur et le nommât au commandement des Waffen S.S.

Schellenberg, au contraire, avait quitté les bancs de l'Université pour entrer dans les services d'espionnage spéciaux, rattachés à Himmler. C'était Heydrich qui les gouvernait alors. Il reconnut, dès leur premier entretien, la valeur de son nouvel agent et l'affecta aux missions les plus délicates, les plus difficiles. Schellenberg les exécuta si bien qu'il attira sur lui l'attention de Himmler. Dès lors, il fit une carrière étonnante. À trente ans, il était colonel et dirigeait à son tour les réseaux d'espionnage et de contre-espionnage qui dépendaient du Reichsführer. Mais son ambition était sans bornes. Il rêvait d'avancer encore en grade et très vite. Il voulait également être le premier en faveur et en influence auprès de Himmler.

La nature, le style des rapports qui s'établirent entre chacun de ces deux hommes et Kersten portaient la marque de leurs caractères respectifs.

Le général des Waffen S.S. et le docteur se connurent par la force des choses : ils faisaient partie de l'entourage permanent de Himmler. Berger montra tout de suite pour Kersten une hostilité sans fard et sans détour. Il nourrissait une antipathie instinctive, organique, pour ce civil, débonnaire et gras, qui circulait librement dans une organisation militaire d'élite. C'était comme une tache, une incongruité.

Kersten, que cette attitude amusait plutôt, dit un jour à Berger qu'il avait été, lui aussi, officier autrefois, dans l'armée finlandaise.

— Je ne le croirai pas, répondit le général, tant que je n'aurai pas vu vos papiers.

Kersten les lui montra et, en outre, une photographie de ces temps lointains. Berger dit alors :

— Même sur une image, vous n'arrivez pas à prendre l'air d'un soldat.

— Eh bien, dit Kersten avec un grand sérieux, Himmler veut me nommer colonel chez vous.

— Je ne voudrais pas de vous comme caporal, gronda Berger.

Cependant, sur un ordre catégorique de Himmler qui tenait à voir ses principaux adjoints dans le meilleur état de santé — c'est-à-dire d'efficacité

— possible, Berger dut se faire examiner par Kersten.

— J'ai horreur de cela et je ne crois pas un seul mot de vos sacrés miracles, dit le général.

— Déshabillez-vous tout de même, dit Kersten.

Le commandant des Waffen S.S. obéit en grommelant et jurant. Mais lorsque, après l'avoir ausculté du bout des doigts, le docteur se mit à énumérer les troubles que Berger ressentait dans son organisme, le général — et il n'y avait plus trace dans sa voix de rudesse ou de dédain — s'écria :

— Comment pouvez-vous savoir ? Ces malaises, Himmler ne les connaît pas. Je ne lui en ai jamais dit un mot.

De traitement en traitement, Berger donna sa confiance à Kersten et puis une espèce d'amitié bougonne. Le docteur découvrit alors que le général n'était pas seulement préoccupé de la tenue et de la discipline dans l'armée, mais aussi de son honneur. Il avait en dégoût profond la Gestapo, les camps de la mort, le racisme. Et il n'y avait rien de commun, pour lui, entre les Waffen S.S. qui étaient de vrais soldats — et les bourreaux S.S. qu'il interdisait à ses hommes de fréquenter[1].

Entre Schellenberg et Kersten, le contact eut lieu beaucoup plus tard. Le chef des services d'espionnage du Reichsführer voyageait beaucoup. Pen-

1. Voir Appendice, note 7.

dant ses brefs séjours au Q.G., ses rapports avec le docteur étaient ceux de la courtoisie impersonnelle. Mais tous deux, sans le montrer, s'observaient, se renseignaient l'un sur l'autre.

Ils se trouvèrent réunis pour un temps assez long, au cours de l'été 1942, lorsque Himmler établit ses quartiers de campagne dans la vieille caserne russe de Jitomir, en Ukraine. Le Reichsführer en profita pour inciter impérieusement Schellenberg, qu'il tenait en haute estime, à se faire examiner par Kersten. Quand Himmler en avertit le docteur, ce dernier s'étonna : Schellenberg avait trente-deux ans et semblait en parfaite condition physique.

— En vérité, je ne crois pas qu'il ait besoin de vos soins, dit alors Himmler. Mais, pendant le traitement, vous pouvez l'étudier à fond et ensuite me donner votre avis sur son caractère. Il est très fort et c'est un homme d'avenir. Mais son ambition démesurée m'inquiète.

La première rencontre se déroula dans des conditions singulières. Il faisait déjà nuit et Kersten était couché dans la petite et lugubre maison qui lui avait été assignée dans l'enceinte de l'ancienne caserne russe. La porte de la chambre s'ouvrit sans bruit et Schellenberg entra. Sa silhouette mince, vive, élégante, se détacha sur les murs gris de la pièce. La lumière pauvre faisait paraître plus pâles ses cheveux blonds. Le jeune colonel prit une chaise et vint s'asseoir près du lit de Kersten. La conversation se tint à mi-voix.

— C'est Himmler qui m'envoie chez vous, dit Schellenberg.

— Il m'a prévenu, dit Kersten.

Les deux hommes se regardèrent en silence. Ils savaient l'un et l'autre que cette visite avait pour but un examen médical. Mais ni l'un ni l'autre n'ébaucha un mouvement à cet effet. Ils s'étudiaient, se jaugeaient.

— Je suis heureux de faire enfin vraiment connaissance avec vous, colonel, dit lentement Kersten. Vous avez beaucoup d'ennemis dans l'entourage du Reichsführer. Vous avez réussi trop vite. Mais, en ce qui me concerne, vous n'avez rien à craindre. Je peux, au contraire, vous aider beaucoup, si nous sommes amis.

Schellenberg répondit sans hésiter :

— Je le sais parfaitement, Herr Medizinälrat, et je viens vous demander votre amitié. Je ferai ce qu'il faut pour cela.

— Très bien, répondit Kersten.

Il s'adossa confortablement contre ses oreillers, croisa les mains sur son ventre et reprit :

— J'ai cru comprendre, d'après ce qu'on m'a dit, que vous aviez envie d'être général. On vous le reproche. On trouve que vous êtes trop pressé. Moi, je pense que c'est un désir tout naturel de la part d'un homme tel que vous. Et je crois pouvoir vous aider.

Dans la pénombre, les yeux clairs de Schellenberg semblaient s'agrandir.

— Vous verrez que je mérite votre confiance, dit-il.

Dès lors, directement ou indirectement, mais toujours avec une habileté consommée qui ne laissa jamais soupçonner leur pacte nocturne, Schellenberg appuya les entreprises de Kersten. Et, notamment, pour la grâce des espions suédois, son concours — parce qu'il était le chef du contre-espionnage — fut un élément décisif.

7

Donc, revenu de Suède et avant de risquer un mot à Himmler des plans qu'il y avait formés, Kersten sonda tour à tour Schellenberg et le général Berger.

Il les trouva plus enclins à soutenir son projet qu'il ne l'avait espéré. Schellenberg avait pour cela deux raisons. Il voyait croître sans cesse l'influence de Kersten auprès du Reichsführer et comptait toujours davantage sur son truchement pour devenir le plus jeune général d'Allemagne. Il voyait en même temps — et d'un œil singulièrement averti — diminuer jusqu'au néant les chances de Hitler. Disposé par son tempérament et par ses fonctions à jouer sur plusieurs tableaux à la fois, il comprit tout de suite les avantages que lui vaudrait chez les Alliés, après leur victoire, le fait d'avoir aidé au salut de milliers d'internés.

Quant au général Berger, c'était encore plus

simple. Le vieux soldat n'avait que dégoût pour les atrocités des camps de concentration et il souffrait dans son honneur de savoir que les hommes qui avaient été sous ses ordres et portaient l'uniforme des Waffen S.S., y servaient comme gardes-chiourme et tortionnaires.

Ainsi, au départ, Kersten avait pour lui Brandt, le secrétaire privé de Himmler, dépositaire de tous ses secrets et qui le voyait à chaque minute du jour et de la nuit, Godlob Berger, commandant l'armée du Reichsführer, et Walter Schellenberg qui dirigeait ses services d'espionnage.

Par contre, il avait comme ennemis jurés Kaltenbrunner, le grand chef de la Gestapo, tout son état-major, tous ses agents. Ces hommes étaient non seulement opposés d'une volonté implacable à toute mesure qui relevait de la clémence ou de la pitié (car ils les tenaient pour une atteinte à leur pouvoir) mais, en outre, ils nourrissaient pour Kersten une haine personnelle qui s'exaspérait dans la mesure même où ils voyaient grandir la faveur que Himmler lui montrait et s'allonger la liste des grâces qu'il lui accordait.

Kaltenbrunner, bien qu'il eût succédé à Heydrich, ne ressemblait guère à celui-ci. Il n'avait pas son intelligence, ni son éducation, ni son sang-froid. Il était d'humeur sombre, violente, fanatique des supplices et des exécutions. Chaque fois que Kersten intervenait avec succès pour sauver quelques vies, Kaltenbrunner était pris de fureurs pathologiques. Il abhorrait dans la personne du docteur — et jusqu'à l'idée fixe — la tolérance, la compassion, le sens de l'humain.

— Faites bien attention à cette brute, avait dit Brandt à Kersten. Il est capable de vous faire assassiner.

8

Le docteur ne pensait pas que Kaltenbrunner irait si loin. Mais il y avait dans l'existence de Kersten un délit permanent qui pouvait donner prise sur lui au chef de la Gestapo. Ce n'était pas son courrier secret de Hollande. Le numéro postal de Himmler avait fait à cet égard ses preuves de sécurité. Le crime pour lequel Kersten craignait d'être découvert relevait d'un ordre plus trivial. Il s'agissait de l'abattage clandestin qu'il pratiquait à Hartzwalde. Cette infraction aux lois sur le ravitaillement était punie de mort. Sans doute le docteur avait pour lui le dévouement et les ruses des Témoins de Jéhovah qui travaillaient sur son domaine. Mais une surprise était toujours possible et au moment où Kersten entreprenait une tâche qui allait mobiliser contre lui toutes les forces de la Gestapo, il ne pouvait plus se permettre de courir un risque aussi grave et de le faire partager aux siens.

C'est pourquoi — sans avouer la raison valable de son inquiétude à Himmler, qui était d'une intransigeance impitoyable en ce qui touchait la loi et le règlement —, c'est pourquoi le docteur lui dit :

— Vous savez à quel point me haïssent Kaltenbrunner et ses gens. Je tremble pour ma famille quand je ne suis pas à Hartzwalde.

— J'ai donné des ordres, dit Himmler.

— Je le sais et vous en remercie, dit Kersten. Mais la Gestapo a trop de moyens indirects, de prétextes légaux pour empoisonner la vie d'êtres sans défense. Je ne vois qu'un moyen qui pourrait nous assurer la paix.

— Lequel ?

— Accorder à mon domaine le statut, le privilège d'extra-territorialité.

— Vous rêvez, cher monsieur Kersten, s'écria Himmler. Jamais Ribbentrop ne l'admettra.

Kersten eut beau répéter sa demande, il ne réussit pas à décider Himmler.

Alors intervient un épisode qui laisse stupéfait, aussi bien par son climat de comédie que par le jour dont il illumine le caractère du Reichsführer.

Au début de l'année 1944, Kersten arriva directement, un matin, de Hartzwalde à la Chancellerie de la Prinz Albert Strasse. Il tenait un gros portefeuille, rempli à en faire éclater le cuir. Après avoir traité Himmler avec un soin tout particulier, et l'avoir amené à un état de profond bien-être, le docteur tira de son portefeuille un jambon magnifique.

— Voulez-vous le goûter avec moi, Reichsführer ? demanda-t-il.

Himmler, depuis que les mains de Kersten le délivraient de ses souffrances, avait des accès de gourmandise. La charcuterie était son faible. Il coupa donc avec son poignard de général S.S. une tranche de jambon et la mangea. La chair était tendre, riche, savoureuse à souhait, et juste assez salée pour donner envie de continuer — bref telle que Kersten l'aimait lui-même.

Himmler prit une autre tranche et dit :

— Cela passe tout seul, tant c'est bon.

Il coupa un troisième morceau et, tout en le savourant, demanda :

— Comment avez-vous fait, cher monsieur Kersten, pour réunir tous les tickets de ravitaillement nécessaires à l'achat d'un aussi gras et beau jambon ?

— Je n'ai aucun ticket, dit le docteur.

Himmler, qui avait encore la bouche pleine, dit :

— Je ne comprends pas… Mais alors ?

— Ce jambon vient d'un cochon qui a été tué dans mon domaine, répondit Kersten, comme s'il s'agissait de la chose la plus naturelle du monde.

Himmler se dressa, tel un automate, porta un regard épouvanté sur Kersten, puis sur le reste de la tranche qu'il tenait encore, puis sur Kersten. Et il dit, dans un chuchotement :

— Abattage clandestin ! Savez-vous, malheureux, quelle est la peine pour l'abattage clandestin ?

— Je sais, dit Kersten. La potence.

— Mais alors… mais alors ? murmura Himmler.

Le docteur montra le morceau de jambon sur lequel étaient crispés les doigts du Reichsführer et dit paisiblement :

— La loi est formelle : doit être également pendu celui qui a profité de l'abattage, clandestin.

— C'est vrai, grand Dieu, c'est vrai, dit Himmler.

Il jeta brusquement dans une corbeille à papier la preuve de son crime, s'essuya les doigts avec son mouchoir et répéta :

— C'est épouvantable, épouvantable.

Puis, la tête entre ses mains, il se mit à marcher fiévreusement à travers son bureau. Kersten, tout en gardant sur ses traits le plus grand sérieux, l'observait et s'amusait beaucoup. Il connaissait la puissance sur Himmler d'un formalisme étroit, fanatique, poussé jusqu'à l'absurdité. Et il savait que cet homme dont les fonctions l'élevaient au-dessus de toutes les lois s'estimait en cet instant coupable de faute majeure et passible de la peine de mort.

« Chacun a sa forme de conscience », pensait le docteur, tandis que Himmler continuait d'arpenter la pièce. Enfin, le Reichsführer s'arrêta, gémit :

— Épouvantable ! Que faire ?

— Je vois un moyen d'arranger les choses, dit alors Kersten.

— Lequel ? Lequel ? cria Himmler.

— Acceptez enfin d'accorder à mon domaine le privilège de l'extra-territorialité. Alors, l'abattage des cochons deviendra légal.

— C'est impossible, cria Himmler. Je vous l'ai répété dix fois : Ribbentrop ne voudra jamais.

— Dans ce cas, dit Kersten, il faut nous résigner tous deux à être pendus. C'est la loi, n'est-il pas vrai ? Et vous êtes chargé de l'appliquer.

Himmler baissa la tête.

— Ainsi, reprit Kersten, il n'y a qu'une alternative : l'extra-territorialité ou la potence.

Deux jours plus tard, Himmler remit à Kersten un document officiel signé par lui-même et par le ministre des Affaires étrangères du IIIe Reich. Il accordait à Hartzwalde le statut qui, désormais, rendait le domaine inviolable[1].

9

À la fin de ce même mois de janvier 1944, Himmler eut à se rendre en Hollande et, comme il recommençait à souffrir de crampes du sympathique, il demanda à Kersten de l'accompagner.

Le docteur fit le trajet dans l'avion personnel du Reichsführer où se trouvait également le général Berger, chef des Waffen S.S.

Ce voyage donna une grande joie à Kersten qui, pendant trois années, n'avait pas revu le pays qu'il aimait le plus au monde. Mais, ainsi qu'il en avait été pour son premier séjour à La Haye, la tristesse et l'amertume gâchèrent aussitôt ce bonheur.

Et d'abord, comme il avait dû liquider sa mai-

1. Voir Appendice, note 8.

son, le docteur fut obligé d'accepter la chambre qu'on lui donna dans la maison des hôtes des S.S., située, par une dérision du sort, juste derrière le Palais de la Paix. Ensuite, le jour même de son arrivée, les amis qu'il rencontra lui firent un tableau effroyable de l'existence aux Pays-Bas. Chaque année la misère avait fait plus de ravages, la terreur plus de victimes. La Gestapo régnait sans contrôle. Arrestations, exécutions, disparitions se multipliaient. Il n'y avait plus de sécurité pour personne, nulle part. Parmi les amis de Kersten, beaucoup vivaient clandestinement, sous de fausses identités. Et plus dangereux encore que les policiers allemands étaient les Hollandais à leur service.

Écoutant ces nouvelles, Kersten se souvenait des propos de Himmler :

« En Hollande, lui avait dit le Reichsführer, j'ai besoin seulement de trois mille hommes pour tout diriger et d'un peu de nourriture et d'argent pour les distribuer aux informateurs. Grâce à eux, la Gestapo sait tout. Dans chaque groupe de résistance, j'ai des espions qui appartiennent au pays même. En France, en Belgique, c'est la même chose. »

Et Kersten se sentait pleinement d'accord avec ses amis, quand ils l'incitaient à une prudence extrême.

Le lendemain de leur arrivée, Kersten vint soigner Himmler dans un château bâti au milieu d'un grand parc. Seyss-Inquart, le Gauleiter de Hollande, l'avait réquisitionné pour le séjour du

Reichsführer à Klingendal, aux environs immédiats de La Haye. Himmler dit au docteur :

— J'ai reçu une invitation pour un dîner de gala que donne ce soir, en mon honneur, Mussert, le chef du parti national-socialiste hollandais. Il me présentera l'élite de son groupe. Venez aussi, cher Kersten. Ce sera très bien. Mussert vient justement de s'installer dans une nouvelle maison de grand luxe.

Himmler tendit la main vers une carte d'invitation richement imprimée, jetée sur un guéridon qui se trouvait près du lit où il était couché, et précisa :

— La maison Thurkow.

Le docteur continua de travailler les faisceaux nerveux du Reichsführer comme si le nom qu'il venait d'entendre ne signifiait rien pour lui.

Il répondit toutefois :

— Pourquoi irais-je avec vous ? Le propriétaire ne m'a pas invité.

— Partout où je vais, dit Himmler, vous pouvez aller.

— Non, excusez-moi, dit Kersten. Il m'est impossible de vous accompagner dans cette maison. Elle n'appartient pas à Mussert, mais à Thurkow, qui est de mes amis les plus chers, chassé maintenant de son foyer.

— Je n'en savais rien, dit Himmler, mais si Mussert l'a fait c'est qu'il a de bonnes raisons.

Le traitement était à peine achevé que Seyss-Inquart demanda à présenter ses respects au Reichsführer.

C'était la première fois qu'il recevait son maître en Hollande. Il le fit avec servilité. Ensuite, il lui nomma tous les gens qui devaient assister au dîner organisé par Mussert.

— À qui appartient la maison où se tient la réception ? demanda Himmler. Est-ce une propriété du parti ?

— Pas encore, Reichsführer, dit Seyss-Inquart, mais elle le sera bientôt. Elle est à un homme suspect, partisan du prétendu gouvernement hollandais, émigré à Londres. Les renseignements sur lui sont plus mauvais de jour en jour. On l'arrêtera demain avec plusieurs complices de marque. En outre, ce Thurkow possède des tableaux anciens de valeur très grande. Nous les confisquerons au profit du Reich. Ses amis, que nous allons prendre également — une douzaine environ —, sont tous de gros industriels, des banquiers, des armateurs, et ils ont aussi des toiles de maîtres. Vous voyez, Reichsführer…

— Très bien, dit Himmler. Excellent travail. Quand les hommes importants disparaissent, les petites gens n'ont plus de chefs. Assurez-vous de ces traîtres. Je vous indiquerai ensuite comment agir avec eux.

Le Reichsführer avait fini de s'habiller et se dirigea, suivi du Gauleiter, vers le bureau qui attenait à la chambre. Sur le seuil, Himmler se retourna pour demander à Kersten s'il viendrait au dîner de Mussert.

— Je vous prie de m'excuser, dit le docteur, mais je suis déjà invité par un de mes anciens malades.

— Faites comme vous voudrez, dit Himmler en haussant les épaules, mais revenez absolument demain matin pour me soigner.

Kersten prit une voiture au garage des S.S. et se fit conduire par un chauffeur en uniforme jusqu'à Wassenaar, faubourg résidentiel, aux portes de La Haye. Son ami Thurkow y habitait une maison où l'avait relégué la Gestapo.

Le docteur passa la journée auprès de son ami. Ces heures formèrent un mélange singulier de douceur et d'amertume.

Kersten et Thurkow avaient l'un pour l'autre une solide et profonde tendresse. Ils ne s'étaient pas revus depuis trois ans. Ils étaient heureux de se retrouver. En même temps, ils savaient que cette rencontre était, sans doute, la dernière. Ils n'en parlaient pas. À quoi bon ?

Des visiteurs passaient, rapides, furtifs. L'un d'eux, qui vint avec sa femme, hollandais, mais d'ancienne souche française, s'appelait M. de Beaufort. Il faisait partie de la Résistance aux Pays-Bas. Il peignit au docteur, en termes vifs et brefs, son existence clandestine, traquée de bête aux abois et lui demanda s'il pouvait faire parvenir en Suède un courrier secret qui, de là, serait transmis à Londres. Beaufort faisait cette démarche désespérée, uniquement parce que tous ses contacts, tous ses moyens de liaison étaient coupés.

— Votre paquet ira à Stockholm, je vous le garantis et les Allemands n'en sauront rien, dit Kersten.

Il demanda ensuite à qui devait être délivré le courrier.

— Au baron Van Nagel, délégué à Stockholm de notre gouvernement réfugié à Londres, répondit Beaufort.

Il s'en alla peu après. Les deux amis restèrent seuls. La nuit tomba. Chaque minute devint longue, lente, lourde. Quelque part, dans la maison, une vieille horloge néerlandaise sonna onze coups. Kersten maîtrisait ses nerfs de plus en plus difficilement. « On arrête avant l'aube, pensait-il. Dans six heures, au plus tard, les hommes de la Gestapo viendront chercher Thurkow. »

Le docteur se leva, prit rapidement congé de son ami, promit de le revoir le lendemain. Ils savaient bien, l'un comme l'autre, qu'il ne le pourrait pas, mais continuèrent de jouer jusqu'au bout le jeu de l'ignorance. À quoi bon s'attendrir ?

La voiture militaire S.S. emporta Kersten dans la nuit. Il ne pensait à rien, exprès. Soudain, malgré l'obscurité (il connaissait La Haye mieux que toute ville au monde), il vit que le chemin de retour le faisait passer par Klingendal, le faubourg où était situé le château réquisitionné par Seyss-Inquart pour Himmler. Sans réfléchir davantage, Kersten ordonna au chauffeur de l'y conduire.

Un premier poste de police l'arrêta. Il montra son laissez-passer spécial signé par le Reichsführer lui-même et fut salué avec respect. Deuxième poste… Même jeu. Le dernier poste se trouvait à l'entrée du château. Là, on demanda au docteur ce qu'il désirait.

— Voir le Reichsführer, dit Kersten.

— C'est très bien, dit le chef des sentinelles. Il est justement rentré depuis dix minutes.

Un agent de la Gestapo guida le docteur jusqu'à la chambre de Himmler. Celui-ci était en train de se déchausser. Tenant encore un soulier, il adressa à Kersten un regard stupéfait et ravi.

— Êtes-vous donc lecteur de pensées ? s'écria Himmler. Je songeais justement à vous. J'ai des crampes, mais je vous croyais couché et, comme je ne souffre pas trop, je ne voulais pas vous réveiller.

— Je l'ai senti et me voilà, dit Kersten sans battre d'une paupière. Déshabillez-vous. Ce sera terminé dans deux minutes.

— Oh, je le sais bien, dit Himmler.

Les douleurs avaient disparu. Le Reichsführer souriait aux anges.

— Je n'ai même plus besoin de vous appeler quand j'ai mal, dit-il d'une voix adoucie par l'émotion et la gratitude. Votre amitié le devine.

— Et pourtant, dit Kersten en hochant la tête avec un soupir, et pourtant je traverse personnellement une épreuve très difficile. Vous êtes le seul à pouvoir m'aider.

— Une histoire de femme ! s'écria joyeusement Himmler.

— Je le regrette, dit Kersten, mais ce n'est pas une histoire de femme. J'ai entendu ce matin Seyss-Inquart vous annoncer qu'une douzaine de Hollandais vont être arrêtés demain. Et, parmi eux, Thurkow, mon grand ami, chez lequel je viens de dîner. C'est la raison qui m'a empêché d'aller à la réception de Mussert. Vous devez comprendre, j'en suis sûr, combien je suis désespéré. Au nom de notre vieille amitié, je vous en supplie, annulez ces arrestations.

— Est-ce que vous connaissez aussi les autres suspects ? demanda Himmler.

— La plupart sont mes amis, dit Kersten.

Sans qu'il en eût conscience, le Reichsführer faisait bouger les verres de ses lunettes contre son front. Il cria :

— Ce sont des traîtres. Ils entretiennent des relations criminelles avec Londres. De plus, je ne peux pas rapporter des ordres qui viennent de Kaltenbrunner, mon bras droit à Berlin. Seyss-Inquart, Rauter, leurs lieutenants, personne n'y comprendrait plus rien, alors qu'ils font de leur mieux pour empêcher les Hollandais de nous poignarder dans le dos.

Une longue discussion alors s'engagea où Himmler s'adressait à la logique du docteur et Kersten aux sentiments du Reichsführer. Les arguments de Himmler étaient : police, politique, guerre, raison d'État. Et Kersten répondit uniquement, inlassablement : amitié. Il savait que sur le terrain des faits il ne pouvait pas convaincre Himmler, car Himmler avait les faits pour lui. Il se bornait à insister, prier, supplier au nom des sentiments que lui montrait Himmler, qu'il lui avait toujours montrés.

— Je comptais tellement sur vous, j'avais si grande confiance dans votre amitié ! répétait Kersten sans cesse.

Peu à peu le va-et-vient des lunettes sur le front du Reichsführer se ralentit, s'arrêta. Himmler poussa un soupir de fatigue, se cala au creux du lit à colonnes, promena son regard sur la chambre aux lambris dorés. Il faisait bon, il faisait chaud, son ventre était sans souffrance. Il dit :

— Oh, ça va bien, cher monsieur Kersten. J'ai raison et vous le savez. Mais, après tout, nous n'allons pas nous fâcher pour douze hommes. Non ? Ce serait trop bête. Tous les gens ici sont des traîtres. Alors… douze de moins ou de plus… au fond, peu importe. Entendu, je parlerai à Rauter demain matin.

Kersten dit très doucement :

— Demain, il sera trop tard. Je vous aurais une reconnaissance infinie, si vous lui parliez tout de suite.

— Rauter doit dormir, dit Himmler.

— Il se réveillera, dit Kersten.

Himmler haussa les épaules en grommelant :

— Vous devez toujours avoir le dernier mot. Bon. Appelez Rauter.

Le téléphone se trouvait assez loin du lit où reposait le Reichsführer. Quand Kersten eut demandé la communication et entendu la voix de Rauter, il dit :

— Herr Obergruppenführer, le Reichsführer vous parle. Himmler se leva, les pans de sa longue chemise de nuit blanche battant ses mollets maigres, alla au téléphone et ordonna :

— Que toutes les arrestations prévues pour ce matin soient remises indéfiniment. J'en déciderai quand je serai de retour à Berlin.

Le téléphone était très sonore et Kersten entendit Rauter répondre :

— *Jawohl, jawohl, Reichsführer.*

Or, à ce moment, le général des Waffen S.S. Godlob Berger était avec le chef de la Gestapo de Hollande. Quand la conversation avec Himmler fut achevée, Rauter gronda furieusement :

— Nous sommes tombés bien bas. Voilà que le Reichsführer reçoit ses ordres d'un étranger. Ce Kersten est dangereux. J'aimerais bien savoir qui se trouve derrière lui.

— Vous n'êtes pas assez intelligent pour le découvrir, dit tranquillement Berger qui détestait les gens de la Gestapo. Kersten a le bras plus long que vous tous. Himmler ne vous reçoit que sur demande officielle et en grand uniforme. Kersten, lui, est en ce moment dans sa chambre et le voit en chemise de nuit.

Dans cette même chambre, Himmler, ayant reposé l'écouteur, dit à Kersten :

— Eh bien, votre volonté est faite. (Il se toucha l'estomac.) Mais je vais beaucoup mieux.

Himmler regagna son lit, s'étira, bâilla légèrement. Il était bien, si bien… Pourtant, il avait le sentiment que, cette fois, sa faiblesse envers Kersten avait été trop loin.

— Vous savez, dit-il, je regrette chaque jour de n'avoir pas déporté ce peuple de traîtres en 1941, comme il était prévu. Si je l'avais fait, toutes ces questions ne se poseraient point.

— Rappelez-vous combien vous étiez malade, dit Kersten. Cela vous était physiquement impossible.

— Peut-être, peut-être, murmura Himmler.

Il s'accouda sur l'oreiller et ses yeux gris sombre se fixèrent sur le visage de Kersten. Il dit :

— Je me le demande parfois : auriez-vous eu la même attitude si, au lieu de Hollandais, il s'était agi de Hongrois ou de Turcs ?

Kersten répondit paisiblement :

— Ma conscience est tranquille. Mais, vous, seriez-vous en train de douter de moi ?

— Oh non, je vous assure, non, dit Himmler. Excusez-moi. C'est la fatigue. Il est tard. C'est uniquement la fatigue. Vous voyez bien quelle est ma reconnaissance pour vous, puisque je viens, ce soir, de vous faire cadeau de ces douze hommes.

— C'est juste, Reichsführer, dit Kersten en s'inclinant un peu. Et vous pouvez dormir en paix. Bonne nuit, Reichsführer.

— Bonne nuit, cher monsieur Kersten.

Comme le docteur atteignait la porte, Himmler le rappela pour lui dire :

— Seyss-Inquart m'a donné quelques fruits et quelques friandises. Partageons.

Sans se faire prier davantage, Kersten emporta six pommes et six tablettes de chocolat.

10

Le lendemain, Kersten fit honneur à une promesse dont il avait bien cru qu'il ne pourrait jamais la tenir : il alla voir Thurkow dans sa maison de Wassenaar. Un peu après, arriva Beaufort qui remit au docteur trois grosses enveloppes cachetées et bourrées de papiers à destination de Londres, via Stockholm.

Deux jours plus tard, le 5 février, il était assis à côté de Himmler dans l'avion personnel de ce dernier qui volait vers Berlin. Devant eux étaient posées leurs valises, de même dimension, de même poids. Comme jumelles. Et toutes deux contenaient des documents de première importance. Dans celle de Himmler, il y avait les papiers que lui avait remis la Gestapo de Hollande pour décision suprême. Dans celle de Kersten reposaient les plis du courrier de la Résistance hollandaise, impitoyablement traquée par cette même Gestapo.

Le temps était beau, le vent modéré. Le voyage se fit sans histoire.

Kersten rangea les enveloppes que lui avait confiées Beaufort dans un tiroir de sa maison de campagne, en attendant de les emmener à Stockholm.

11

Le docteur passa encore quelques semaines à bien fixer ses repères pour le projet élaboré par le ministre des Affaires étrangères suédois et à reconnaître définitivement ses alliés, ses ennemis et leur puissance respective.

À Himmler, il ne cita aucun nom, ne formula aucun plan, aucun chiffre. Il dit seulement, d'une façon aussi vague que sentimentale, combien serait noble et grand un chef germanique s'il se montrait pitoyable envers les plus malheureuses victimes des camps de concentration.

Le comportement de Himmler fut aussi prudent que l'avait été l'approche de Kersten. Il ne protesta point, mais n'approuva pas davantage. Il ne dit ni oui, ni non. Il se contenta d'écouter en hochant la tête.

Mais, pour l'instant, Kersten ne demandait rien de plus. La porte des négociations était entrebâillée. Le reste viendrait ensuite.

Alors, sous le même prétexte que la première fois — soigner les mutilés finlandais qu'hospitalisait la Croix-Rouge suédoise — Kersten demanda la permission de se rendre de nouveau à Stockholm. Himmler, cette fois, ne discuta point.

— Je suis d'accord, dit-il, mais n'oubliez pas de revenir.

Et, voyant l'expression de reproche et de chagrin que prenait le visage du docteur, il s'écria, sans même lui laisser le temps de les manifester en paroles :

— Oh pardon, pardon, cher, cher monsieur Kersten ! Les mauvaises habitudes que m'ont données ceux qui m'entourent m'ont fait parler sans réfléchir. Si seulement je pouvais avoir confiance en tout le monde autant qu'en vous !

— Du moment que nous parlons de nouveau en amis, dit Kersten, je veux vous rassurer complètement : pendant ce voyage, mes trois fils resteront à Hartzwalde avec Mlle Elisabeth Lube. Maintenant, grâce à vous, je suis tranquille pour eux : le statut d'extraterritorialité interdit à Kaltenbrunner d'envoyer ses agents chez moi.

Le docteur et sa femme prirent l'avion pour Stockholm, le 1er avril. L'une des valises de Kersten contenait le courrier de la Résistance hollandaise que Beaufort lui avait confié à La Haye. Kersten avait un passeport diplomatique. Le courrier clandestin passa les contrôles sans difficulté. Le jour même de son arrivée, Kersten le remit au baron Van Nagel, ambassadeur en Suède du Gouvernement hollandais réfugié à Londres.

Kersten resta deux mois à Stockholm. Si le séjour fut aussi long, c'est que Gunther, le ministre des Affaires étrangères, tenait au secret absolu de ses entretiens avec Kersten. Il voulait examiner, étudier et fixer seul tous les détails du grand projet. Au ministère même, on ignorait tout des premières démarches que les deux hommes allaient entreprendre auprès de Himmler. Quand il était indispensable de consulter quelque haut fonctionnaire sur une question technique, Gunther le faisait d'une manière détournée, fragmentée, qui ne permettait à personne de soupçonner le dessein dans son ensemble. Cela prenait du temps.

Enfin, au début du mois de juin, Gunther avait tout réglé, tout mis en place, obtenu les autorisations et concours nécessaires. Après une dernière conférence avec Kersten, il lui dit :

— Je n'attends plus qu'un signal de vous pour commencer.

— Et moi, je commence à travailler Himmler dès mon retour, dit le docteur. Je peux compter à fond sur Brandt, beaucoup sur Schellenberg et Berger. Sans doute, nous avons un ennemi terrible : Kaltenbrunner. Mais Himmler est tout de même plus fort que lui.

Gunther demanda :

— En quoi puis-je vous aider ?

— En Allemagne, je n'ai besoin de rien, dit Kersten. Mais ici, je voudrais obtenir deux choses. La première est l'équivalence de mon diplôme de docteur en Suède, pour que je puisse pratiquer chez vous.

Gunther montra d'un hochement de tête qu'il comprenait et approuvait cette précaution. Avec les risques graves que le docteur allait courir et la situation de plus en plus précaire du IIIe Reich, il lui était indispensable de préparer l'avenir.

— Bien, dit le ministre des Affaires étrangères. Et puis ?

— Une autorisation gouvernementale pour louer un petit appartement à Stockholm, que j'ai en vue. Autorisation indispensable, vous le savez, à cause de la crise du logement.

— Ce sera fait, promit Gunther.

Il tint parole. Alors, le docteur dit à sa femme :

— À notre prochain voyage, toute la famille viendra. Nous avons enfin une base pour reprendre un jour une vie normale.

Irmgard Kersten acheta deux lits d'enfant. Puis elle pensa aux draps. Mais comme son mari n'avait pu emporter d'Allemagne que peu d'argent, elle n'en eut pas assez pour des draps de toile ou de coton. Elle dut se contenter de draps en papier.

Le 6 juin 1944, le docteur et sa femme s'envolaient pour Berlin. Avant de partir, ils avaient appris par la radio le débarquement des Alliés en Normandie.

« Mieux vaut avoir des draps de papier en Suède que des draps de soie en Allemagne », s'était dit Kersten.

12

De l'aérodrome de Tempelhof, Kersten et sa femme allèrent directement à Hartzwalde. Le printemps était dans toute sa force. Les prés et les bois embaumaient. Elisabeth Lube, les enfants, les Témoins de Jéhovah reçurent les arrivants avec des transports de joie. Dans l'étable et l'écurie, les bêtes même semblaient heureuses de leur retour.

« Combien de temps encore verrai-je tout cela ? » ne put s'empêcher de penser Kersten.

Il fit une très longue promenade en forêt, rêvant, méditant, comme pour prendre conseil des hautes futaies et des clairières fleuries. Puis il appela au téléphone Hochwald, le Q.G. de Himmler en Prusse-Orientale.

— Je suis là, Reichsführer, dit-il.

— Et votre femme ? demanda Himmler sans transition. J'aimerais beaucoup lui souhaiter la bienvenue.

Le ton ne permettait aucun doute. Cette politesse était un contrôle. Mais quand Himmler reconnut la voix d'Irmgard Kersten, il poussa un véritable cri de joie.

— Comme je suis heureux de vous entendre, dit-il. Et vous ne serez jamais aussi bien qu'en Allemagne et à Hartzwalde. Passez-moi votre mari, je vous prie.

Kersten reprit l'écouteur. Himmler lui dit avec la plus vive amitié :

— Kaltenbrunner m'avait fait peur. Il assure que vous avez retenu un appartement à Stockholm.

— C'est vrai, dit Kersten. Un appartement est beaucoup moins cher que l'hôtel.

— Évidemment ! s'écria Himmler. Votre femme est là, et je me moque bien des calomnies de Kaltenbrunner.

Deux jours plus tard, Kersten était déjà mandé à Hochwald auprès de Himmler très malade.

Dans les séjours qu'il était forcé de faire en Prusse-Orientale, Himmler habitait un baraquement primitif sans aucun confort, bâti à quelques mètres de la voie ferrée, au milieu d'un paysage sinistre. Même quand le Reichsführer était en bonne santé, cette ambiance agissait sur lui d'une façon déprimante. En état de crise, il était doublement malade. Kersten résolut d'utiliser ces conditions favorables à son influence pour passer enfin à l'exécution du plan qu'il avait arrêté avec le ministre des Affaires étrangères de Suède.

Il attaqua dès le premier matin du traitement.

Himmler, couvert de l'une de ses longues chemises de nuit blanches, était couché sous un triste plafond où saillaient les poutres mal équarries, dans un lit très étroit, et très dur, fabriqué en bois grossier par des soldats.

Le docteur s'assit à son chevet sur une chaise de fortune.

Tel était le décor, telle était la situation respective de ces deux hommes à l'instant où ils engageaient un débat qui devait décider de tant de vies.

Tout en pétrissant les nerfs douloureux du Reichsführer, le docteur dit d'un air détaché :

— Je commence à croire, après le débarquement des Alliés, que la guerre ne finira pas comme vous le prévoyez.

— Impossible ! s'écria Himmler.

— On verra cela bientôt, dit Kersten. Mais en tout cas, vous devriez songer au nombre de non-combattants que cette guerre a déjà dévorés dans vos camps de concentration. Quel bien cela peut-il vous faire ? Et, cependant, vous êtes en train de tuer dans ces mêmes camps les derniers survivants de races germaniques : norvégiens, danois, hollandais. Vous appauvrissez, vous détruisez votre propre sang.

L'argument était tiré de la doctrine même que professait Himmler. Aussi, Kersten avait-il choisi de ne parler d'abord que d'un groupe spécifique de prisonniers.

— D'accord, dit Himmler. Mais ces gens se sont mis contre nous.

— Vous êtes l'un des grands chefs germaniques et l'une des grandes intelligences de ce monde, dit Kersten (la vanité heureuse réchauffa pour un instant les pommettes jaunes et saillantes du Reichsführer). Servez-vous de cette grandeur, montrez cette intelligence. Libérez autant qu'il vous est possible de Hollandais, Danois, Norvégiens. Vous sauverez ainsi ce qui reste des peuples de votre race.

— Cette idée est juste, répondit Himmler. Mais comment puis-je en parler à Hitler ? Un seul mot le jettera dans une colère terrible.

— C'est vous qui êtes l'homme le plus puissant en Allemagne, dit Kersten. Pourquoi toujours penser à Hitler ?

— Il est le Führer.

Kersten avança son visage vers celui de son patient, affermit ses mains sur le ventre de son malade et dit, sans changer de voix :

— Une division de vos Waffen S.S. à Berchtesgaden et c'est vous qui devenez le Führer et bien supérieur à Hitler.

D'un geste qu'il ne lui était jamais arrivé de faire, Himmler saisit les poignets du docteur, arrêta le traitement.

— Pensez-vous, pensez-vous vraiment ce que vous dites ? cria-t-il. Moi, aller contre mon Führer ? Mais il représente ce qu'il y a de plus haut pour nous autres Allemands ! Vous connaissez bien les mots gravés sur la boucle de mon ceinturon : « Ma fidélité est mon honneur. »

— Changez la boucle, dit Kersten, et tout est réglé.

— Cher monsieur Kersten, je vous ai une reconnaissance infinie et je vous tiens pour mon seul ami, dit Himmler avec émotion. Mais ne parlez plus jamais de la sorte. La fidélité est un sentiment sacré : je l'enseigne chaque jour à mes soldats.

Kersten redressa son torse massif, l'assura sur la chaise mal rembourrée.

— La fidélité n'est plus la fidélité, quand, du service d'un homme sain, elle passe au service d'un fou, dit-il. Vous m'avez fait lire vous-même le dossier médical de Hitler. Il devrait être dans un asile. Le laisser libre et souverain est votre faute la plus grande. L'Histoire la retiendra contre vous.

À chaque argument, les mains de Kersten s'étaient faites plus lourdes et plus dures sur l'estomac du patient aux nerfs douloureux. Le Reichsführer ne respirait plus que par saccades. Il répondit en ahanant :

— Je… comprends… bien… Mais je… je ne peux… pas… ne… peux… pas…

Kersten appuya plus fort ses paumes et ses doigts qui avaient acquis en vingt années d'entraînement une puissance redoutable. Le corps de Himmler se tordit, se convulsa tout entier.

— Écoutez-moi, dit le docteur impérieusement.

Himmler murmura d'une voix à peine perceptible :

— Quoi… quoi ?

— Donnez-moi, dit Kersten, les internés norvégiens, danois et hollandais.

Le souffle coupé, torturé, Himmler gémit :

— Oui… oui… oui… Mais laissez-moi du temps.

— Agissez seul, continua d'ordonner Kersten. Ne demandez rien à Hitler. Personne ne peut vous contrôler.

— Oui… oui… oui…, haleta Himmler. Vous avez raison, sans doute.

Les terribles mains relâchèrent leur pression. Himmler respira largement, profondément. Il reprit le contrôle de son esprit et chuchota :

— Ce serait épouvantable, si Hitler entendait cette conversation.

Kersten adoucit encore les mouvements de ses doigts et répliqua en riant :

— Quoi ! Vous n'êtes pas capable de vous protéger des espions ! Vous, le seul homme en Allemagne dont on ne peut pas surprendre les entretiens.

— C'est vrai, murmura le Reichsführer. Mais si Hitler apprenait une seule des paroles que nous venons d'échanger…

— Ne pensez plus à cela, dit Kersten amicalement.

Il avait recommencé à traiter Himmler de la façon habituelle. Le malade se sentait revivre. Le docteur reprit, après quelques instants de soins et de silence :

— Cette libération sera facile. À Stockholm, j'ai vu très souvent Gunther, le ministre des Affaires étrangères. Il m'a beaucoup parlé des internés des camps. Il est prêt à faire tout ce qu'il faut en Suède pour les prisonniers nordiques…

Kersten se tut, observa Himmler. En révélant enfin le grand dessein qu'il avait mis au point avec Gunther, le docteur savait qu'il faisait un pas décisif et prenait un risque très grave. Cette entente tramée dans un pays étranger, cette sorte de conspiration — quels sentiments allait-elle susciter chez Himmler ? La fureur ? La crainte ? La méfiance ?

Mais Himmler se trouvait dans cet état de bonheur physique où rien ne lui importait plus que de le conserver, le prolonger.

— Je vois… je vois…, dit-il, sans ouvrir les yeux.

Alors Kersten reprit avec force :

— Les Suédois ne comprennent pas, n'admettent pas les traitements, les tortures que vous infligez aux malheureux dans les camps de concentration. Et surtout aux Norvégiens et aux Danois qui sont leur frères de sang.

Emporté par son propos, Kersten s'écria :

— Ils sont capables de vous déclarer la guerre.

Les paupières du Reichsführer se soulevèrent et, rencontrant son regard, Kersten eut peur d'avoir été trop loin. Mais l'euphorie durait encore et Himmler se mit à rire.

— Oh ça, ça non, mon bon monsieur Kersten, dit-il. Il nous reste assez de force pour bien leur casser la gueule.

Himmler se secoua, se leva joyeusement. Le docteur lui avait donné la gaieté après le bien-être.

— Ce qui m'importe, demanda-t-il, c'est de savoir si vous êtes personnellement intéressé à la libération de ces prisonniers.

— Tout à fait, dit Kersten.

— Alors, je vais y réfléchir, dit Himmler. Je vous dois trop pour ne pas examiner une affaire qui vous tient à cœur. Mais vous n'avez pas besoin d'une réponse rapide ?

— Non, non, dit Kersten. Il me la faudrait cependant pour mon prochain voyage en Suède.

— Très bien, très bien, dit Himmler.

Kersten crut la partie gagnée.

CHAPITRE XI

Le guet-apens

1

En principe, Himmler devait rester assez longtemps à son Q.G. de Prusse-Orientale. Et Kersten savait combien les sentiments de solitude et de tristesse inspirés par Hochwald au Reichsführer renforçaient, à l'ordinaire, le pouvoir qu'il avait sur lui. L'influence du lieu entrait pour beaucoup dans ses calculs de prompte réussite.

Mais Himmler fut brusquement appelé par Hitler à Berchtesgaden, son repaire et son sanctuaire des Alpes bavaroises. Le Reichsführer y retrouva son idole au cœur du Saint des Saints. Kersten ne parvint plus à faire le moindre progrès vers son but. Sans refuser vraiment, Himmler se dérobait à la discussion.

Enfin, vers la mi-juillet, accompagné du docteur, il reprit le chemin de Hochwald. Dès Berlin, où ils s'arrêtèrent quelques jours, Kersten eut l'impression que ses arguments portaient de nouveau, mordaient, pour ainsi dire, sur Himmler, délivré de l'envoûtement sous lequel le tenait son maître. Schellenberg, dans la capitale, aida le docteur d'une manière adroite, discrète, efficace.

Mais il fallut arriver en Prusse-Orientale pour que Kersten sentît son malade retomber, littéralement, entre ses mains. Il fut même surpris de voir quel chemin avait fait dans l'esprit de Himmler l'idée qu'il s'était efforcé de lui imposer avec une persévérance quotidienne.

Le 20 juillet 1944, au début du traitement, Himmler dit de lui-même au docteur :

— Je pense que vous avez raison. Nous ne devons pas exterminer tout le monde. Il faut se montrer généreux envers la race germanique.

— Reichsführer, s'écria Kersten, j'ai toujours su que vous étiez un chef prestigieux… Comme Henri l'Oiseleur.

Dans la chambre sinistre où le docteur soignait Himmler, sa voix résonnait, grave, émue, pénétrée. Cela ne lui était pas difficile. En parlant, il voyait Hollandais, Norvégiens et Danois quitter par milliers les lieux de mort. Sur son lit de bois grossier, le Reichsführer sourit béatement à la louange qui le touchait le plus. Il répéta :

— Oui, je dois être généreux envers la race germanique.

Kersten, alors, demanda avec douceur :

— Et les Français, Reichsführer ? Les Français dont vous avez un si grand nombre dans nos camps de concentration ? Ne voulez-vous pas entrer dans l'Histoire comme le sauveur magnifique d'un grand peuple, d'une haute et noble culture ?

Himmler ne répondit rien et Kersten n'insista pas. Ce silence même justifiait tous les espoirs.

Quand le docteur quitta la chambre du Reichsführer, le succès de la grande entreprise ne faisait pour lui plus de doute. Il calculait déjà la date de son prochain voyage à Stockholm pour y rapporter la réponse favorable de Himmler.

2

Kersten célébra ces perspectives par un énorme repas au mess du Q.G. Ensuite, la chaleur de juillet aidant, il alla faire une sieste.

Son profond sommeil fut interrompu par le chauffeur de Himmler. Le soldat S.S. entra chez lui comme un fou et hurla :

— Debout, docteur, debout ! Il y a eu un attentat épouvantable. Mais le Führer est vivant.

Mal réveillé et sans rien comprendre à ces cris, Kersten voulut interroger le chauffeur. Celui-ci avait déjà disparu, laissant la porte grande ouverte. Kersten bâilla, mit ses vêtements, ses chaussures et se dirigea vers le baraquement de Himmler. Il le trouva debout devant sa table de travail, occupé à feuilleter fébrilement fiches et dossiers.

— Que se passe-t-il ? demanda le docteur.

Himmler répondit rapidement, sans presque desserrer les lèvres :

— On a essayé de tuer le Führer à son Q.G... Une bombe...

Le Grand Quartier de Hitler se trouvait à quarante kilomètres de celui de Himmler. Voilà pourquoi, pensa Kersten, on n'avait pas entendu l'explosion à Hochwald.

Le Reichsführer continuait de trier en hâte des documents.

— J'ai l'ordre, dit-il, d'arrêter deux mille officiers.

— Il y a tant de coupables ? s'écria Kersten. Et vous les connaissez tous !

— Non, dit Himmler. L'auteur de l'attentat est un colonel. C'est pourquoi j'ai l'ordre formel d'arrêter deux mille officiers et je vais l'exécuter.

Himmler détacha des papiers qu'il examinait un dossier et le porta vers le coin de la pièce où se trouvait un appareil de forme singulière. Kersten en connaissait l'usage... C'était une machine destinée à déchiqueter, pulvériser et dissoudre les documents superflus. Himmler y entassa la liasse qu'il tenait et pressa un bouton. L'appareil se mit en marche.

— Que faites-vous ? demanda Kersten.

— Je détruis notre correspondance de Stockholm... on ne sait jamais..., dit le Reichsführer.

Dans ce geste, dans cette peur, Kersten vit en une seconde tous ses efforts, tous ses espoirs réduits au néant, comme l'étaient les papiers entre les dents métalliques. Il s'écria :

— Quel malheur que l'attentat n'ait pas réussi ! La route serait libre pour vous.

Himmler se retourna, comme brûlé à vif. Il y avait une expression d'égarement sur son visage. Les pommettes mongoloïdes tressautaient.

— Est-ce que vous croyez vraiment que le succès de l'attentat aurait été bon pour moi ? demanda-t-il dans un souffle.

Puis, voyant que le docteur s'apprêtait à répondre, il cria d'une voix suraiguë, hystérique :

— Non, non, taisez-vous ! Je n'ai pas le droit d'y penser. Je vous défends d'y penser ! Il est épouvantable d'avoir des pensées pareilles ! Je suis plus fidèle que jamais à mon Führer et je vais exterminer tous ses ennemis.

— Alors, dit Kersten, il vous faut tuer 90 % de votre peuple. Vous me l'avez assuré vous-même : depuis les revers militaires, il n'y a pas 20 % de la nation allemande qui soit pour Hitler.

Himmler resta silencieux. Puis, comme pour se venger de son propre désespoir, il dit avec une violence glacée :

— Je pars tout de suite dans mon avion pour Berlin. À l'aérodrome de Tempelhof m'attendent déjà Kaltenbrunner et toute son équipe. (Il serra les dents, ce qui fit saillir ses pommettes.) Nous allons nous mettre au travail sans délai.

Himmler devina sans doute le dégoût et l'horreur que soulevaient ses paroles chez Kersten. Il ajouta sèchement :

— Quant à vous, prenez le train, je vous prie, aujourd'hui même et attendez mes instructions à Hartzwalde.

3

Kersten passa dix jours dans son domaine sur lequel l'été, depuis l'aube jusqu'au crépuscule, étalait sa magnificence. Une paix merveilleuse régnait, le long des ruisselets, au cœur des bois, dans les chambres fraîches. Les trois garçons jouaient au soleil. Les herbes, les branches craquaient de chaleur ou bruissaient sous les brises nocturnes.

Pendant ce temps, Himmler, Kaltenbrunner et leur meute sillonnaient toute l'Allemagne dans une chasse à l'homme sans merci. Des conspirateurs avaient osé attenter à la vie du Führer. Innocents et coupables payaient par centaines ce crime de lèse-majesté, ce sacrilège. Les tortionnaires faisaient éclater les os et les membres. Les bourreaux suppliciaient par la potence et la hache. On vit des officiers en uniforme pendus dans les boucheries, la gorge prise aux crocs faits pour les quartiers de viande.

Kersten, par toute la puissance de concentration intérieure que lui avait enseignée le docteur Kô, refusait de laisser son esprit ouvert à ces images. Il devait profiter du repos, du répit qui lui étaient accordés. Bientôt il aurait besoin de toutes ses forces pour reprendre Himmler en main, pour le persuader à nouveau de libérer les prisonniers des camps de mort, Himmler, rendu à sa fidélité fanatique par l'attentat contre Hitler, éperonné par la peur et la rage démentes de son maître qui voulait voir fumer partout le sang des sacrifices.

Himmler qui chassait l'homme, avec, pour compagnon, pour allié, pour double dans la torture et l'assassinat, l'ennemi majeur, déchaîné : Kaltenbrunner.

4

Le 1er août, de très bonne heure, Kersten fut appelé de Hochwald au téléphone. Himmler avait regagné son Q.G. Il souffrait beaucoup à la suite du travail intense qu'il venait de fournir. Le docteur était prié de prendre, dans l'après-midi même, en gare de Berlin, le train particulier du Reichsführer pour la Prusse-Orientale.

Kersten déjeuna avec sa famille tranquillement, à loisir. Il avait commandé sa voiture pour trois heures. C'était plus que suffisant. Le train partait assez tard dans l'après-midi. Quant à la route, il l'avait faite tant de fois que son vieux chauffeur en connaissait toutes les lignes, toutes les courbes et chaque rue dans Oranienbourg, la seule ville de quelque importance à traverser.

Ayant bien mangé, ayant bu son café riche en sucre, Kersten embrassa les siens et se dirigea vers son automobile.

Le chauffeur lui avait déjà ouvert la portière, quand apparut une motocyclette militaire lancée à la limite de sa vitesse.

Le soldat S.S. couvert de poussière et de sueur freina juste devant Kersten, sauta de selle et lui tendit un pli en disant :

— De la part du colonel Schellenberg. Très urgent, Herr Doktor.

Kersten prit le message, et, ainsi qu'il faisait toujours en pareille occasion, envoya le soldat se restaurer et se rafraîchir à la cuisine. Puis il décacheta la lettre paisiblement et sans grande curiosité. Schellenberg expédiait souvent à Kersten une note ou une réponse confidentielles pour l'éclairer ou l'épauler dans ses démarches auprès de Himmler.

L'enveloppe renfermait une lettre écrite sur papier de format ordinaire. Mais cette feuille en contenait une autre beaucoup plus petite, pliée en quatre, qui tomba par terre sans que le docteur s'en aperçût. Il s'adossa confortablement contre sa voiture, posa sa canne près de lui et se mit à lire.

Dès qu'il eut compris les premiers mots, les traits de son visage devinrent comme pétrifiés. Schellenberg écrivait :

« Attention… Kaltenbrunner a pris des mesures pour vous faire assassiner. Soyez d'une prudence extrême. Le danger est imminent. Malgré toute la protection que Himmler vous accorde, Kaltenbrunner a décidé de vous tuer. »

Le message s'arrêtait là. Kersten respira profondément et secoua la tête, comme étourdi par un coup violent. Il aperçut alors la feuille de format plus réduit qui gisait à ses pieds. Il la ramassa avidement. Elle disait : « Ne suivez pas votre itinéraire habituel par Oranienbourg. Prenez l'autre route, celle qui fait le détour par Templin. Votre chemin habituel est un risque de mort. »

Le premier mouvement de Kersten, tout instinctif, fut de retourner dans sa maison et prendre au fond d'un tiroir le gros revolver qu'il avait le droit de porter par une autorisation spéciale de Himmler. Il l'enfouit dans la poche de son manteau. Après quoi, il se mit à réfléchir. Fallait-il suivre l'avis de Schellenberg ? Sans doute, leurs rapports étaient excellents. Mais cela ne suffisait point pour qu'il eût une confiance aveugle dans le chef de l'espionnage des Waffen S.S. Le seul ami véritable et sûr qu'il possédait parmi les hommes qui entouraient Himmler était Brandt. L'ambition et ses calculs glacés dominaient tout pour Schellenberg. Son conseil pouvait être une ruse, un stratagème, voire un moyen de se débarrasser de Kersten. Pour quelle raison ? Au profit de qui ? Comment le deviner dans cette guerre larvée, mais impitoyable, d'intrigues et de contre-intrigues que se livraient, pour la prééminence, les lieutenants de Himmler ?

Le docteur essuya d'une main quelques gouttes de sueur sur son visage. L'autre serrait le revolver dans la poche de son manteau léger.

« Du calme, se dit Kersten… Raisonnons ! »

Il repassa dans son esprit tout ce qu'il connaissait du caractère de Schellenberg. Celui-ci n'avait auprès du Reichsführer qu'un rival dangereux, qu'un ennemi juré : Kaltenbrunner. Or, c'était juste l'instant où un sanglant travail exécuté en commun avec Himmler donnait au chef de la Gestapo le plus de chances pour supplanter le chef de l'espionnage dans la faveur du maître.

Devant une menace aussi grave, l'intérêt de Schellenberg devait l'inciter non seulement à ménager le docteur, mais encore à lui rendre un service insigne — afin que Kersten, par réciprocité, le soutînt auprès de Himmler contre Kaltenbrunner. C'était, pour Schellenberg, le meilleur moyen de redresser le fléau de la balance.

Un bruit de moteur à deux temps s'éleva dehors. Kersten sortit de sa maison pour voir le motocycliste S.S. disparaître au tournant de l'allée.

Kersten monta dans sa voiture et dit à son chauffeur :

— On part… Mais aujourd'hui nous ne passerons point par Oranienbourg… J'aime mieux l'autre route, celle de Templin… pour changer un peu.

Le voyage se fit sans le moindre incident. Kersten arriva en gare de Berlin à l'heure voulue pour prendre le train spécial affecté au Q.G. de Himmler. Une fois enfermé dans son compartiment, Kersten relut avec attention les deux lettres de Schellenberg. Il était démontré qu'elles n'avaient pas servi de piège. Mais comment deviner si l'avis qu'elles donnaient n'était pas une invention, un bluff pour mériter, à bon compte, la reconnaissance que l'on doit à un sauveur ?

5

Kersten arriva le lendemain matin à l'embranchement de voies ferrées qui desservait Hochwald. La voiture personnelle de Himmler l'y attendait pour le conduire sans délai au baraquement du Reichsführer. Le docteur le trouva allongé sur son mauvais lit et tordu de crampes.

Il commença par le soigner. Himmler se sentit très vite beaucoup mieux. Il y eut une pause dans le traitement.

— Quelle chance j'ai, cher monsieur Kersten, dit Himmler, de vous voir dès que j'ai besoin de vous.

— Cette fois, pourtant, dit le docteur du ton le plus paisible, cette fois vous avez bien failli ne plus me voir du tout.

— Pourquoi ? Comment ? s'écria Himmler.

— Je crois que j'ai échappé à un grand danger, répondit Kersten. À un danger de mort... À un assassinat.

Himmler considéra un instant Kersten avec une sorte d'embarras.

— Je ne comprends point, dit-il. Vous plaisantez ou bien...

Kersten éleva un peu la voix. Elle vibrait d'une émotion qu'il n'arrivait pas à contenir.

— J'ai des raisons de croire, dit-il, que Kaltenbrunner a voulu me faire tuer.

Himmler cria :

— Allons donc ! Rien ne peut se passer en Allemagne sans que je le sache.

— Eh bien, pour une fois, vous ne saviez pas.

Himmler, d'une secousse, s'assit sur le bord de son lit. Ses doigts, sans qu'il s'en aperçût, tiraient fébrilement sur les boutons de sa chemise de nuit.

— Mais quoi donc ? s'écria-t-il. Qu'est-ce que je ne sais pas ?

Kersten prit dans sa poche les deux messages de Schellenberg, les tendit au Reichsführer en disant :

— Lisez, je vous prie.

Himmler arracha les lettres des mains du docteur, les parcourut.

— Mon Dieu ! Mon Dieu ! s'écria-t-il. Ce n'est pas possible ! Mon Dieu.

Il étendit un bras, appuya sur la sonnette placée au chevet de son lit. Un Waffen S.S. de garde accourut.

— Brandt ! Tout de suite ! ordonna Himmler.

Le secrétaire particulier fut dans la pièce un instant plus tard.

Toujours assis sur son lit de bois grossier et couvert seulement de sa chemise de nuit, Himmler dit très vite et à mi-voix :

— Écoutez, Brandt. J'ai une mission de la plus haute importance à vous confier. Et il faut l'accomplir avec une discrétion extrême. Lisez ces lettres… Bien… Vous est-il possible de savoir à Berlin si tout cela est vrai, sans que personne ne se doute que vous faites une enquête à ce sujet ?

— Comptez sur moi, Reichsführer, dit Brandt.

6

Dès le lendemain, Brandt était de retour.

Il n'expliqua pas où ni comment il avait trouvé ses renseignements. Ce n'était pas nécessaire. Les services secrets ont leur loi comme la jungle. Kaltenbrunner entretenait des agents doubles dans les réseaux de Schellenberg et Schellenberg avait les siens dans ceux de Kaltenbrunner. Et Brandt, pour le compte de Himmler, payait en argent et en protection les informateurs de premier ordre qu'il s'était ménagés aussi bien dans l'entourage du chef de la Gestapo qu'auprès du chef de l'espionnage. Tout cela — sur un fond trouble de rivalité, de méfiance, de haine qui parfois allaient jusqu'au crime.

Ce fut au moment où Himmler se faisait soigner que Brandt reparut à Hochwald. Il lui remit son rapport en présence de Kersten.

Le Reichsführer et le docteur en prirent connaissance ensemble.

Schellenberg n'avait dit que la vérité. Kaltenbrunner avait minutieusement préparé un guet-apens pour assassiner Kersten. Sans l'avertissement reçu par le docteur, le guet-apens ne pouvait manquer de réussir.

Le rapport en démontait le mécanisme.

Kaltenbrunner qui, après leur travail jumelé de bourreaux, était revenu à Hochwald avec Himmler, avait appris de ce dernier, le 31 juillet au soir, que, le jour suivant, Kersten serait rappelé de son domaine au Q.G. Cela signifiait qu'il devait prendre le train spécial à Berlin, le 1er août, dans l'après-midi.

Les services de Himmler savaient que, pour se rendre de Hartzwalde à Berlin, le docteur suivait toujours la route la plus courte, qui passait par Oranienbourg. Or, vingt kilomètres avant cette ville, le docteur avait à traverser un petit bois planté des deux côtés de la route.

Dans la nuit du 31 juillet au 1er août, Kaltenbrunner avait donné par téléphone à ses collaborateurs les ordres suivants :

Vingt agents de la Gestapo, choisis parmi les plus sûrs, et armés de mitraillettes, devaient se rendre immédiatement au petit bois situé entre Oranienbourg et le domaine de Kersten et, profitant de l'obscurité, s'y embusquer à droite et à gauche de la route.

Ce commando était chargé d'attendre le passage de la voiture du docteur que l'on connaissait bien et de l'arrêter pour vérification de papiers. Dès que le chauffeur aurait obéi, les hommes de Kaltenbrunner avaient pour instruction de l'abattre en même temps que Kersten. Après quoi la voiture serait percée de balles comme une écumoire.

L'assassinat exécuté, le chef du commando devait rejoindre Kaltenbrunner en tout hâte et lui annoncer que des automobilistes auxquels il avait donné l'ordre de stopper ne l'avaient pas fait et qu'il avait été obligé de faire tirer sur eux. Et un grand malheur était arrivé : parmi les occupants de la voiture se trouvait le docteur Kersten qui avait été tué.

Il ne serait plus resté à Kaltenbrunner qu'à se présenter devant le Reichsführer et lui offrir toutes ses excuses, tous ses regrets.

Le rapport s'achevait là-dessus.

— C'était donc vrai, murmura Himmler.

Sa voix demeurait incrédule.

— Et vous ne pouviez rien reprocher à Kaltenbrunner ni à ses hommes, Reichsführer, dit Brandt. Il avait trouvé un prétexte inattaquable. Vous vous rappelez votre propre circulaire à propos des prisonniers de guerre évadés, qui volent souvent des automobiles pour arriver plus vite aux frontières : tirer immédiatement sur les voitures qui ne s'arrêtent pas à la première sommation.

— C'était donc vrai ! répéta Himmler.

Mais, cette fois, sa voix était devenue plus aiguë et il faisait glisser ses lunettes de haut en bas et de bas en haut sur son front.

Kersten dit lentement :

— Alors... si Schellenberg...

Il n'acheva pas. Il avait la bouche trop sèche.

— Oui, dit Brandt… Oui… Vous avez eu la chance qu'il ait été averti du complot par un aide de camp personnel de Kaltenbrunner qui est à sa solde.

— Juste à temps, murmura Kersten.

Il pensait au motocycliste qui l'avait rejoint dans son domaine au moment même où il allait en partir… Et il voyait le petit bois, avant Oranienbourg, qu'il connaissait si bien et son fidèle chauffeur mitraillé à bout portant… et lui-même…

Himmler s'habilla avec une brusquerie furieuse. Quand il eut mis son uniforme, il regarda sa montre. Il était deux heures.

— Nous allons déjeuner, dit Himmler à Kersten.

Puis à Brandt :

— Transmettez à Kaltenbrunner que je le veux avec nous.

7

Un wagon-restaurant attaché au train spécial servait de mess au Reichsführer.

Ce jour-là, cinq personnes y déjeunèrent. À la table pour quatre se trouvaient assis d'un côté Himmler et Kaltenbrunner, de l'autre, le général Berger et Kersten. Le docteur faisait face au chef de la Gestapo.

À la table pour deux, séparée par le passage qui traversait le wagon-restaurant, était assis, seul, modeste, effacé, Rudolph Brandt.

Le repas commença en silence. Himmler et Kersten avaient les nerfs trop tendus pour entamer la conversation. Le général des Waffen S.S. était de nature taciturne. Kaltenbrunner parla le premier. Il s'adressa au docteur à travers la table, avec une politesse pesante, empreinte d'une ironie encore plus lourde.

— Eh bien, Herr Doktor, demanda-t-il, comment vont les choses pour vous, dans cette belle Suède neutre où vous aimez tant séjourner ?

Les yeux d'un noir mat, la bouche épaisse et cruelle, les traits durcis — tout chez Kaltenbrunner exprimait, à l'égard du docteur, une haine portée à un point morbide et qu'il lui était impossible de dissimuler. Comme Kersten semblait hésiter à répondre, le chef de la Gestapo reprit, sur un ton de provocation grossière :

— Vos affaires doivent être excellentes à Stockholm, puisque vous y avez un appartement.

— Eh bien non, dit Kersten très simplement et en regardant Kaltenbrunner bien en face. Elles sont très mauvaises. Je suis sans travail là-bas.

Kaltenbrunner, surpris, se rejeta un peu en arrière.

— Comment ? s'écria-t-il. Vous aviez du travail en Suède ?

Kaltenbrunner considéra le visage crispé du Reichsführer qui jouait nerveusement avec sa fourchette, puis la figure impassible de Berger, et demanda à Kersten :

— Mais quel était donc ce travail ?

— Vous le savez fort bien, voyons, répondit Kersten. Depuis cinq ans les services secrets britanniques me payaient pour tuer le Reichsführer Himmler. Comme je n'ai pas réussi, j'ai perdu mon emploi.

Kaltenbrunner ne fut pas capable de cacher le désarroi que lui inspirait une réponse aussi folle. Pour un instant, ses yeux prirent une expression effarée, stupéfaite, stupide. Il les reporta sur Himmler. Il vit alors que ce dernier commençait à triturer la monture de ses lunettes.

— Le plus grave, lui dit Himmler, c'est que le docteur a failli perdre son emploi ici même... Et par vos soins.

Maintenant, les lunettes du Reichsführer, agitées par ses doigts fébriles, montaient et descendaient en saccades le long de l'arête du nez et, sur le front, des sourcils à la naissance des cheveux. Kaltenbrunner savait mieux que personne reconnaître en ces mouvements un signe de colère dangereuse. Il eut peur et on le vit.

Himmler dit avec une dureté impitoyable :

— Écoutez-moi bien, Kaltenbrunner : vous n'auriez pas survécu à Kersten plus d'une heure. Vous m'avez bien compris ?

— Parfaitement, Reichsführer, dit le chef de la Gestapo.

— Je l'espère, reprit Himmler sur le même ton sans merci. Et j'espère que vous et le docteur Kersten vous vivrez longtemps et en bonne santé. J'attache beaucoup trop d'importance à cette question pour qu'il en soit autrement. Je n'admettrai aucun hasard dans ce domaine. Retenez bien ceci, cher Kaltenbrunner : il serait très, très dangereux pour vous qu'il arrivât le moindre accroc à la santé du docteur Kersten.

Le repas se termina, comme il avait commencé, en silence. Kersten s'y montra très frugal. Le fait d'avoir pour vis-à-vis l'homme qui avait voulu et failli être son assassin lui coupait l'appétit.

Il n'attendit même pas qu'on servît le café pour se retirer dans le compartiment de wagon-lit qui lui était réservé. À l'ordinaire, il y faisait une sieste. Mais, ce jour-là, il n'avait pas davantage sommeil que faim. Il sortit de sa valise le cahier où il tenait son journal et nota les détails de la scène à laquelle il venait de prendre part.

Ensuite, le docteur s'allongea sur sa couchette et se mit à songer. Il pensa au hasard providentiel qui lui valait d'être encore en vie. Il pensa que, maintenant, il était à l'abri des embuscades de la Gestapo, puisque l'existence de Kaltenbrunner répondait de la sienne. Mais, pour garantir sa sécurité, il fallait tout le pouvoir immense de Himmler et le besoin absolu que celui-ci avait de ses soins. Combien d'hommes, qui ne jouissaient pas de cette protection, étaient poursuivis par Kaltenbrunner ou par des gens pareils à lui ! Ceux-là étaient condamnés sans recours, sans histoire.

À cause du danger qu'il avait couru, Kersten se sentit plus proche, plus solidaire que jamais de ces malheureux.

CHAPITRE XII

Contrat au nom de l'Humanité

1

L'assassinat manqué ne fit que renforcer l'amitié de Himmler pour Kersten. Parce qu'il avait failli le perdre, son docteur miraculeux lui devint encore plus indispensable et plus cher. Kersten sut profiter de ces dispositions. Quand il partit, au bout d'une semaine, pour son domaine, le Reichsführer était sur le point d'accepter le plan de Gunther.

Le lendemain de son arrivée à Hartzwalde, le docteur reçut la visite de Mlle Hanna von Mattenheim. C'était une amie de Karl Venzel, le plus grand propriétaire terrien d'Allemagne, homme d'une soixantaine d'années, que Kersten soignait depuis longtemps et pour lequel il avait une estime et une reconnaissance très vives. En effet, Venzel avait, sans ménager son temps ni ses efforts, conseillé Kersten pour l'achat de Hartzwalde et l'avait guidé de ses avis précieux dans l'exploitation de ce domaine.

Mlle von Mattenheim dit au docteur :

— Depuis le 31 juillet, c'est-à-dire depuis dix jours, notre bon ami Karl a disparu. On parle de son arrestation, mais on ne sait rien de précis. Tous ceux qui tiennent à lui sont affreusement inquiets.

Kersten appela aussitôt Brandt, par téléphone, au Q.G. de Himmler, en Prusse-Orientale. Mais Brandt ne savait rien au sujet de Venzel. Tout ce qu'il pouvait dire c'est que des milliers et des milliers de personnes avaient été arrêtées à la suite de l'attentat contre Hitler.

Brandt promit à Kersten qu'il ferait tout pour obtenir les informations nécessaires et Kersten promit à Mlle von Mattenheim que, si un malheur était arrivé à Venzel, il userait de toute son influence auprès de Himmler en sa faveur. Elle partit rassurée.

Trois jours plus tard, Kersten reçut la visite d'une autre de ses amies, Mme Imfeld, d'origine allemande, mais devenue suisse par mariage. Elle aussi venait demander secours au docteur. Il s'agissait toutefois d'une question très différente.

— La Suisse est prête, dit Mme Imfeld, à recueillir vingt mille internés juifs si on réussit à les tirer des camps de concentration. Ce plan a été conçu par quelques grands industriels suisses qui travaillent avec la Croix-Rouge. Ils ont l'accord du gouvernement de Berne.

Kersten s'engagea à soumettre ce projet à Himmler et à le soutenir auprès de lui.

2

Le 17 août 1944, rappelé par le Reichsführer qui désirait ses soins, Kersten prit une fois de plus, à Berlin, le train spécial pour le Q.G. de Prusse-Orientale.

À peine fut-il arrivé à Hochwald qu'il s'informa du sort de Karl Venzel auprès de Brandt. Celui-ci avait trouvé le dossier du grand propriétaire terrien. Il le laissa lire à Kersten.

Le docteur vit alors que les pires craintes sur le sort de Venzel étaient justifiées. La Gestapo l'avait arrêté le 31 juillet, à Halle. On l'accusait d'avoir participé au complot contre Hitler, en qualité d'ami intime du docteur Gördeler, l'un des principaux conjurés du 20 juillet, et qui devait prendre la place du Führer à la tête d'un gouvernement provisoire. Dans ce gouvernement, Gördeler — disait le rapport de la Gestapo — avait choisi, pour le ministère de l'Agriculture, Karl Venzel.

Quand Kersten eut pris connaissance de ces accusations terribles, Rudolph Brandt lui dit :

— Le document est ultra-secret. Il m'est interdit de le montrer à qui que ce soit, même à vous. Feignez de l'ignorer et interrogez Himmler lui-même.

Kersten posa la question au cours du premier traitement qu'il donna au Reichsführer. La réponse fut d'une violence et d'une grossièreté extrêmes. Himmler, ce qui lui arrivait très rarement, éclata contre Venzel en insultes obscènes, ordurières. Puis il cria :

— C'est un des pires traîtres et des pires ennemis du Führer. Un ignoble ! Il n'a pas le droit de vivre.

Kersten calma Himmler, en lui rappelant que rien n'était plus mauvais pour son système nerveux que ces accès de rage, puis il dit solennellement :

— Reichsführer, je connais bien mon ami. Il n'a jamais proféré un mot soit contre Hitler, soit contre vous-même. Tout ce qu'on lui reproche n'est que le fruit de calomnies et d'intrigues.

— Je suis certain du contraire, répliqua Himmler. Mes rapports proviennent d'hommes sûrs et objectifs.

La discussion — passionnée — se prolongea pendant tout le traitement et continua même lorsqu'il fut achevé. Au bout d'une heure, Himmler y mit fin par cette déclaration :

— Tout ce que nous pouvons dire n'a aucune valeur. Hitler lui-même, personnellement, m'a donné l'ordre d'arrêter Venzel. Et cet ordre, il me l'a fait répéter par son officier d'ordonnance.

Kersten vit qu'il n'y avait aucun espoir de faire libérer son ami. Du moins essaya-t-il d'éviter le pire. Il dit :

— Je vous comprends, Reichsführer. Il vous est impossible de relâcher Venzel. Mais ce que vous pouvez faire, c'est épargner sa vie. Après la guerre et la victoire dont vous êtes toujours sûr, n'est-ce pas ? vous aurez tout loisir d'être généreux à son égard.

— Bon, bon, c'est entendu, soupira Himmler avec lassitude.

Puis il hocha la tête et dit :

— Vraiment, vous n'avez que des gens de mauvais aloi pour amis.

— Vraiment ? demanda Kersten. Mais vous alors, Reichsführer ? N'êtes-vous pas aussi mon ami ?

Himmler se mit à rire.

— Oh, dit-il, vous en avez tout de même quelques-uns d'acceptables...

Il considéra très affectueusement le gros homme qui lui donnait bonne santé, bonne humeur et ajouta :

— Je vous promets de traiter le cas de Venzel dans l'esprit le plus généreux.

— Donnez-moi votre main, dit Kersten avec solennité. Et votre parole de chef germanique de tenir cette promesse.

— Vous l'avez, dit Himmler.

3

Une semaine plus tard, en pleine nuit et alors que Kersten dormait profondément dans son compartiment, le train spécial de Himmler se mit en marche. Il conduisit le Reichsführer et son état-major jusqu'au Q.G. de l'Ouest, à Berchtesgaden. Himmler y occupa un petit chalet très simple.

C'est là que, plaidant une fois de plus en faveur du plan élaboré par Gunther et lui-même à Stockholm, le docteur obtint enfin de Himmler cette réponse :

— Pour les Danois et les Norvégiens, d'accord : ils seront libérés. Pour les Hollandais, on verra ensuite.

Kersten remercia le Reichsführer avec effusion et grandiloquence. Il ajouta :

— Vous pourriez encore prendre une mesure qui établirait à jamais votre gloire. La Suisse est prête à recueillir vingt mille internés juifs. Une simple signature de vous y suffirait.

Instinctivement, Himmler tourna la tête vers la colline au sommet de laquelle vivait son maître. Et il baissa la voix pour dire :

— Ce que vous demandez est terriblement difficile. Tout ce qui touche aux Juifs est terriblement difficile.

Mais Kersten insista, revint à la charge chaque jour, infatigablement, inépuisablement. Himmler finit par céder à moitié.

— Attendons que vous reveniez de Suède.

Par ces mots, et avant que le docteur le lui ait demandé, il autorisait le troisième voyage à Stockholm.

— Je compte partir fin septembre, dit Kersten.

On était fin août. Himmler traversa de nouveau l'Allemagne pour rejoindre son Q.G. en Prusse-Orientale. Kersten s'arrêta à Hartzwalde. La réussite du grand dessein ne faisait plus de doute pour lui, maintenant.

Un nouvel obstacle se dressa tout à coup et, de tous, le plus dangereux.

4

Le premier soin et la première joie du docteur, quand il retrouva les siens, fut d'annoncer à sa femme qu'elle avait à prévoir et à préparer son départ définitif d'Allemagne avec leurs trois garçons.

— Tu as vraiment l'autorisation de Himmler pour nous tous ? s'écria Irmgard Kersten.

— Je l'aurai, dit le docteur. Sa confiance en moi est arrivée au point où je peux vous laisser à Stockholm sans qu'il s'en inquiète. Pourvu que je revienne — c'est tout ce qu'il demande.

Les deux époux convinrent alors des meubles et des objets qu'ils pourraient emmener pour l'installation de la famille en Suède. Il fut également décidé qu'Elisabeth Lube, en l'absence de la femme du docteur, dirigerait le domaine.

Kersten reprit sa douce routine de Hartzwalde : gros repas, sommeils profonds, rêveries, promenades. Depuis longtemps il n'avait connu une telle paix intérieure, car elle était nourrie de la certitude qu'il avait d'apporter bientôt une réponse favorable à Gunther.

Le surlendemain de son arrivée, au moment de

partir pour sa promenade habituelle à travers les bois touchés déjà par les teintes de l'automne, le docteur consulta machinalement sa montre, vit qu'il était l'heure des informations, tourna le bouton de la radio. Et soudain tous ses projets, les plus immédiats comme les plus lointains, lui parurent inutiles, absurdes.

Avant même de lire le communiqué militaire, le speaker annonçait la nouvelle capitale du jour : la Finlande avait demandé un armistice à la Russie et rompu les relations diplomatiques avec l'Allemagne.

Le pays auquel appartenait Kersten non seulement n'était plus allié au IIIe Reich, mais l'abandonnait, passait au camp adverse !

Le speaker continuait de parler : l'ambassadeur de Finlande, quoique protégé par son statut, était assigné à résidence forcée.

L'ambassadeur Kivimoki, le grand ami de Kersten…

Kersten regarda par la fenêtre, vit le bon cheval attelé qui l'attendait paisiblement, haussa les épaules. Cette promenade n'avait plus de sens. Et son voyage en Suède, pas davantage. Le speaker égrenait d'autres nouvelles. Kersten fit taire sa voix. Il pensait : « Rien de mieux ne pouvait arriver à la Finlande. Mais que va-t-il advenir de moi, de ma famille, des plans que nous avions faits avec Gunther ? »

Il alla s'asseoir à son bureau, la tête entre les mains, et tenta de réfléchir. En vain. Une seule idée l'obsédait : Kaltenbrunner allait bien rire maintenant !

Enfin Kersten se leva d'un mouvement lourd et alla téléphoner à Brandt. Il était sûr que le tout premier propos de celui-ci aurait pour objet le revirement de la Finlande. Mais le secrétaire particulier du Reichsführer s'adressa au docteur comme si rien n'était arrivé de nouveau. Il parla simplement, affectueusement, ainsi qu'à l'ordinaire. Puis il transmit à Kersten les amitiés de Himmler et l'informa que ce dernier allait partir en voyage dans quelques instants, mais qu'il priait le docteur d'être à Hochwald le 8 septembre.

Kersten gardait l'écouteur à la main, sans se résoudre à répondre, ni à poser la question essentielle. Il avait peur de faire un faux pas, de tomber dans un piège. Brandt comprit la signification de ce silence.

— Vous avez entendu la radio ? demanda-t-il.

— Oui… en effet… oui, dit Kersten en hésitant.

— Parfait, dit Brandt. Voici exactement le message que vous adresse Himmler à ce sujet : « Soyez sans inquiétude. »

Brandt raccrocha. Le docteur considéra un instant l'écouteur sans faire un mouvement. Himmler avait tenu à le rassurer… Himmler avait dit…

Kersten alla s'asseoir dans son fauteuil.

Oui, les crampes de Himmler lui garantissaient sa sécurité et celle de sa famille. Mais qu'allait devenir la mission que Gunther lui avait confiée ?

5

Le 8 septembre 1944, le train spécial de Himmler amena Kersten à Hochwald. L'ordonnance du Reichsführer l'attendait sur le quai pour le conduire directement au baraquement où logeait celui-ci. Le docteur était assez anxieux. Il savait combien Himmler pouvait changer d'humeur selon l'état de sa santé. Or, depuis sa dernière conversation téléphonique avec Brandt, non seulement Kersten n'avait pas entendu parler de Himmler, mais encore la Finlande, poussant son attitude aux conséquences extrêmes, avait déclaré la guerre à l'Allemagne.

Par chance, il rencontra Brandt sur le chemin qui le menait au baraquement de Himmler.

— Vous voilà enfin ! s'écria Brandt. Le patron va très mal.

— Merci, dit Kersten. Vous ne pouviez pas me donner meilleure nouvelle.

Le docteur trouva Himmler couché sur son méchant lit de bois. Le Reichsführer ne bougea pas en apercevant Kersten. Son corps était tendu, crispé, noué. Ses yeux gris sombre, fixés sur le docteur, avaient une expression d'une intensité inquiétante et dont Kersten ne put comprendre si elle était souffrance ou haine.

Sans un mot d'accueil, sans la moindre transition, Himmler éclata en invectives, menaces, injures contre la Finlande et ses dirigeants.

— Vous autres, Finnois, criait-il, quelle sale bande de traîtres ! Je voudrais bien savoir ce que ces ordures de Rytti et de Mannerheim ont touché des Anglais et des Russes pour se vendre aux bolcheviks. Je n'ai qu'un regret : ne pas avoir fait pendre ces cochons avant ! (La voix de Himmler montait, montait de ton.) Oui, les pendre ! Et liquider tout le peuple finlandais ! D'un seul coup ! Il ne méritait que ça ! Hitler me l'a dit cette nuit… Exterminer… Exterminer !

Pour une fois, Kersten laissait à Himmler toute liberté de hurler, de glapir sa fureur. Il ne répondait rien. Il savait que les crampes devenaient plus déchirantes dans la mesure même où croissait la colère enragée de son malade.

Soudain, l'écume aux lèvres, Himmler cria sur une note encore plus aiguë et plus hystérique :

— Mais qu'est-ce que vous fabriquez à rester là immobile et muet comme un bout de bois ! Faites quelque chose, nom de Dieu de nom de Dieu ! Je n'en peux plus ! J'ai trop mal.

Kersten se mit à l'œuvre, afin de soulager ses tourments. Et la magie dont Himmler avait connu le premier bienfait dès 1939, au dernier printemps de paix, retrouva tout de suite les canaux et les ramifications par où cheminaient ses effluves. Le vieux mécanisme joua sans effort, sans bavure. Himmler sentit descendre en ses nerfs la bénédiction de la détente, du repos. Il respirait mieux à chaque seconde et enfin librement. La douleur cédait, s'amenuisait, s'atténuait, s'en allait. Il connut de nouveau la félicité des convalescents. Des larmes de gratitude embuèrent ses yeux pour l'homme qui, encore une fois, l'avait sauvé de l'abominable torture. Cet homme appartenait à un peuple félon ? Belle affaire en vérité ! Il n'existait aucune commune mesure entre ces traîtres, ces chiens, et le bon docteur Kersten qui le soignait avec tant de succès et de dévouement.

Le regard de Himmler s'arrêta sur les mains du docteur. Voilà cinq années que, fortes, douces, habiles, miraculeuses, elles extirpaient la souffrance de son corps. Et, depuis cinq années, le docteur était le seul homme au monde auquel Himmler avait pu livrer toujours davantage ses espoirs, ses craintes, ses rêves. Quel médecin ! Quel confident ! La Finlande aurait pu se montrer cent fois plus ignoble encore — et perfide — que Kersten restait le guérisseur, l'ami, le Bouddha bienfaisant. Malheur à qui oserait toucher un seul de ses cheveux !

Toutes ces pensées, toutes ces émotions, Kersten les devina dans l'étonnante tendresse qu'exprima soudain la voix de Himmler pour lui demander :

— Vous avez fait bon voyage, cher monsieur Kersten ? Est-ce que votre famille va bien ?

Le docteur répondit avec réserve :

— J'ai fait un très bon voyage, merci, Reichsführer. Et au moment où je partais, ma famille était encore libre.

Himmler se dressa sur son lit, comme s'il avait reçu un coup de fouet.

— Est-ce que vous doutez de mon amitié ? s'écria-t-il. Je me ferais couper la tête plutôt que de laisser faire du mal à vous ou à l'un des vôtres !

— Je vois qu'il y a encore des gens capables de reconnaissance, dit Kersten doucement.

Himmler se laissa retomber sur son oreiller et dit avec gaieté :

— Quand j'y songe, puisque les Finnois nous ont déclaré la guerre, vous êtes maintenant allié à nos ennemis. Et vous appartenez, juridiquement, au camp de vos chers Hollandais. Ça vous plaît, n'est-ce pas ?

Kersten se mit à rire.

— Vous voyez, Reichsführer, il arrive qu'on monte l'échelle de ses désirs plus vite qu'on ne l'aurait cru. Mais aussi, d'un point de vue strictement formel, je n'ai plus le droit de vous soigner.

Himmler hocha la tête et garda un instant le silence. Puis il déclara gravement, presque solennellement :

— Cher monsieur Kersten, il n'y a jamais eu entre nous et il n'y aura jamais de questions politiques. Ma reconnaissance fait que — tous les pays peuvent se combattre, s'égorger — entre vous et moi régnera toujours la paix de l'amitié… D'accord ?

— D'accord, dit Kersten.

— Je suis très content, dit Himmler.

Il ferma les yeux comme pour mieux goûter cette minute d'entente, de solidarité, de communion avec un autre homme.

Alors Kersten reprit :

— Puisqu'il en est ainsi, Reichsführer, je vais vous demander quelque chose. Il y a deux ou trois cents Finlandais en Allemagne. Ils ont une famille. Ils ont honnêtement travaillé dans ce pays. Ils n'ont jamais fait de politique. Ne les persécutez pas.

— Promis, dit Himmler sans ouvrir les yeux.

— Et que va devenir, demanda Kersten, le statut d'extra-territorialité que vous avez accordé à Hartzwalde ?

— Il sera conservé — non plus à titre finnois, mais à titre international, dit Himmler.

Il ouvrit soudain les yeux et ajouta rapidement :

— Tout ceci, bien sûr, à condition que vous reveniez de Suède.

Kersten le regarda fixement et demanda :

— En douteriez-vous ?

— Mais non, mais pas du tout..., murmura Himmler.

Quand Kersten se trouva seul et qu'il réfléchit à toutes les phases de cette entrevue, il eut la conviction que, par un singulier jeu sentimental et psychologique, le revirement de la Finlande l'avait rendu plus puissant que jamais sur le Reichsführer.

6

Pour le voyage de sa famille en Suède, Kersten n'avait dit à Himmler que la moitié de la vérité : non seulement il voulait emmener sa femme et ses enfants à Stockholm, mais encore il entendait bien les y laisser indéfiniment.

Mettre Himmler devant le fait accompli était impossible et le laisser longtemps dans l'ignorance, dangereux. Aussi, le lendemain, se voyant accueilli avec la même amitié que la veille, Kersten dit au Reichsführer :

— Les conditions de vie deviennent ici de plus en plus pénibles pour élever des enfants. Je voudrais installer les miens — et naturellement leur mère — en Suède pour assez longtemps.

Himmler ne réagit pas.

— Ils reviendraient l'été prochain, ajouta Kersten.

Himmler considéra le docteur d'un regard singulier et répondit :

— Je ne le crois pas.

Voulait-il dire par là qu'il tenait pour mensongère la promesse de Kersten ? Ou sentait-il obscurément, sans vouloir l'avouer à personne, ni à lui-même, que, l'été suivant, le sort de l'Allemagne et son propre destin seraient réglés de telle façon que le retour de la famille du docteur n'aurait plus d'importance ? Car Paris venait d'être libéré, les troupes alliées avançaient vers le Rhin et les innombrables armées russes roulaient comme des avalanches vers les marches de l'Est.

— Je ne le crois pas, répéta Himmler.

Puis il haussa légèrement ses épaules chétives et dit, au grand soulagement de Kersten :

— Ça m'est égal, je n'ai besoin que de vous.

— Et vous pouvez être certain que je reviendrai, dit Kersten. D'ailleurs, Elisabeth Lube, ma grande amie, ma sœur, reste à Hartzwalde.

— C'est bien ce que je pensais, dit Himmler.

Il était rassuré, il avait un otage.

7

Mais le Reichsführer avait un autre sujet d'angoisse. Il s'en ouvrit à Kersten, lorsqu'ils se retrouvèrent de nouveau.

— Ce que je redoute, dit Himmler, c'est de tomber très malade en votre absence. Cela m'est arrivé pendant votre dernier voyage et j'ai cru devenir fou. J'aurais donné n'importe quoi pour être en contact rapide avec vous, pour recevoir ne fût-ce que vos conseils pendant ma crise. Même cela m'aurait fait du bien, j'en suis sûr.

— Je le crois aussi, dit Kersten. L'influence morale agit beaucoup sur les nerfs.

Himmler s'agita faiblement sur son lit étroit et dur. Il gémit :

— Vous voyez, la seule crainte de ne pas pouvoir communiquer promptement avec vous me rend anxieux et l'anxiété provoque les crampes. Et vous êtes là ! Que vais-je devenir quand vous serez en Suède ? Pour un échange de lettres, il faut des jours et des jours. Et, par télégramme, on ne peut pas expliquer un cas médical.

Un moyen aisé vint subitement à l'esprit de

Kersten, et si plein de promesses qu'il lui parut inaccessible. Il dit pourtant :

— J'ai appris à Stockholm que Ribbentrop s'entretient très souvent par téléphone avec l'ambassade allemande. Pourquoi ne me feriez-vous pas appeler des bureaux de Ribbentrop ?

— Pour rien au monde ! s'écria Himmler. Je ne veux pas que ce voyou sache quoi que ce soit de mes affaires privées ! Plutôt crever de souffrance !

La difficulté ne fit que surexciter l'imagination de Kersten. Formulée au hasard un instant plus tôt, son idée maintenant lui apparaissait comme un besoin indispensable. Il pensait aux décisions rapides qu'il faudrait prendre à Stockholm et qui, toutes, dépendraient de Himmler. Le lien direct avec lui serait un avantage immense.

— Il n'y a que les services de Ribbentrop pour communiquer avec vous par téléphone ? demanda le docteur.

— Uniquement, dit Himmler. Il est impossible de téléphoner, en temps de guerre, avec l'étranger. Seuls en ont le droit le Q.G. de Hitler et le ministère des Affaires étrangères.

— Pensez-y bien, Reichsführer, pria Kersten. Il n'est vraiment, vraiment pas possible que je téléphone de Stockholm à Hartzwalde, ou que je me fasse appeler de Hartzwalde à Stockholm ?

— Absolument pas possible, dit Himmler.

— Même si vous êtes gravement malade ? s'écria Kersten. Un homme de votre qualité ! Un chef de votre envergure !

L'appel à la peur et à la vanité eut enfin le résultat que cherchait Kersten.

— Laissez-moi tout de même le temps de réfléchir, dit Himmler d'un ton brusque.

Le lendemain, il reçut le docteur avec un sourire de triomphe et s'écria :

— Voilà, voilà, tout est réglé !

Il hocha la tête et poursuivit, plein de complaisance et de compassion pour lui-même :

— Voyez-vous, cher monsieur Kersten, j'ai tant de charges, tant d'attributions et si peu le souci de mes prérogatives personnelles que je ne connais pas toute l'étendue de mes droits. Or, depuis hier, Brandt a pris ses informations et j'ai su que, en qualité de ministre de l'Intérieur, j'ai à ma disposition une ligne téléphonique privée sur laquelle j'ai le droit de communiquer avec l'étranger. Comme je n'ai jamais eu besoin de m'en servir, je n'y avais pas pensé. Elle a le numéro 145.

Le Reichsführer fit un petit geste amical et dit :

— Elle est à vous.

Himmler prit un temps assez long pour donner toute leur valeur à ces paroles et poursuivit :

— Quand vous téléphonerez de Stockholm chez vous, à Hartzwalde ou à l'un de mes Q.G. — Berlin, Hochwald, Berchtesgaden ou ailleurs — demandez d'abord le n° 145 et, quand vous l'aurez obtenu, donnez le numéro particulier que vous désirez. Vous aurez n'importe quelle communication en moins d'une demi-heure. Brandt a prévenu les Postes et la Gestapo que vous avez, de

Stockholm, le droit de communication en priorité avec Hartzwalde et mes Q.G. Rien de plus simple, n'est-ce pas ?

L'espace d'un instant, le docteur ne fut pas capable de répondre. Tant de facilité pour obtenir un privilège exorbitant le laissait incrédule. Devenir soudain la seule personne privée dans le IIIe Reich qui pût téléphoner de l'étranger en Allemagne et y recevoir des communications d'Allemagne — et cela sans écoute indiscrète —, une telle faveur dépassait en fantastique même le droit d'avoir pour boîte à lettres celle du Reichsführer.

Kersten reprit son sang-froid, s'inclina légèrement et dit :

— C'est merveilleusement simple. Je savais bien que vos pouvoirs devaient comporter cette attribution.

— Eh bien, vous en saviez plus que moi, dit Himmler en riant.

Le 27 septembre, c'est-à-dire à la veille du départ de Kersten pour Stockholm, le Reichsführer déclara au docteur, après une conversation longue et décisive :

— Je suis d'accord avec vous : on ne doit pas se montrer trop dur envers le sang germanique. Il faut qu'il en reste. Les Danois et les Norvégiens qui sont dans mes camps vont avoir un traitement de faveur. Vous allez rencontrer, je le sais, les dirigeants suédois. Quand vous reviendrez, j'agirai selon leurs désirs.

— J'ai encore une chose à vous demander, dit Kersten. Il s'agit de mon ami, Karl Venzel. J'ai toujours votre parole d'honneur, votre parole d'homme et de grand chef allemand qu'il aura la vie sauve ?

— Vous l'avez, dit Himmler.

L'âme en paix, le docteur alla boucler ses valises.

8

L'avion que prit Kersten était tellement chargé de passagers qu'il dut partir seul. Sa femme, ses trois garçons et la vieille nurse balte arrivèrent vingt-quatre heures après. L'instant le plus heureux de son existence pendant la guerre fut pour Kersten celui où il accueillit sa famille à l'aérodrome de Stockholm. Désormais, quoi qu'il arrivât à l'Allemagne et à lui-même, Irmgard et les enfants étaient, eux au moins, en sécurité.

Tandis que sa femme installait peu à peu leur petit appartement avec les quelques meubles et les quelques objets qu'il avait pu expédier, par bateau, d'Allemagne, Kersten voyait presque chaque jour le ministre des Affaires étrangères de Suède.

Ils firent le point minutieusement. La situation de l'Allemagne empirait chaque jour. Plus elle était désespérée et plus le sort des prisonniers dans les camps devenait misérable et précaire. Quand la terre commencerait à se dérober vraiment sous les pas des maîtres, que pèseraient les existences des esclaves, des squelettes vivants ? Ils avaient tout à craindre d'un suprême sursaut de la bête. Le temps pressait.

Dans cette course contre la mort, Kersten avait la certitude maintenant d'avoir pour alliés fidèles, indubitables, Brandt, Berger et Schellenberg. Les ennemis demeuraient Ribbentrop et — plus que jamais — Kaltenbrunner qui était allé jusqu'à une tentative d'assassinat pour arrêter les desseins du docteur. Mais cette tentative s'était retournée contre le chef de la Gestapo — et avait renforcé d'une façon étonnante l'influence de Kersten sur Himmler. Le docteur avait laissé le Reichsführer dans des dispositions excellentes. La balance des forces penchait nettement en faveur du grand projet de Gunther.

Le ministre des Affaires étrangères se montrait beaucoup plus impatient qu'il ne l'avait été au cours des autres séjours de Kersten à Stockholm. L'opinion de son pays, disait-il, ne pourrait plus longtemps supporter la cruauté avec laquelle étaient traités les internés danois et norvégiens issus du même sang que les Suédois. Les défaites de l'Allemagne donnaient du courage aux plus neutralistes. L'exaspération populaire pouvait aller aux conséquences extrêmes. Il fallait faire quelque chose et rapidement. Gunther demandait à Himmler de choisir entre deux décisions.

La plus favorable était, naturellement, de libérer en bloc les internés scandinaves. La Suède se chargeait de leur transport et de leur hébergement sous surveillance de la Croix-Rouge internationale. Elle s'engageait à faire de même pour tous les autres prisonniers, les Hollandais notamment, dont Kersten réussirait à obtenir la mise en liberté.

L'autre mesure — de repli pour ainsi dire — consistait, dans le cas où le Reichsführer ne voudrait pas ou ne pourrait pas laisser partir les captifs scandinaves, de les regrouper tous ensemble et de les réunir en un seul camp spécial placé sous la sauvegarde de la Croix-Rouge. Ce rassemblement était d'une grande urgence. Les bombardements alliés devenaient toujours plus nombreux et plus serrés. Ils atteignaient souvent les camps situés autour des villes. Des milliers de Norvégiens et de Danois risquaient d'y trouver la mort.

Tous les détails de ces entretiens, Kersten les transmettait à Himmler par téléphone. Les liaisons étaient très faciles. Dès son arrivée, en effet, le docteur avait mis Gunther au courant du privilège dont Himmler l'avait muni. Et Gunther, de son côté, avait donné l'ordre que la priorité n° 1 fût garantie aux communications de Kersten avec l'Allemagne.

Dans son appartement, le docteur avait fait installer un appareil téléphonique avec deux écouteurs. Et pour que rien ne fût perdu de ces conversations historiques et que même celles, toutes familières, qu'il tenait avec Elisabeth Lube, à Hartzwalde, eussent un témoin — Kersten avait toujours près de lui quelque personnage officiel qui suivait les propos échangés. C'était tantôt un fonctionnaire suédois, tantôt un représentant de la Finlande, mais le plus souvent l'emploi était rempli par le baron Van Nagel, délégué du gouvernement hollandais en exil à Londres.

Ces gens assistaient à un incroyable paradoxe : un homme qui était, juridiquement, un ennemi de l'Allemagne, un citoyen d'un pays en guerre avec elle, exerçait à sa guise le droit exclusif, interdit à un commandant d'armée et, sauf Ribbentrop, à tous les ministres du IIIe Reich, de téléphoner chaque jour, soit, pour des questions officielles, à celui qui après Hitler était le maître de l'Allemagne, soit, pour ses affaires privées, à la simple et courageuse femme qui s'occupait de son domaine.

Quand Gunther eut bien défini pour Kersten toutes les données du problème et que le docteur, à la suite de ses entretiens téléphoniques avec Himmler, crut pouvoir se porter garant pour l'une au moins des solutions envisagées, le gouvernement suédois se réunit et donna pleins pouvoirs au ministre des Affaires étrangères afin d'exécuter son plan.

Ce conseil des ministres s'était tenu dans la troisième semaine de novembre. En le quittant, Gunther demanda à Kersten :

— Quand partez-vous ?

— Je peux prendre l'avion tout de suite, dit le docteur. Mais j'aimerais mieux, pour que mon influence soit décisive, attendre que Himmler ait besoin de mon traitement. D'après le temps écoulé, cela ne tardera pas, je pense.

Le 25 novembre 1944, la sonnerie du téléphone vibra dans l'appartement que le docteur avait à Stockholm. L'appel venait du Q.G. de Himmler. Le Reichsführer, très souffrant, réclamait Kersten.

Celui-ci prévint aussitôt Gunther. Ils se virent dans la journée même. Le ministre résuma une fois de plus la mission qu'il confiait à Kersten : obtenir la libération des internés scandinaves ou, sinon, leur rassemblement dans un camp spécial, à l'abri des bombardements.

Gunther y ajouta une requête de la dernière heure. Le gouvernement hollandais réfugié à Londres avait prié la Suède de fournir des vivres aux territoires des Pays-Bas que l'avance des Alliés n'avait pas encore réussi à libérer. Les habitants — qui représentaient la moitié de la population hollandaise — y mouraient littéralement de faim. Les Suédois avaient des bateaux chargés de ravitaillement et tout prêts à lever l'ancre. Mais les Allemands ne leur permettaient pas de débarquer leur cargaison de salut. Gunther demandait à Kersten d'obtenir à cet effet l'autorisation de Himmler, grand maître de tous les pays encore occupés par les troupes nazies.

Le lendemain, laissant sa femme et ses fils à Stockholm, Kersten prit l'avion pour Berlin.

9

Kersten vint tout d'abord pour quelques heures à Hartzwalde. Outre Elisabeth Lube, il y trouva Mme Imfeld qui l'attendait. Cette jeune femme était venue le 13 août précédent l'entretenir de la possibilité d'héberger en Suisse vingt mille concentrationnaires juifs. Elle dit à Kersten :

— Himmler n'a rien fait. Par contre, des officiers S.S. parcourent la Suisse et promettent de libérer des Juifs à raison de cinq cents francs suisses par tête de Juif ordinaire et deux mille pour les Juifs importants. Les autorités helvétiques sont au comble de l'indignation, devant ce trafic éhonté de chair humaine.

Le jour suivant, Kersten arrivait au nouveau Quartier Général que Himmler avait à l'ouest, en Forêt-Noire. Le Reichsführer était déprimé par sa maladie, mais surexcité par les préparatifs de l'offensive que von Rundstedt allait lancer dans les Ardennes contre les troupes alliées. C'était, à la fin de l'année 1944, le suprême coup de boutoir de la Wehrmacht dans sa retraite.

Quand il se sentit soulagé par le traitement du docteur, Himmler laissa éclater sa joie triomphante. Il s'écria :

— Tous les calculs de Hitler vont se vérifier. Il demeure le plus grand génie de tous les temps. Il sait à un jour près quand nous aurons la victoire. Le 26 janvier prochain, nous serons revenus à la côte atlantique. Tous les soldats américains et anglais auront bu l'eau de la mer. Alors nous aurons assez de divisions libres pour écraser les Russes. Nous les battrons à mort. Vous allez voir cela quand entreront en jeu nos armes secrètes.

— Dans ce cas, dit Kersten, il vous est encore plus facile d'être généreux. C'est dans le triomphe que se montre un vrai chef magnanime.

Le docteur se mit à exposer dans leur ensemble les éléments du plan Gunther. Il en avait donné les détails au jour le jour, par téléphone, à Himmler et celui-ci les avait, en principe, acceptés. Si bien que Kersten s'attendait de sa part à un accord rapide et complet. Mais, à sa stupeur qui devint vite de l'angoisse, il trouva chez Himmler une résistance irréductible, absolue. Tout ce qu'il avait convenu de faire en faveur des Norvégiens et des Danois, le Reichsführer s'y refusait brutalement. Il repoussait en bloc toutes les requêtes de la Suède. La perspective des succès militaires de von Rundstedt, après tant de désastres, donnait à Himmler un sentiment d'élation enivrante, délirante. Porté par elle hors des abîmes de la peur et du désespoir où, sans se l'avouer, il venait de vivre, le Reichsführer considérait de nouveau le monde comme promis à la race d'élection, au règne du grand Führer germanique. Plus il avait douté de son idole, plus bas il se prosternait devant elle. Il n'avait qu'un moyen de racheter sa faute : la cruauté la plus inhumaine.

— L'heure n'est plus à la faiblesse, répondait Himmler à tous les arguments, à toutes les prières.

Matin après matin, Kersten reprit la lutte pour le salut des hommes qui agonisaient dans les camps. Il ne réussit pas à convaincre Himmler, pas même à le faire hésiter.

Sur ces entrefaites, le docteur reçut un coup accablant : il apprit de source sûre que Venzel avait été pendu.

Venzel, pour qui tant de fois et avec tant de chaleur Kersten était intervenu auprès de Himmler ! Karl Venzel, son vieil et cher ami, dont Himmler avait juré au docteur, la veille même de son départ pour Stockholm, qu'il aurait la vie sauve !

À peine eut-il compris cela que, sans réfléchir, sans se faire annoncer, sans même avertir Brandt, le docteur courut chez Himmler aussi vite que le lui permettait sa corpulence. Il poussa brutalement la porte du Reichsführer et apparut devant lui, grand, massif, les poings serrés, le sang aux joues. Et il cria :

— Alors, vous avez fait pendre Venzel ! C'est ça votre parole ! C'est ça votre honneur ! Et vous avez osé me donner votre main comme gage de votre serment, comme gage de la promesse, de la foi d'un grand chef germanique !

Kersten s'arrêta, grondant, étouffant de chagrin, de colère et de mépris.

Pour une fois, dans son attitude envers Himmler, il n'y avait eu aucune manœuvre, aucun calcul. Il s'était abandonné à la force aveugle de ses sentiments. Cela porta davantage que le plus habile stratagème.

Pris en flagrant délit de mensonge, de déshonneur, devant le seul homme sur terre par lequel il voulait et croyait être aimé, admiré, le Reichsführer, qui rêvait d'émuler Henri l'Oiseleur, se décomposa de chagrin et de honte. Ses épaules s'affaissèrent, son nez s'amincit, ses lèvres commencèrent à trembler, tout son visage eut l'expression d'un enfant laid et sournois obligé de reconnaître sa faute et qui craint d'être fouetté.

Il gémit d'une voix pleurnicharde :

— Croyez-moi, oh, croyez-moi ! Je n'y pouvais rien. Hitler le désirait à tout prix. Il avait fait arrêter Venzel personnellement et c'est personnellement qu'il a donné l'ordre de le pendre. Que pouvais-je faire ! Quand la sentence est prise de cette façon, par le Führer lui-même, je dois venir en personne lui annoncer qu'elle est exécutée. Croyez-moi, oh, croyez-moi, si la chose avait été humainement possible, j'aurais laissé Venzel en vie. Mais là, je vous le jure, c'était au-dessus de mes forces.

Kersten tourna brutalement le dos à Himmler. Les lamentations, les geignements du Reichsführer ne faisaient qu'exaspérer sa rage, la portaient à un point où elle pouvait lui faire accomplir un mouvement irréparable.

— Non, non, ne partez pas !... cria Himmler. Écoutez... écoutez-moi.

Kersten claqua la porte derrière lui.

Comme il quittait le wagon-salon, il rencontra Brandt et lui confia sa peine et sa fureur. Mais Brandt, en qui le docteur avait toute confiance, lui confirma la vérité des propos de Himmler et l'impuissance absolue où s'était trouvé celui-ci de désobéir à son maître.

— N'oubliez pas, ajouta Brandt, que Venzel faisait partie du complot contre la vie de Hitler ou, tout au moins, que Hitler l'a cru. Il s'agissait pour lui d'assouvir une vengeance personnelle. Dès lors, la volonté, le pouvoir de Himmler ne comptaient plus.

Kersten se taisait.

— Allons, docteur, reprit Brandt avec un triste demi-sourire, allons, vous êtes assez au courant des choses dans notre petit cercle pour voir la situation.

— Oui… je vois…, dit lentement Kersten.

Sa colère était tombée. Il ne restait plus en lui qu'une grande tristesse. Mais voici que, peu à peu, du fond de cette tristesse même, se leva un espoir singulier. Kersten se souvint du visage défait, honteux, suppliant, larmoyant qu'avaient donné à Himmler le sentiment de sa faute, la conscience d'avoir failli à son honneur de grand chef allemand… Il fallait mettre à profit, immédiatement, entièrement, cet état d'infériorité. Il fallait que la mort d'un homme servît à en sauver dix milliers d'autres.

— Merci, dit Kersten à Brandt.

Il retourna chez Himmler et dit d'un ton très calme :

— Vous pouvez me prouver tout de suite que, en laissant exécuter mon ami, c'est malgré vous que vous m'avez manqué de parole. Je croirai que l'intervention personnelle de Hitler a pu vous empêcher de vous conduire en homme d'honneur à la seule condition que, dans le domaine où vous êtes le maître, vous teniez vos promesses.

— Tout ce que vous voudrez, tout ce qu'il vous plaira... je le jure, s'écria Himmler.

Ainsi, le 8 décembre 1944, Kersten obtint du Reichsführer :

L'engagement formel de réunir, pour commencer, tous les internés scandinaves dans un même camp et de laisser entrer en Allemagne cent cinquante autobus suédois pour leur transport.

La liberté pour trois mille femmes (Hollandaises, Françaises, Belges et Polonaises) enfermées au camp de Ravensbrück, dès que la Suède serait prête à les accueillir.

La libération immédiate de cinquante étudiants norvégiens et cinquante policiers danois détenus dans les camps de concentration.

Et Kersten ne s'en tint pas là. Continuant de jouer sur l'état d'esprit du Reichsführer en ce jour mémorable, il dit :

— Il y a la question des vivres suédois pour le territoire que vous occupez en Hollande.

— J'aimerais voir crever tous les Hollandais qui sont encore sous notre coupe, grommela Himmler.

Il rencontra le regard de Kersten et ajouta précipitamment :

— Mais puisque vous êtes à demi hollandais, d'accord, d'accord !

Même cela ne suffit pas au docteur. Il aborda la question juive et rapporta les marchandages ignobles auxquels se livraient en Suisse des officiers S.S., des officiers du corps d'élite si cher à l'orgueil du Reichsführer. Une honte nouvelle vint s'ajouter à celle qui avait accablé Himmler.

— Donnez-moi les vingt mille Juifs que veut héberger la Suisse, dit alors Kersten.

— Vous n'y pensez pas, cria Himmler épouvanté. Hitler me ferait pendre sur-le-champ.

— Hitler n'en saura rien, dit Kersten. Vous êtes assez puissant sur vos services pour que la mesure reste secrète. Cette fois (et Kersten fixa ses yeux sur ceux de Himmler), il ne s'agit pas de Venzel.

— Bon, bon, gémit Himmler. Mais tout ce que je peux vous accorder, c'est deux mille Juifs, trois mille au plus. Je vous en supplie, ne m'en demandez pas davantage.

Il porta les mains à son ventre et dit misérablement :

— J'ai très mal.

Kersten le soigna.

10

Le docteur ne passa que peu de temps en Forêt-Noire. Au bout de quelques jours, il prévint Himmler qu'il avait l'intention de retourner en Suède le 22 décembre. Pour expliquer ce départ précipité, il dit qu'il avait promis à sa femme de passer les fêtes de Noël en famille. En vérité, il voulait se concerter avec Gunther sur les mesures qui pourraient traduire les promesses de Himmler en actes concrets. Kersten savait qu'il faudrait pour cela beaucoup de négociations et longues et délicates. Il prévoyait l'hostilité sournoise de la Gestapo, les lenteurs bureaucratiques des organismes officiels. Chaque journée comptait. Chaque journée pouvait amener un revirement de la part du Reichsführer. Il fallait partir vite.

Non seulement Himmler ne montra aucune rancœur à Kersten pour sa hâte à le quitter, mais il lui prodigua les marques de son affection et de sa reconnaissance.

— Tout ce que je vous demande, dit-il, c'est de me téléphoner aussi souvent que possible. Votre priorité est maintenue.

Le docteur alla boucler ses bagages à Hartzwalde. Il y reçut une lettre qu'il dut relire pour en croire le contenu. En gage d'une amitié plus vive que jamais, le Reichsführer accordait à Kersten la liberté des trois Suédois qui avaient été condamnés à mort pour espionnage et dont la peine, grâce aux démarches du docteur, avait été commuée en détention à vie.

« Cher monsieur Kersten, ce sera mon petit présent de Noël, écrivait Himmler. Prenez ces hommes dans votre avion. »

Le 22 décembre 1944, Kersten s'envola pour Stockholm avec un « cadeau » comme peu d'hommes en ont jamais reçu.

11

À peine débarqué de l'avion et sans prendre le temps de passer dans son appartement de Stockholm, Kersten alla chez Gunther et lui fit son rapport. Himmler, dit le docteur, informait le gouvernement suédois qu'il pouvait se mettre en relation avec la Gestapo afin de réunir les internés scandinaves en un seul camp et qu'il aurait liberté entière pour assurer le transport de ces prisonniers. Le Reichsführer avait déjà donné l'ordre à ses services d'apporter tout leur concours aux représentants de la Suède dans l'exercice de leur mission. Ces nouvelles comblèrent Gunther.

— Vous avez fait un travail énorme, dit-il à Kersten. Je vais en parler au prochain Conseil des ministres et sa réponse, vous pouvez en être certain, sera hautement favorable au message que vous apportez. Le pays n'épargnera ni les efforts, ni l'argent, pour aider les prisonniers des camps de concentration. Je vous reverrai aussitôt après le Nouvel An.

Les fêtes hivernales, dans les pays du Nord, ont une intimité, une douceur, une poésie qui tiennent des enchantements de l'enfance. Kersten les savoura doucement, douillettement, en famille. Et il eut le plaisir profond d'accueillir à son foyer, pour ces nuits de liesse paisible, son vieil ami Kivimoki et sa femme qui, par le jeu des conventions diplomatiques, avaient été relâchés d'Allemagne.

Mais à l'orée du 1er janvier 1945 et tandis que crépitaient les bûches et se levaient les verres et résonnaient les rires, Kersten connut un instant d'angoisse. L'Allemagne hitlérienne entrait en agonie. L'offensive des Ardennes n'avait été qu'un feu de paille. Les armées alliées, maintenant, bordaient le Rhin, avaient lancé des têtes de pont. Et l'avalanche russe roulait de Pologne en Roumanie, en Hongrie, en Autriche, en Prusse-Orientale. Dans les convulsions suprêmes, quel destin allait apporter l'année nouvelle aux millions d'internés ? De quelles fureurs sauvages les nazis ne seraient-ils pas capables quand sonnerait leur dernière heure ? Et lui-même, où serait-il, que deviendrait-il alors ?...

Les fêtes passées, Gunther dit au docteur :

— Le gouvernement suédois a décidé de réunir les autobus nécessaires au transport des prisonniers et de les envoyer en Allemagne.

Kersten téléphona ces nouvelles au Reichsführer et obtint sans difficulté son accord. Himmler, même, lui dit qu'il avait désigné le lieu de rassemblement pour les internés scandinaves : le camp de Neuengamme, près de Hambourg.

Mais il fallut, en Suède et en Allemagne, un mois de préparatifs, de négociations, de correspondance de service à service, pour passer à une démarche officielle. Ce fut le 5 février seulement que Gunther dit à Kersten :

— Le comte Bernadotte, vice-président de la Croix-Rouge, est chargé de la colonne d'autobus. Mais avant d'entreprendre quoi que ce soit, Bernadotte doit se rendre à Berlin pour discuter les détails techniques. Il serait essentiel qu'il puisse le faire avec le Reichsführer personnellement. Et aussi qu'il reçoive un accueil amical des chefs de la Gestapo. Voulez-vous annoncer Bernadotte à Himmler ?

Kersten demanda au baron Van Nagel de servir de témoin à sa conversation, lui passa l'un des écouteurs du téléphone et appela le Reichsführer à son Q.G. Himmler n'y était pas. Le docteur alors parla à Brandt. Celui-ci se montra heureux d'apprendre que le convoi suédois se formait et que le dessein pour lequel il aidait Kersten depuis si longtemps allait enfin aboutir. Il promit de transmettre et d'appuyer de toutes ses forces la requête du docteur.

Le même soir, Brandt téléphonait à Kersten :

— Himmler est prêt à recevoir amicalement Bernadotte et vous prie de l'assurer qu'il tiendra tous les accords qu'il a passés avec vous.

Le 19 février, Bernadotte prit l'avion pour Berlin. Selon le protocole et les règles hiérarchiques, l'ambassadeur suédois en Allemagne l'annonça à Kaltenbrunner qui l'annonça à Himmler.

Le vice-président de la Croix-Rouge conféra deux heures avec le Reichsführer en présence de Schellenberg. À l'issue de cet entretien, Himmler confirma à Bernadotte ce qu'il avait promis à Kersten.

Les internés scandinaves seraient rassemblés dans un seul camp, celui de Neuengamme.

Les prisonniers qui avaient été libérés pour faire plaisir à Kersten, la Suède pouvait les recueillir immédiatement.

12

Depuis l'exécution de Venzel, Himmler était fidèle à sa parole. Il alla jusqu'à tenir l'une de ses promesses en l'absence de Kersten, et sans la moindre pression de la part du docteur, et même sans qu'il le sût.

Dans le courant de ce mois de février que Kersten passait à Stockholm en négociations, deux mille sept cents Juifs, internés jusque-là au camp de triage de Theresienstadt, avaient été désignés pour aller dans un camp de mort, où les attendaient les chambres à gaz et les fours crématoires. Deux trains furent chargés de ces malheureux et amenés sur une voie de garage, prêts à partir.

Le chef du convoi en avertit le Q.G. de Himmler et demanda l'ordre de mettre les trains en marche. Ce fut Brandt qui reçut la communication. Il passa dans le bureau du Reichsführer et la transmit.

— Deux mille sept cents, dites-vous ? demanda Himmler.

Il fronça légèrement les sourcils. Le chiffre lui rappelait quelque chose. Soudain, il s'écria :

— Deux mille sept cents, voilà qui tombe à merveille. J'ai promis à Kersten de libérer deux à trois mille Juifs que les Suisses sont prêts à recevoir. Faites donc aiguiller ces trains non pas vers l'est, mais vers la frontière suisse. Prévenez immédiatement les autorités helvétiques, la Gestapo, les chemins de fer et nos gardes-frontières.

Himmler hocha la tête et ajouta ravi :

— Deux mille sept cents, hein ? On croirait que c'est fait exprès. Ni trop, ni trop peu.

Il eut un sourire à demi sarcastique, à demi attendri et dit encore :

— Juste de quoi satisfaire une des lubies de ce bon docteur.

Une heure plus tard, les deux trains s'ébranlaient où hommes, enfants, femmes étaient entassés jusqu'à l'étouffement. Les cahots les jetaient les uns contre les autres, comme des bêtes parquées à l'étroit. La faim au ventre, la gorge desséchée de soif, les poumons à la torture par manque d'air, la chair glacée sous leurs haillons, ils commencèrent un voyage de suppliciés. Pourtant ils redoutaient d'en voir le terme. Ils savaient que la mort les y attendait, la mort qui portait l'uniforme des S.S. Ils roulaient hâves, sales, glacés, malades, l'épouvante dans l'âme. Quand ils eurent traversé toute l'Allemagne, il restait à peine assez de force aux mères pour plaindre leurs enfants.

Et voilà que le train ralentit et s'arrête. Et que les wagons à bestiaux s'ouvrent. Et voilà les S.S. Ils sont là. Toute une compagnie.

Mais pourquoi, au lieu de se jeter sur les victimes qui débarquent en trébuchant et au lieu de les chasser à coups de crosse vers les chambres à gaz, pourquoi les saluent-ils, pourquoi présentent-ils les armes ? Et que signifie tout le reste... ? Cette folie bienheureuse, ce rêve étoilé... !

Les deux mille sept cents Juifs, hommes, femmes, enfants, les deux mille sept cents squelettes en guenilles défilent devant les S.S. au garde-à-vous, traversent la frontière et, à la place des bourreaux qu'ils s'attendaient à voir, trouvent les infirmières de la Croix-Rouge suisse qui les accueillent avec des sourires et des larmes de bienvenue.

13

Cet épisode, les milieux israélites de Stockholm n'en savaient rien au moment où il eut lieu. Kersten (il ne l'apprit que le mois suivant par une lettre de Himmler) partageait leur ignorance. Mais à ce moment même, par une sorte de complicité du hasard, les organisations juives approchèrent pour la première fois le docteur.

Elles le firent par le truchement de M. von Knierin, Balte émigré de Russie, banquier de profession et ami de Kersten. Vers la mi-février, il rendit visite au docteur et lui demanda de recevoir Hillel Storch, représentant à Stockholm du Congrès Juif Mondial. Kersten donna rendez-vous aux deux hommes pour le soir même. Hillel Storch dit en substance :

— La situation des Juifs internés en Allemagne est épouvantable, sans espoir. Les derniers vont être exterminés. Nous avons tout essayé, mais en vain. Nous connaissons votre travail de solidarité humaine et les résultats que vous avez obtenus. Aidez-nous !

— Donnez-moi un mémorandum sur ce que voudrait le Congrès Mondial Juif, dit Kersten. Je m'en servirai dès mon retour en Allemagne.

Ce retour, le docteur n'en savait pas encore la date. Elle dépendait de Gunther. Et Gunther avait besoin de lui à Stockholm, car tous les détails pour l'organisation des secours s'élaboraient dans la capitale suédoise et Kersten était le seul à pouvoir les communiquer par fil direct à Himmler et aplanir ainsi les difficultés.

Mais le 25 février 1945, le ministre des Affaires étrangères apprit, par l'intermédiaire des Américains, une nouvelle terrible : Hitler avait donné l'ordre formel à Himmler de faire sauter à la dynamite, avec tous les prisonniers qu'ils contenaient, les camps de concentration, dès que les troupes ennemies s'en seraient approchées à huit kilomètres.

— Et il reste encore huit cent mille internés dans les camps au pouvoir des nazis, dit Gunther à Kersten. Et les Alliés n'en sont plus très loin.

Il fit un effort pour maîtriser ses sentiments et poursuivit rapidement l'exposé de la situation :

Les Américains demandaient aux Suédois de faire tout ce qui était en leur pouvoir afin d'empêcher cette suprême horreur. Mais le gouvernement dont Gunther faisait partie savait très bien qu'il ne possédait aucun moyen de pression sur Hitler, ce fou enragé. Et les ministres suédois étaient pris d'épouvante à la pensée du massacre immense qui semblait inévitable. Seul, Kersten avait, peut-être, par Himmler, quelque chance de l'arrêter. Une chance sur mille, assurément. Mais il fallait la tenter. Il fallait partir pour l'Allemagne dans la semaine qui venait.

Kersten accepta. Gunther, alors, le chargea d'une triple mission officielle :

1° Essayer d'empêcher le dynamitage des camps de concentration ;

2° Réduire les difficultés que Kaltenbrunner, malgré les assurances renouvelées de Himmler, faisait à Bernadotte pour le rassemblement et l'évacuation des prisonniers scandinaves ;

3° Conseiller à Himmler la capitulation des troupes allemandes en Norvège, intactes et bien armées, car les Alliés faisaient une forte pression sur la

Suède pour qu'elle entrât en guerre contre cette armée encore redoutable.

Le départ de Kersten fut décidé pour le 3 mars.

La veille, Gunther lui remit un document officiel du gouvernement qui définissait la mission dont il était chargé et le reconnaissait comme délégué pour cette mission.

Le 3 mars au matin, Kersten en était à ses derniers préparatifs de départ, quand Hillel Storch, essoufflé, entra chez lui. Il agitait un télégramme envoyé de New York par le président du Congrès Juif Mondial. Le câble annonçait que les Allemands s'apprêtaient à faire sauter d'un jour à l'autre les camps où la majorité des captifs était juive.

— Au nom du Congrès, je vous en supplie, intervenez, dit Storch.

Quand Kersten s'envola, son principal bagage consistait en une énorme serviette, toute bourrée de papiers. Il était en fait ambassadeur privé du Gouvernement suédois et du Congrès Mondial Juif.

14

En Allemagne, l'étau se resserrait terriblement. Ce n'était plus à Jitomir, au cœur de l'Ukraine, ce n'était même plus à Hochwald, aux confins de la Prusse, que Himmler avait maintenant son Q.G. de l'Est. Mais à Hochen Luchen, dans la province de Berlin, et seulement à vingt-cinq kilomètres de Hartzwalde.

Le Reichsführer avait occupé pour ses services un sanatorium de soldats S.S. Il y habitait lui-même une chambre au ripolin terni, nue et lugubre, une chambre pour malades militaires.

Kersten l'y trouva souffrant beaucoup, mais incapable encore de croire à la défaite. Son fanatisme le soutenait envers et contre tout. Du moins, il s'en donnait l'apparence et cette attitude même l'aidait à se duper.

— Rien n'est perdu, s'écria-t-il, dès qu'il vit le docteur. Il nous reste des armes secrètes. Le monde a été stupéfait par nos V 2. Ce n'est encore que jeux d'enfants. Vous le verrez, vous le verrez : les dernières bombes de cette guerre seront des bombes allemandes.

Himmler avait souvent proféré de telles menaces et chaque fois Kersten s'était senti angoissé. Dans les laboratoires secrets on préparait, il le savait, des moyens diaboliques de destruction. Mais, à présent, il n'en avait plus peur. Il était trop tard.

L'excitation nerveuse qui s'était emparée de Himmler au moment où il appelait hystériquement une impossible victoire n'avait fait que redoubler ses maux. Il s'affala sur son lit métallique, le visage creux, les pommettes saillantes et couvert de sueur. Kersten se mit à le soigner.

Quand il eut apaisé les souffrances les plus aiguës, il demanda :

— Est-il vrai que vous avez reçu l'ordre de faire sauter les camps de concentration à l'approche des Alliés ?

— C'est vrai, dit Himmler. Mais d'où le savez-vous ?

— Des Suédois, dit Kersten.

— Ah ! Ils sont déjà au courant, là-bas, dit Himmler. Peu importe ! Nous le ferons tout de même. Si nous perdons la guerre, nos ennemis doivent mourir avec nous.

— Les grands Allemands des grands siècles passés n'auraient pas agi de la sorte, dit Kersten. Et vous êtes le plus grand chef aujourd'hui de sang germanique. Vous êtes plus puissant que Hitler maintenant. Votre pays s'effondre. Les armées sont débordées de toutes parts. Les généraux ne peuvent plus rien. Vous êtes le seul à posséder la seule force disponible, la police, les S.S.

Himmler ne répondit rien. Il savait que ce que disait Kersten était vrai. Mais comme il n'était habitué qu'à obéir, la pensée d'avoir à prendre la responsabilité entière du commandement lui donnait une angoisse insupportable.

— Soyez donc généreux ! reprit Kersten.

— Et qui me remerciera ? s'écria Himmler avec violence. Personne.

— L'Histoire, dit Kersten. Vous aurez la gloire d'avoir sauvé huit cent mille hommes.

Himmler, sans répondre, haussa les épaules — il avait pour l'instant à s'occuper d'affaires plus importantes.

Kersten n'insista point. Mais afin de ne pas rester sur un échec, il aborda, parmi les trois missions qui lui avaient été confiées, celle où il était le plus sûr d'avoir Himmler pour allié. Elle consistait à obtenir que Kaltenbrunner cessât de retarder indéfiniment et en sous-main le convoi de Bernadotte. En effet, quand Himmler sut que l'on désobéissait à ses instructions, il fut pris de fureur contre le chef de la Gestapo et lui donna les ordres les plus stricts et les plus menaçants pour qu'il tînt ses services à l'entière disposition du gouvernement de Stockholm.

La question la plus facile ayant été réglée, Kersten revint, dès le jour suivant, au dynamitage des camps de concentration. Himmler refusa à nouveau, et d'une façon absolue, de sauver la vie des huit cent mille internés.

Alors recommença la lutte qu'il est inutile de décrire une fois de plus au moment où est près de s'achever le drame dont elle a été l'instrument essentiel et constant. Il faut ajouter toutefois que, depuis le temps où Kersten avait commencé de traiter le Reichsführer, le rapport des forces avait complètement changé.

Himmler ne représentait plus qu'un régime condamné, moribond. Le seul pouvoir qui lui restait était d'entraîner des innocents dans le gouffre où allaient s'abîmer Hitler et ses rêves de fou. Pour neutraliser, pour maîtriser cette suprême et monstrueuse vengeance, Kersten, à présent, n'avait plus pour seul moyen son art de guérisseur.

Il disposait d'une influence enracinée depuis cinq ans, d'une foi et d'une amitié comme Himmler n'en avait jamais accordé à un homme. Et Kersten avait pour lui le soutien, le poids moral de l'univers civilisé, que personnifiait le Gouvernement de Suède. Et, à l'intérieur même, dans l'entourage le plus immédiat du Reichsführer aux abois, des alliés sûrs, efficaces, faisaient pression sur Himmler dans le même sens que le docteur : Brandt qui était le collaborateur, le confident intime, Berger qui commandait aux Waffen S.S., et Schellenberg qui avait en main tous les réseaux d'espionnage et qui venait d'être promu par Himmler au grade de général sur les instances de Kersten.

Tous ces facteurs conjugués arrachèrent, au terme d'une semaine d'efforts, huit cent mille captifs à une mort certaine. Et cette victoire fut matérialisée par un des documents les plus extraordinaires de la guerre.

Le 12 mars 1945, dans une chambre lugubre du sanatorium pour soldats S.S., Himmler, en présence de Kersten et de Brandt, rédigea de sa main sur une pauvre table en bois blanc un accord qu'il dénomma lui-même :

« CONTRAT AU NOM DE L'HUMANITÉ »

Il y était porté que :

1° Les camps de concentration ne seraient pas dynamités ;

2° Le drapeau blanc y flotterait à l'arrivée des Alliés ;

3° On n'exécuterait plus un seul Juif et les Juifs seraient traités comme les autres prisonniers ;

4° La Suède pourrait envoyer des colis individuels aux prisonniers juifs.

Sous ce contrat, Himmler d'abord, puis Kersten apposèrent leur signature.

15

Deux jours après la signature du « Contrat au nom de l'Humanité », Kersten, qui continuait de soigner Himmler au sanatorium des soldats S.S., évita une autre extermination massive.

Il s'agissait de La Haye. Les troupes allemandes tenaient encore la capitale de la Hollande. Un de ses plus beaux quartiers, Klingendal, avait été transformé en véritable forteresse. Or, dans la première semaine de mars, un officier de liaison entre Hitler et Himmler, du nom de Fegelein, avait apporté au Reichsführer les ordres suivants de son maître : au cas où il serait impossible de défendre la forteresse de Klingendal, la garnison l'évacuerait et, aussitôt après, un bombardement par V 2 serait déclenché qui devait réduire en décombres et cendres Klingendal et La Haye tout entière, sans que ses habitants aient été prévenus. Ils étaient quatre cent mille. Hitler avait été formel :

« Cette ville de traîtres germaniques doit mourir avant nous et jusqu'au dernier homme. »

Himmler avait remis ces instructions à Brandt pour classement et Brandt en avait averti Kersten. Le docteur s'était efforcé à plusieurs reprises d'empêcher que Himmler exécutât les ordres d'un dément. Il échoua jusqu'au 14 mars. Mais, ce jour-là, il obtint gain de cause. Sans doute la capacité de résistance, l'énergie du refus s'étaient brisées chez Himmler l'avant-veille.

Le 14 mars donc, il dit à Kersten :

— Vous avez raison pour La Haye. C'est tout de même une ville germanique. Je l'épargnerai. La cité mettra le drapeau blanc et sera rendue aux Alliés. J'ai le pouvoir voulu pour ne pas exécuter cet ordre de Hitler.

En effet les sites et les techniciens des V 2 — parce qu'ils dépendaient des Waffen S.S. — étaient sous les ordres directs de Himmler.

Dès lors, ce fut un jeu pour Kersten d'obtenir tout ce qu'il voulait. Le 16 mars, aidé par Brandt qui rédigeait très bien, le docteur, dans une autre chambre de malade, composa un long mémorandum sur la capitulation de l'armée allemande en Norvège.

Ainsi étaient accomplies toutes les missions dont Kersten avait été chargé. Pourtant, avant son départ pour la Suède, il éprouva le besoin, l'exigence d'arracher une dernière concession à Himmler.

C'était, pour Kersten, une obligation personnelle. C'était fidélité au serment, déjà éloigné dans le temps, qu'il avait fait au cours d'une affreuse nuit blanche après avoir appris la décision arrêtée par Hitler d'exterminer tous les Juifs.

« J'en sauverai autant qu'il me sera possible », s'était alors juré Kersten.

Il obtint de Himmler que cinq mille Juifs des camps de concentration seraient compris dans le convoi libérateur de la Croix-Rouge suédoise.

Et cette victoire même ne suffit pas au docteur. Il voulut qu'elle fût confirmée par le Reichsführer *de vive voix et personnellement* à un délégué du Congrès Mondial Juif.

Kersten savait bien qu'il n'avait jamais osé tentative plus difficile. C'était affronter le maniaque sanguinaire et l'objet de sa manie. C'était prétendre surmonter chez Himmler la haine et le dégoût pathologiques pour les Juifs, la conscience d'avoir été le bourreau de leur race, sa terreur de Hitler.

Mais, dans l'incroyable jeu que le destin avait engagé cinq années auparavant, le maître, en cet instant, n'était plus le Reichsführer, le grand chef des S.S. et de la Gestapo, le ministre de l'Intérieur du IIIe Reich, et le souverain des camps de concentration et des V 2. C'était un étranger sans aucun pouvoir, un gros homme débonnaire : le docteur Félix Kersten.

Le 17 mars, pendant l'un de ses derniers traitements, le docteur demanda de la façon la plus naturelle à Himmler :

— Que diriez-vous si un délégué du Congrès Mondial Juif venait mettre complètement au point avec vous la libération des Juifs que vous m'avez promise ?

Himmler fit un bond sur sa couche et cria :

— Mais vous êtes fou, voyons ! Fou à lier ! Mais Hitler me ferait fusiller sur-le-champ ! Quoi ! Les Juifs sont nos ennemis mortels et vous voulez que moi, le second dans le Reich, je reçoive un de leurs représentants ?

Kersten secoua la tête.

— Ce n'est plus le moment, dit-il, pour l'Allemagne, ni pour vous, de compter qui sont les amis et qui sont les ennemis. Vous ne devez plus avoir qu'un seul souci : l'opinion du monde et de l'Histoire. Eh bien, si après tout ce qui a été fait en Allemagne contre les Juifs, vous recevez un de leurs représentants, l'opinion dira : « Il n'y a eu dans le IIIe Reich qu'un seul chef germanique vraiment courageux et vraiment intelligent : Heinrich Himmler. »

Déjà le Reichsführer n'était plus sûr de lui, hésitait. Il demanda :

— Vous le croyez vraiment ?

— J'en ai la certitude absolue, dit Kersten.

Et déjà Himmler acceptait la conviction du docteur pour sienne. Mais restait encore la crainte du Führer, du roi des fous.

— Comment, comment ferai-je pour que Hitler ne le sache pas ? s'écria Himmler.

Le docteur tapota doucement le ventre flasque et douloureux qu'il triturait :

— Je suis sûr que vous en trouverez le moyen, dit-il. Votre pouvoir est assez grand pour cela.

À la veille du départ de Kersten, la décision de Himmler était prise. Il dit au docteur :

— Prévenez le Congrès Mondial Juif que je recevrai son délégué. J'arrangerai tout pour que sa venue reste absolument secrète. Il aura un laissez-passer. Et je jure, sur mon honneur, qu'il ne sera pas touché à un seul de ses cheveux. À une condition : qu'il soit avec vous.

Il fut décidé que la rencontre se ferait à Hartzwalde et qu'elle aurait deux témoins : Brandt et Schellenberg.

Ainsi, cette fois encore, Kersten l'emportait.

Mais on peut se demander quel sentiment essentiel avait exigé de lui ce triomphe. Car, en vérité, le motif qu'il avait donné à Himmler ne suffit pas à expliquer cette volonté d'imposer une rencontre, une confrontation presque sacrilèges entre le représentant d'un peuple supplicié et le grand ouvrier de son supplice. N'y avait-il pas chez Kersten l'exigence obscure, inconsciente de se démontrer à lui-même jusqu'où était arrivé son pouvoir ? Et aussi et surtout de donner vie à ce mythe expiatoire : l'envoyé des victimes honoré par leur bourreau ?

Et Himmler ? Pourquoi allait-il à ce reniement complet, à cette abjecte humiliation ? L'opinion du monde civilisé ? Sa figure, sa stature, pour l'avenir ? Comment pouvait-il supposer qu'une rencontre si brève — et qui, au demeurant, devait rester dans un secret absolu — allait l'excuser au regard des nations et de l'Histoire ? Et ne serait-il pas plus vrai que, né pour l'obéissance la plus aveugle, hanté toute sa vie par le besoin éperdu, organique, d'être commandé, il lui a été nécessaire, quand, enfin, ses yeux se sont ouverts sur le désastre inéluctable et sur le gouffre où allait rouler bientôt son idole déchue, d'accepter, pour une soumission suprême, un autre maître ?

CHAPITRE XIII

Le juif Masur

1

Le 22 mars 1945, Kersten atterrissait à Stockholm. Il vit Gunther le soir même et lui résuma les engagements pris par Himmler : l'armée allemande capitulerait en Norvège ; les camps de concentration, sauvés du dynamitage, avaient pour ordre d'arborer le drapeau blanc à l'approche des Alliés.

Le ministre des Affaires étrangères fit répéter ces nouvelles à Kersten, avant d'y croire entièrement.

— Extraordinaire, murmura-t-il enfin.

— Ce n'est pas tout, dit le docteur. J'ai carte blanche pour amener un envoyé du Congrès Mondial Juif en Allemagne, afin qu'il y rencontre Himmler.

Christian Gunther était un homme de grand sang-froid et très mesuré dans ses mouvements. Mais, à ces paroles, il se dressa hors de son fauteuil.

— Est-ce que j'entends bien ? s'écria-t-il. Quoi ! Himmler va recevoir un Juif ? Et qui représente une organisation juive mondiale ? Allons donc ! C'est délirant, c'est absurde ! Je sais bien que vous êtes le Docteur Miracle, mais ça, même pour vous, c'est impossible.

— On verra bien, dit Kersten.

Le lendemain il eut une conférence avec Hillel Storch et lui annonça que cinq mille Juifs seraient bientôt libérés et que les camps où étaient détenus les autres ne seraient pas exterminés.

— Enfin, acheva Kersten en souriant, j'ai un message pour vous. Himmler vous invite à prendre le café.

Le visage de Storch, plein de gratitude jusque-là, devint d'un seul coup figé, presque hostile. Il dit :

— Je vous serais reconnaissant de ne pas plaisanter à ce sujet. Ce n'est pas le moment. L'affaire dont nous parlons est trop grave, trop douloureuse.

— Je vous assure que je n'ai jamais été plus sérieux, dit Kersten.

Il eut beaucoup de mal et il lui fallut beaucoup de temps pour convaincre Storch que ses paroles correspondaient à la vérité. Celui-ci n'y ajouta vraiment foi qu'après avoir suivi au téléphone plusieurs entretiens entre Kersten et Himmler. Alors seulement il se résolut à câbler à New York pour demander au Congrès Mondial Juif l'autorisation de se rendre auprès de Himmler.

— Si vous estimez devoir le faire, faites-le, lui fut-il répondu.

Au cours des journées qui suivirent, Kersten travailla beaucoup, tantôt avec Gunther, tantôt avec Storch, pour mettre au point les derniers détails que chacun d'eux voulait voir réglés par Himmler.

Enfin, dans la première semaine d'avril, Gunther dit à Kersten :

— J'ai à vous demander d'aller en Allemagne une fois encore. Nous avons de nouveau les plus graves difficultés avec Kaltenbrunner pour le convoi. Il serait utile aussi d'avoir des précisions définitives sur la capitulation de l'armée allemande en Norvège.

— Bien, dit Kersten. Et je profiterai de ce voyage pour emmener Storch.

Gunther fit des deux mains de grands signes de dénégation.

— Ça non, dit-il. Je ne peux pas y croire encore. Cela n'entre pas dans ma tête, tout simplement. Si vous y parvenez, eh bien, ce sera un prodige... je ne sais pas moi... un prodige sans nom.

Le 12 avril, une transmission de Hartzwalde informa Kersten que Himmler l'attendait avec Storch exactement dans une semaine, le 19 avril.

Hillel Storch accepta de partir à cette date. Mais, quelques heures avant le départ, il téléphona à Kersten, d'une voix déformée par le regret et le chagrin, qu'il était obligé de rester. On craignait pour sa vie en Allemagne : il avait déjà perdu dix-sept membres de sa famille dans les camps de concentration.

Mais Norbert Masur, citoyen suédois, de confession israélite et représentant du Congrès Juif, ajouta Storch, s'offrait à prendre sa place dans l'avion.

Kersten téléphona à Masur pour lui faire confirmer qu'il acceptait de courir le risque. Il répondit :

— Puisque cela peut servir le peuple juif, il faut bien que je prenne cette chance, j'imagine.

Kersten prévint immédiatement Himmler par téléphone qu'un autre délégué juif viendrait au lieu de Storch.

— Peu importe, dit le Reichsführer.

— Il n'a pas de visa pour l'Allemagne, dit Kersten.

— Ça ne fait rien, dit Himmler. J'avertirai mes services. Votre compagnon, quel qu'il soit, aura libre entrée. Mais surtout ne vous adressez pas à notre ambassade. Elle informerait aussitôt Ribbentrop.

Les deux hommes s'envolèrent le 19 avril sur l'un des derniers avions à porter la croix gammée. Ils étaient les seuls passagers.

Cela se conçoit. Dans les environs immédiats de Berlin, on entendait déjà gronder les canons russes. Au fond de l'abri souterrain aménagé sous la Chancellerie du IIIe Reich, Hitler, enragé, encagé, lançait des ordres délirants que lui dictaient le désespoir, la fureur et la démence.

Dans leur avion, à cause du bruit des moteurs et de la nature de leurs pensées, les deux voyageurs solitaires gardaient le silence.

Masur contemplait, par le hublot, la plaine d'Allemagne du Nord se dérouler sous ses yeux.

Kersten, selon son habitude, avait croisé ses mains sur son ventre et tenait ses paupières mi-closes. À travers leurs fentes, il observait le compagnon qu'il emmenait dans l'aventure la plus singulière et la plus dangereuse.

Masur était un homme jeune, grand, svelte, habillé avec soin. Il avait un beau visage, brun et mince, qui exprimait une intelligence très ferme, une énergie tenace et une parfaite maîtrise de soi-même.

« Il aura besoin de tout cela », pensait Kersten.

2

Vers six heures de l'après-midi, Masur et Kersten débarquèrent sur le terrain de Tempelhof, crépusculaire et vide. Il n'y avait personne pour les recevoir, sauf les policiers de service. Kersten leur montra son passeport. Masur garda le sien dans sa poche. On ne le lui demanda pas. Himmler avait tenu sa promesse.

Mais la voiture qu'il devait envoyer n'était pas là.

Kersten et Masur apprirent, par la suite, que le message envoyé de Stockholm pour annoncer l'heure exacte de leur arrivée avait eu du retard dans sa transmission. Mais, sur l'instant, ils furent livrés aux impatiences et aux inquiétudes d'une attente sans cause ni limite déterminées.

Soudain, dans la salle où ils se trouvaient, un haut-parleur grésilla. Puis une voix en jaillit que les deux hommes reconnurent tout de suite. C'était la voix de Gœbbels, le meilleur et le plus fanatique orateur du nazisme, le fidèle héraut de Hitler qui avait célébré toutes les dates capitales, tous les hauts faits, tous les fastes et tous les triomphes du Parti et du IIIe Reich.

Kersten et Masur se regardèrent. Pour que Gœbbels prît la parole, il devait s'agir d'une nouvelle très importante, d'une décision majeure.

« Réjouis-toi, peuple allemand, commença Gœbbels : demain 20 avril est l'anniversaire de ton Führer bien-aimé. »

À mesure que se développait le discours inspiré par ce thème, Kersten et Masur éprouvaient un sentiment croissant de stupeur incrédule.

Ce chant de gloire venait de la fosse bétonnée où se terrait Hitler aux abois et s'adressait à une nation affamée, bombardée, vaincue, désespérée… Rien n'était plus démentiel.

La voix de Gœbbels se tut enfin et, enfin, une voiture arriva pour Kersten et Masur. Elle était marquée aux insignes S.S. et appartenait au garage particulier de Himmler. Près de la voiture se tenait un secrétaire en uniforme, qui donna à Kersten deux sauf-conduits au cachet du Reichsführer et signés par Schellenberg et Brandt. Il y était spécifié que ces documents libéraient leurs porteurs de toute obligation de passeport et de visa.

Pour gagner Hartzwalde, il fallait traverser Berlin. La nuit était venue. Seule, une lune brillante éclairait la ville spectrale, écrasée par les bombardements.

Le chauffeur S.S. n'avait qu'une hâte : sortir de Berlin avant que ne commençât dans le ciel le terrible défilé qui massacrait chaque nuit la capitale avec une régularité d'horloge. Les escadres russes, américaines, anglaises venaient, vague après vague, méthodiquement, sans répit ni merci.

Mais, quelle que fût sa connaissance des lieux, le chauffeur qui conduisait Masur et Kersten ne pouvait aller très vite. Il avait à contourner des piles de décombres toutes fraîches qui bouchaient les avenues. Il lui fallait rouler avec des précautions extrêmes le long de passages étroits, couloirs ménagés par des chars d'assaut à travers les maisons effondrées.

Enfin, ils furent hors de la ville-piège. La grand-route s'ouvrit devant eux.

Mais, au bout d'une demi-heure, une patrouille arrêta la voiture, fit éteindre les phares. L'alerte aérienne avait été donnée. Le premier groupe de bombardiers passa. Le chauffeur S.S. écouta un instant le bruit des moteurs d'une oreille exercée.

— Soviets, dit-il.

Des projecteurs fouillaient le ciel. Ils prirent plusieurs appareils dans leurs faisceaux. Masur attendit avec curiosité le déclenchement des batteries contre avions. Pour lui, qui venait d'un pays épargné par la guerre, tout cela était nouveau, fascinant. Mais aucun canon ne tira.

— On les a tous pris pour le front, dit le chauffeur S.S.

L'horizon s'embrasa. Les bombes tombaient sur Berlin, ses faubourgs, les routes environnantes. La voiture s'engagea dans une forêt, s'y arrêta sous la protection des arbres.

Kersten et Masur ne furent à Hartzwalde que vers minuit. Le docteur remit à Elisabeth Lube les denrées introuvables en Allemagne qu'il avait apportées de Stockholm — thé, café, sucre, gâteaux — afin de recevoir aussi bien que possible les visiteurs qu'il attendait.

Schellenberg arriva en vêtements civils à deux heures du matin. Il était fatigué, déprimé, inquiet. La plus haute instance du parti nazi, en la personne de Bormann, exigeait de Himmler, avec une rigueur, une férocité sans cesse accrues, qu'il exécutât à la lettre les mesures de massacre et d'anéantissement que, de sa tanière souterraine, Hitler, voué déjà au suicide, prescrivait à ses fidèles d'accomplir. Bormann partageait la frénésie du Führer : il fallait que périssent, avec le national-socialisme, tous ses ennemis ou au moins ceux que, dans le dernier instant, le fer, la corde ou le feu pouvaient encore atteindre.

— J'ai peur, dit Schellenberg, que Himmler ne finisse par céder, ne revienne sur les promesses qu'il vous a faites. Bormann est l'homme qu'il redoute et jalouse le plus pour sa place privilégiée auprès de Hitler et pour l'amitié que ce dernier lui montre.

Kersten, en écoutant cela, éprouvait un sentiment d'irréalité : parmi les cendres et les ruines et alors que les minutes de leur pouvoir, et probablement de leur vie, étaient déjà comptées, les grands dignitaires du régime continuaient le jeu de leurs intrigues, ambitions, jalousies, rivalités, comme au temps où ils avaient été les maîtres de l'Europe et menacé de servage l'univers. Tous — Gœring, Gœbbels, Ribbentrop, Bormann, Himmler — ils poursuivaient autour du roi des fous leur ronde insensée. Mais ils pouvaient encore, dans cette ronde, faire périr des milliers de malheureux. Schellenberg, par son emploi, avait les moyens de suivre dans chacun de leurs pas et mouvements les protagonistes de la danse macabre. On devait prendre au sérieux ses inquiétudes. Le travail de Kersten auprès de Himmler n'était pas achevé. Le convoi de grâce n'avait toujours pas franchi la frontière allemande. Les camps de concentration pouvaient toujours sauter avec tous leurs captifs.

Le docteur et Schellenberg examinèrent un à un les éléments de la situation. Schellenberg dit enfin :

— L'essentiel est que vous ameniez Himmler à confirmer devant moi les promesses qu'il vous a faites. Alors, même si, après votre départ, il revient sur sa parole et donne les ordres d'extermination,

Brandt et moi, nous prendrons les mesures nécessaires pour que ces ordres ne soient pas transmis.

Le chef du contre-espionnage eut un sourire sans joie pour ajouter :

— L'état où sont nos communications sera une excuse suffisante.

À neuf heures du matin, Kersten présenta Schellenberg à Norbert Masur. Le délégué juif exposa au général S.S. ce qu'il désirait obtenir. Schellenberg lui promit de l'appuyer complètement auprès de Himmler. Il devait revenir avec lui à Hartzwalde dans la nuit. Le Reichsführer ne pouvait pas se libérer plus tôt.

— Il est retenu par l'anniversaire de Hitler et doit assister au charmant petit dîner de famille, ajouta Schellenberg avec sarcasme.

Il reprit la route de Berlin, laissant Kersten et Masur imaginer la célébration au fond de l'abri fatidique. Dernier rite insensé… Dernière messe noire.

3

Kersten s'étonnait du calme de Masur ou tout au moins de l'apparence parfaite qu'il en donnait. Il étudiait ses dossiers, prenait des notes, approfondissait les détails, préparait les arguments pour la discussion. Pourtant, il se trouvait dans un pays où sa qualité raciale était un crime capital, en pleine crise de débâcle, d'hystérie, de folie, où les instincts les plus sauvages étaient portés au paroxysme et où, Juif étranger introduit en fraude, il était à la merci d'un revirement, d'une peur, d'un caprice de Himmler.

Le docteur, lui, qui était garant et responsable de la vie de Masur, avait beaucoup de mal à contrôler ses nerfs. Il éprouvait dans tout son corps le besoin de sommeil, de repos, mais se sentait incapable de rester en place. Tantôt il parlait avec Masur, tantôt il allait prendre quelque nourriture, tantôt il regardait Elisabeth Lube achever les préparatifs de leur voyage.

Ils devaient partir pour Stockholm dès le lendemain, après l'entrevue avec Himmler. La vieille amie du docteur s'acquittait de sa tâche avec l'efficacité, la dignité, qui avaient défini toute son existence.

Elle savait pourtant, comme Kersten lui-même, que c'était son dernier labeur en ce lieu et qu'ils ne reverraient plus jamais le domaine enchanté.

La marée russe était sur le point d'envahir la maison, les prés, les champs, les bois de Hartzwalde et ne les rendrait pas. Cela, le docteur l'avait compris et accepté depuis longtemps.

La seule crainte qu'il éprouvait durant ce dernier séjour était qu'une percée imprévue des armées rouges ne le surprît dans sa propriété comme dans un piège mortel. Car il était né en Estonie, maintenant territoire de l'Union Soviétique. Il avait porté les armes contre elle, en 1919, comme officier finlandais. Enfin, il avait été officiellement le médecin de Himmler. Assurément, il avait pu sauver ainsi beaucoup de victimes. Mais, sauf quelques initiés très rares, qui donc le savait ?

Le docteur allait d'une pièce à l'autre, s'attardait devant un beau meuble ancien, un velours adouci par les siècles, une toile de vieux maître flamand. Toutes ces richesses étaient perdues pour lui sans retour. Il ne pourrait plus en réunir de semblables. Il approchait de la cinquantaine : le temps des grandes récoltes était passé.

Mais Kersten ne souffrait pas de cette certitude. Il n'avait qu'un souhait, il ne demandait qu'un présent à la vie : quitter définitivement l'asile de fous où il avait été enfermé depuis cinq ans, oublier les uniformes S.S., les sbires de la Gestapo, les crampes de Himmler, la syphilis de Hitler, les reflets, les échos des tortures, des supplices, des déportations, des exécutions et, ayant enfin achevé la tâche vers laquelle l'avait conduit un hasard stupéfiant, retrouver les journées et les nuits normales, paisibles, ordonnées, laborieuses, les seules pour lesquelles il était fait.

Oh ! si seulement Himmler était déjà venu et reparti. Et ensuite — le petit appartement de Stockholm avec Irmgard, les trois garçons, Elisabeth Lube… le paradis.

L'obscurité enveloppa Hartzwalde. Peu à peu, dehors, se fit le silence. Les bêtes dormaient à l'écurie, à l'étable et les volailles dans la bassecour. Les Témoins de Jéhovah s'étaient retirés dans les dépendances pour lire la Bible, prier, rêver aux fauteuils d'or où siègent les saints, près du Seigneur.

À l'intérieur de la maison, il n'y avait qu'Elisabeth Lube, Masur et Kersten. Les heures s'étiraient, interminables. Le docteur interrogeait sans cesse sa montre.

La fatigue, l'attente, la conscience de ses responsabilités avaient mis ses nerfs à vif. Pour un instant, il se laissa aller aux pires craintes. Himmler ne viendrait pas. Il avait changé de sentiment. Ou bien il avait été blessé, tué, par un de ces innombrables avions alliés qui, sans cesse, dans un carrousel infernal, mitraillaient toutes les routes, tous les carrefours. Ou bien Hitler lui avait confié une mission imprévue, urgente. Ou encore l'avait fait arrêter. Tout était concevable quand tout se décomposait.

Kersten regarda Elisabeth Lube. Il lui sembla surprendre dans l'expression de son visage un sentiment d'angoisse. Le docteur alla tisonner le feu qui crépitait dans la grande cheminée. Puis il s'obligea à ne penser à rien.

Des heures passèrent encore.

Enfin on entendit le bruit d'une automobile qui s'arrêtait devant le perron. Kersten courut dehors.

Himmler sortit de sa voiture, revêtu de son plus bel uniforme et couvert de décorations. Il arrivait directement du dîner donné pour l'anniversaire du Führer.

Brandt et Schellenberg l'accompagnaient. Ils avaient été retardés par les mouvements des troupes qui encombraient le chemin et arrêtés par les avions alliés qui, en rase-mottes, mitraillaient les colonnes et les convois. Plus d'une fois, le Reichsführer et ses compagnons avaient dû chercher refuge dans un fossé.

Kersten pria Schellenberg et Brandt de pénétrer dans sa demeure, mais il retint Himmler dehors. Il tenait à influer sur ses dispositions. À présent que la rencontre avec Masur était une question de secondes, le docteur éprouvait une inquiétude aiguë : quels seraient, devant le délégué des Juifs, les réflexes d'un homme qui, durant toute sa vie, n'avait montré pour eux qu'exécration et horreur et avait employé toute sa puissance à les exterminer ?

— Reichsführer, dit Kersten, je vous prie, en vous souhaitant la bienvenue sous mon toit, de considérer que M. Masur est également mon hôte. Mais ce n'est pas à ce titre surtout que je vous demande de vous montrer amical envers lui et généreux pour ses requêtes. Le monde entier a été indigné des traitements infligés par le IIIe Reich à ses prisonniers politiques. C'est la dernière chance que vous avez de montrer qu'il n'en est plus ainsi et que l'Allemagne est de nouveau capable d'humanité.

Dans la douce pénombre, au cœur d'un beau domaine, chaque inflexion de cette voix qu'il connaissait si bien apaisait et rassurait Himmler, après les hasards et les périls de la route.

— Soyez sans inquiétude, dit-il au docteur. Je viens ici pour enterrer la hache de guerre.

Kersten fit alors entrer Himmler dans la maison et le conduisit jusqu'à la pièce où, seul, attendait Masur. Le docteur fit les présentations. Il dit :

— Le Reichsführer Heinrich Himmler... M. Norbert Masur, délégué du Congrès Juif Mondial.

Les deux hommes s'inclinèrent légèrement.

— Bonjour, dit Himmler avec amabilité. Je suis content de votre venue.

— Je vous remercie, dit Masur d'un ton neutre.

Il y eut un silence. Mais il ne fut pas assez prolongé pour établir une gêne, une tension. Schellenberg et Brandt revinrent. Elisabeth Lube parut avec le thé, le café, les gâteaux que Kersten avait apportés de Suède. Elle installa tout sur la table. Les cinq hommes s'assirent.

La familiarité des gestes, l'insignifiance des propos, le tintement des ustensiles, tout banalisait, humanisait la scène. Kersten et Masur se trouvaient face à face. Masur buvait du thé, Himmler, du café. Il n'y avait entre eux que des petits pots de beurre, de miel, de confiture, des assiettes qui portaient des tranches de pain bis et des gâteaux.

Mais, en vérité, six millions d'ombres, six millions de squelettes séparaient les deux hommes. Masur n'en perdait pas le sentiment un instant, lui qui, par les organisations auxquelles il appartenait, avait connu et suivi pas à pas le martyre sans égal, sans précédent, des hommes, des femmes, des enfants juifs.

À Paris, à Bruxelles, à La Haye, à Oslo, à Copenhague, à Vienne, à Prague, à Budapest, à Sofia, à Belgrade et Varsovie et Bucarest et Athènes et Vilno et Reval et Riga et dans toutes les cités, tous les villages des pays où ces villes servaient de capitales, et puis en Russie blanche et en Ukraine et en Crimée — partout, de l'océan Polaire jusqu'à la mer Noire, s'étaient déroulées les mêmes étapes du supplice : étoile jaune, mise hors la loi commune, rafles atroces dans la nuit ou le jour levant, convois interminables où voyageaient ensemble les vivants et les cadavres, et les camps, la schlague, la faim, la torture, la chambre à gaz, le four crématoire.

Voilà ce que personnifiait et incarnait pour Masur l'homme assis en face de lui, de l'autre côté de la table aimablement garnie, l'homme chétif, aux yeux gris sombre protégés par des verres sur monture d'acier, aux pommettes mongoloïdes, l'homme en grand uniforme de général S.S. et constellé de décorations dont chacune représentait la récompense d'un crime.

Mais lui qui avait imposé impitoyablement le port de l'étoile, donné le signal des rafles, payé les délateurs, bourré les trains maudits, gouverné de haut tous les camps de mort, commandé à tous les tourmenteurs et à tous les bourreaux, lui, il était parfaitement à l'aise. Et même il avait bonne conscience.

Ayant bu son café, mangé quelques gâteaux, il essuya proprement ses lèvres avec un napperon et passa à la question juive sans embarras aucun.

Il y prit même du plaisir. Ce n'était pas sadisme chez lui. Il n'en avait point. Mais il pouvait assouvir de la sorte — et les occasions se faisaient de plus en plus rares — son besoin de faire un cours, de parler en paragraphes et alinéas bien ordonnés, sentencieux, — bref, son pédantisme.

Lourdement, dogmatiquement, il reprit devant Masur les enseignements que les nazis professaient depuis un quart de siècle. Certes, il n'usa pas de la violence et de la grossièreté dont Kersten l'avait entendu si souvent se servir. Himmler se conduisait à sa table en homme de bonne compagnie. Mais il n'oublia aucun des thèmes de l'antisémitisme le plus éculé.

Le discours dura longtemps. Souvent, tandis que Himmler parlait, de plus en plus satisfait de lui-même, Kersten jetait un regard inquiet sur Masur. Mais, chaque fois, il ne put qu'admirer le sang-froid de cet homme. Très calme, avec une sorte de patience méprisante, Masur écoutait.

Himmler en était venu aux Juifs d'Europe orientale.

— Ceux-là, dit-il, ont aidé contre nous les partisans et les mouvements de Résistance. Ils ont tiré sur nos troupes, de leur ghettos. En plus, ils sont porteurs d'épidémies comme le typhus. C'est pour contrôler ces épidémies que nous avons bâti les fours crématoires. Et, maintenant, on menace de nous pendre pour cela !

Une fois de plus, Kersten regarda Masur et prit peur. Les traits du délégué juif s'étaient contractés. Le docteur voulut intervenir. Mais Himmler, tout à sa leçon, poursuivait :

— Et les camps de concentration ! On devrait les appeler camps d'éducation. Grâce à eux, l'Allemagne a eu, en 1941, sa criminalité la plus basse. Bien sûr, les prisonniers doivent y travailler durement. Mais c'est ce que font tous les Allemands.

— Je vous demande pardon, dit brusquement Masur — son visage et sa voix montraient qu'il ne pouvait plus se contenir davantage — vous ne pouvez pas nier tout de même que, dans ces camps, on a commis des crimes contre les détenus.

— Oh ! je vous l'accorde : il y a eu parfois des excès, dit gracieusement Himmler, mais…

Kersten ne le laissa pas continuer. Il voyait, à l'expression de Masur, qu'il était temps de rompre ce débat inutile et qui prenait un tour dangereux. Il dit :

— Nous ne sommes pas ici pour discuter du passé. Notre véritable intérêt consiste à voir ce qui peut être sauvé encore.

— C'est juste, dit Masur au docteur.

Puis à Himmler :

— Ce qu'il faut, pour le moins, c'est que tous les Juifs qui restent encore en Allemagne soient garantis dans leur existence. Et ce qui serait mieux encore, c'est qu'ils soient tous libérés.

Un long débat s'engagea. Schellenberg et Brandt y prirent part. Mais pas tout le temps. Tantôt ils sortaient et tantôt revenaient, selon les concessions plus ou moins secrètes que Himmler entendait consentir. Une fois même, Masur dut quitter la pièce. Le Reichsführer ne voulait avoir que Kersten et Brandt pour confidents.

Dans ces entretiens de la dernière heure, il montrait une seule crainte : que Hitler fût averti. Et pourtant, inspiré, poussé par Schellenberg, il pensait, depuis plusieurs jours déjà, à s'emparer du pouvoir afin de signer une convention d'armistice avec les Alliés. Mais, indécis, tatillon et terrorisé par le maître qu'il trahissait dans son agonie, comme il l'avait été par lui au temps de sa toute-puissance, Himmler marchandait, trichait sur sa signature.

Il retirait des noms d'une liste libératrice, en disant à Brandt ou à Schellenberg :

— Ceux-là, vous les ajouterez vous-même.

Il accordait la sortie immédiate du camp de Ravensbrück à mille prisonnières israélites, mais il s'écriait :

— Surtout ne les faites pas inscrire comme Juives, mais comme Polonaises.

Enfin, sur les instances de Kersten qui voyait aboutir ses efforts et de Schellenberg qui devait partir avec Himmler vers l'une des suprêmes négociations fiévreuses, confuses et désespérées, pour essayer de mettre fin au pouvoir du dément dans son abri, le Reichsführer prit devant Masur les engagements que celui-ci était venu chercher au nom du Congrès Mondial Juif.

4

Il était près de six heures du matin, le 21 avril 1945. Le jour s'annonçait à peine. Kersten accompagna Himmler à son automobile. Une bise aigre et mouillée secouait les branches des arbres.

Les deux hommes ne parlaient pas. Ils savaient qu'ils se voyaient pour la dernière fois.

Ce fut seulement arrivé à sa voiture, dont le chauffeur S.S. tenait déjà la portière ouverte, que Himmler dit au docteur :

— Je ne sais combien de temps je vivrai encore. Quoi qu'il arrive, je vous en prie, ne pensez jamais de mal de moi. J'ai sans doute commis de grandes fautes. Mais Hitler a voulu que je suive le chemin de la dureté. Sans discipline, sans obéissance, rien n'est possible. Avec nous, disparaît la meilleure partie de l'Allemagne.

Himmler pénétra dans sa voiture, s'assit. Puis il prit la main du docteur, la serra fébrilement et acheva d'une voix étouffée :

— Kersten, je vous remercie pour tout... Ayez pitié de moi... Je pense à ma pauvre famille.

À la clarté du jour naissant, Kersten vit des larmes dans les yeux de l'homme qui avait ordonné sans hésiter plus d'exécutions et de massacres qu'aucun homme dans l'histoire et qui savait si bien s'attendrir sur lui-même.

La portière claqua. La voiture fondit dans l'obscurité.

5

Kersten demeura quelques instants immobile et pensif. Puis il se dirigea vers sa maison. Mais, parvenu au seuil, il s'en détourna. Le docteur avait besoin d'alléger, d'aérer les émotions dont la nuit écoulée avait chargé ses nerfs.

Il faisait clair maintenant et la brise de l'aube était tombée. Lentement, lourdement, Kersten s'en alla à travers son domaine, dans une promenade qui était un adieu.

Il regarda les grands bois centenaires qui s'étendaient sur des kilomètres, les champs, les vergers qu'avait soignés son père, le vieil agronome noueux. Il caressa le museau d'une vache, les naseaux d'un cheval, orgueil de sa femme, Irmgard. Il écouta caqueter la basse-cour à son réveil.

Enfin il marcha vers sa maison. Là étaient nés ses fils et il avait pensé que les fils de ses fils y naîtraient également. La maison, comme les terres et les arbres, déjà, ne lui appartenait plus.

À l'intérieur, dans la grande salle, il n'y avait personne. Elisabeth Lube, Masur et Brandt étaient allés se coucher. Seules, dans la haute cheminée, vivaient des flammes.

Kersten tira un bon vieux fauteuil devant le feu et s'assit. Là, dans un demi-songe, sa vie déroula ses images, devant ses yeux à moitié clos.

Il aperçut un jeune homme en uniforme de soldat finnois… un sous-lieutenant sur des béquilles… un étudiant en massage. Le docteur Kô… Le prince Henri des Pays-Bas… Auguste Diehn… Auguste Rosterg… Himmler enfin…

Et des pensées, comme en rêve, glissaient : « Dans cette maison, se disait Kersten, sans que je l'aie prévu, sans que je l'aie voulu, s'est écrit un fragment de l'histoire des hommes. Quoi qu'il arrive, je ne puis qu'être reconnaissant au sort d'avoir fait de mes mains la chance de tant de malheureux. »

Le docteur se leva lentement, lourdement. Enfin il pouvait dormir.

Puis il fit son dernier repas à Hartzwalde en compagnie d'Elisabeth Lube, de Masur et de Brandt. Ce dernier promit au docteur que toutes les promesses de Himmler seraient tenues par ses soins et que, une fois de plus, il ajouterait tous les noms qu'il pourrait sur les listes marquées au sceau du Reichsführer.

Le déjeuner achevé, Brandt[1] remit à Kersten un sauf-conduit pour lui, Elisabeth Lube et Masur.

Une voiture militaire aux insignes S.S. vint les chercher et les mena à Tempelhof. On y entendait nettement les canons russes.

1. Voir Appendice, note 9.

Quand l'avion eut décollé sous cet accompagnement et pris de l'altitude, Kersten se renversa sur son siège, ferma les yeux et, un instant, songea à l'avenir.

Toute sa fortune consistait en quatre cent cinquante couronnes suédoises. Il avait trois enfants à élever. La cinquantaine n'était pas loin. Mais il se sentait en paix avec le monde et lui-même. Et ses instruments de travail lui restaient : ses mains.

Travail qui, désormais, ne relevait plus de l'Histoire et de ses atrocités. Patient, bienfaisant, modeste. Tel qu'il l'avait toujours voulu et aimé.

L'empire des fous furieux, qu'il avait été amené à combattre peu à peu, et comme malgré lui, miracle après miracle, appartenait au passé.

Kersten soupira d'aise, appuya contre la courbe de son estomac ses doigts et ses paumes qui avaient été ses seules armes. Et ne fut plus qu'un gros homme qui dormait, les mains croisées sur le ventre.

Versailles 1959.

Appendice

NOTE 1

À Rome, Kerslen eut également pour malade le comte Ciano qui souffrait de maux d'estomac. Ils se lièrent d'amitié. Ciano voulait que Kersten devînt professeur en Italie, mais Kersten aimait trop la Hollande pour envisager de quitter ce pays.

Sans avoir à soigner Mussolini, il le rencontra plusieurs fois.

Il l'avait connu par Ciano. Ils s'entendirent très bien. Mussolini le reçut plus d'une fois à déjeuner, en tête à tête, tantôt dans son palais de la place de Venise, tantôt au restaurant. Leurs conversations se tenaient en allemand, que Mussolini parlait avec un très fort accent, mais couramment.

Il était très antiallemand. Moins que Ciano toutefois, qui l'était sans réserve, entièrement.

Mussolini trouvait les Allemands trop sérieux, trop durs, dépourvus de tout sens de la gaieté et de l'humour. Ils étaient restés les Barbares.

Quant à Ciano, il assurait que, avec les Allemands,

son sang se glaçait chaque minute davantage. Mussolini et Ciano se montraient très enthousiastes, par contre, des Finlandais.

Et même au moment de l'alliance russo-allemande, du pacte Hitler-Staline, dont il fut indigné, Mussolini promit à Kersten qu'il interviendrait auprès des Russes en faveur de la Finlande. Kersten ne croit pas que Mussolini ait tenu parole, mais qu'il était sincère sur le moment. Il promettait en effet beaucoup, mais oubliait très vite ses promesses.

NOTE 2

Le prince Henri des Pays-Bas, que les soins de Kersten avaient rendu à la santé, fut un des premiers invités. Il vint chasser en 1931 à Hartzwalde.

NOTE 3

Le titre de « Medizinälrat » est le plus haut que puisse obtenir un médecin en Finlande. Il doit être donné par le Président de la République et ratifié par l'Assemblée législative. Il n'a été accordé que quatre fois dans l'histoire de la Finlande.

Kersten avait été nommé Medizinälrat pour les services exceptionnels qu'il avait rendus à son pays en 1939 et en 1940 pendant la guerre avec la Russie.

NOTE 4

Kersten n'eut plus affaire à Heydrich.

Les préparatifs pour l'assaut qui était sur le point de se déclencher contre la Russie, puis les premières exigences de cette guerre décisive prirent tous les instants du grand chef de la Gestapo.

Au mois de septembre 1941, il devint Gauleiter de la Bohême. Et, le 9 juin 1942, il fut tué à Prague par les patriotes tchèques.

Kaltenbrunner le remplaça à la tête de la Gestapo.

La mort de Heydrich fut un coup très dur pour Himmler. Il alla jusqu'à dire à Kersten : « Perdre Heydrich est plus désastreux que de perdre une bataille. » Il ajouta que les qualités éxceptionnelles de Heydrich le rendaient impossible à remplacer.

Il y avait quelque chose chez Heydrich à quoi Himmler attachait une valeur singulière et qu'il révéla à Kersten seulement après que le grand chef de la Gestapo eut été abattu. Cet homme qui, physiquement, était le prototype du « Nordique », de l'« Aryen pur », avait du sang juif.

— Je l'ai appris quand il n'était encore que chef de la police de Bavière, dit Himmler au docteur. J'en ai fait part aussitôt au Führer. Il a mandé Heydrich, lui a parlé longuement et a conçu de lui une opinion très favorable. Et il a décidé : les dons exceptionnels de Heydrich doivent être utilisés à fond, d'autant plus que ses origines non aryennes nous garantissent de sa part un zèle et un dévouement aveugles.

« Le Führer avait prévu, ajouta Himmler, qu'il pouvait demander à Heydrich — même contre les Juifs — des besognes que personne d'autre n'eût acceptées et qu'il les exécuterait à la perfection. »

NOTE 5

Ce voyage, Himmler l'avait fait pour obtenir du gouvernement finlandais qu'il livrât aux Allemands toute la population juive de Finlande que Hitler voulait exterminer.

En collaboration avec les ministres finnois et grâce au mauvais état de Himmler, Kersten réussit à gagner du temps. Finalement, la monstrueuse exigence ne fut jamais satisfaite.

NOTE 6

Kersten ne tenait pas davantage aux honneurs que voulait lui décerner Himmler. Il déployait toute son ingéniosité pour s'en défendre.

Un jour, Himmler offrit très sérieusement à Kersten de faire de lui un général dans les Waffen S.S. Cela faciliterait les voyages du docteur au front où le docteur était seul en civil. Kersten le remercia aussi sérieusement que Himmler avait fait la proposition. Et il ajouta sans sourire :

— Je crois qu'il vaut mieux que je reste habillé comme je suis. Quand le peuple affamé verra un général S.S. aussi gros que moi, cela rejaillira sur tous les S.S. Ce sera une mauvaise réclame pour eux. Attendons la paix.

Une autre fois, lorsque Himmler se trouva en Finlande avec Kersten, il voulut lui donner une très haute décoration : la cravate du Ritter Kreulz (Croix de Chevalier) pour mérites de guerre.

— Je vous remercie infiniment, dit Kersten, mais c'est la guerre. Pourquoi perdre du temps à des histoires honorifiques ? De plus, je suis déjà Commandeur de la Rose Blanche finlandaise et mes compatriotes pourraient être vexés que j'accepte une décoration inférieure à celle-ci. Attendons un peu.

La troisième proposition fut la plus difficile à refuser. Himmler, cette fois-là, voulait donner à Kersten le titre de professeur allemand de Médecine sur un parchemin signé par Hitler lui-même. Kersten s'en tira en disant :

— Cela me rendrait vraiment très heureux et très fier. Mais en faisant cela, nous offenserions la Finlande. N'oubliez pas que j'y ai le titre de Medizinälrat. C'est un titre supérieur à celui de Professeur. Pour l'égaler, vous devriez me donner le grade de Super-Professeur.

— Mais ce titre n'existe pas chez nous, dit Himmler.

— Alors, tant pis, dit Kersten. Laissons les choses telles qu'elles sont.

NOTE 7

Berger était après Himmler le personnage le plus important dans l'organisation des Waffen S.S. Sa voiture personnelle portait le n° 2. Celle de Kaltenbrunner seulement le n° 3. Kersten n'eut qu'à se louer de la loyauté de Berger, mais ce fut en 1944, au sujet des représailles ordonnées contre les prisonniers de guerre, que le docteur conçut la plus vive admiration pour lui.

Les avions alliés faisaient des dégâts de plus en plus grands par leur mitraillage au sol. Pour se venger de ces dévastations, Hitler, à la fin de l'année 1944, ordonna de faire exécuter cinq mille officiers anglais et américains détenus dans les camps de prisonniers de guerre.

Ce fut naturellement Himmler qui transmit à Berger l'ordre de ce massacre.

La scène se passait le 7 décembre 1944, au Q.G. de la Forêt-Noire. Kersten y assistait.

— Choisissez cinq mille officiers anglais et américains dans les camps, dit Himmler au général, conduisez-les à Berlin et faites-les tuer en représailles.

— Pour rien au monde, répliqua Berger sans hésiter un instant. Je suis un soldat et non un assassin.

— C'est un ordre du Führer, dit Himmler.

— Alors, exécutez-le vous-même, dit Berger. Moi, je refuse. Ce n'est pas un métier de soldat.

— Mais c'est un ordre de Hitler ! Du Führer !

— Alors, qu'il l'exécute lui-même, dit Berger.

— Vous vous rendez compte que vous refusez d'obéir à un ordre du Führer ! cria Himmler, hystériquement. Je vous enverrai devant un Conseil de Guerre.

— Ça m'est égal, dit Berger. Vous pouvez me faire tuer, je ne deviendrai pas un assassin. Et aussi longtemps que je serai commandant des camps de prisonniers, on ne touchera pas à la vie d'un seul d'entre eux.

— Alors, vous abandonnez Hitler ?

— Non, je lui sauve la face, cria Berger.

Et il quitta la pièce.

Himmler dit à Kersten avec une rage impuissante qui faisait trembler sa voix :

— Maintenant, je ne peux rien faire contre lui. J'ai trop besoin de ses services. Mais après la guerre, il n'échappera pas à la cour martiale.

Plus tard, dans la journée, Berger dit à Kersten :

— En cas de coup dur, j'ai assez de canons contre Himmler. Tous les Waffen S.S. sont pour moi.

Au procès de Nuremberg, Berger fut condamné à vingt-cinq ans de prison. Mais son attitude générale pendant la guerre et surtout son refus qui empêcha le meurtre de cinq mille officiers alliés (Kersten avait chaudement témoigné pour lui) lui valurent d'être libéré après cinq ans.

Il dirige maintenant une fabrique de tringles à rideaux.

NOTE 8

Parmi les autres traits singuliers de Himmler, il y avait une timidité presque maladive.

Dans les grandes réceptions, il évitait les rassemblements et faisait toujours le tour des groupes. Quand il faisait venir au rapport des généraux très importants, il les laissait attendre trois et quatre jours, avec le calcul que cette attente les abaisserait, les démoraliserait. Quand enfin il les recevait, il leur parlait avec un débit ininterrompu et saccadé de mitrailleuse, sans leur laisser placer un mot. Souvent, ils partaient sans avoir eu le temps de donner l'avis pour lequel ils avaient été convoqués.

Après chacune de ces entrevues, Himmler disait à Kersten :

— Grâce à Dieu, je ne les verrai pas d'ici deux mois.

Il était à l'aise seulement derrière son bureau. Il faisait uniquement la guerre avec des papiers. Et, dans son pédantisme, il était fier d'écrire un allemand très correct, très cultivé.

À ce propos, se place un épisode caractéristique :

C'était à Hochwald, le Q.G. de Himmler en Prusse-Orientale, en 1942. Brandt entra dans le bureau de Himmler avec un rapport très important envoyé par un très haut général de la Gestapo, d'un rang équivalant à celui de Rauter.

— Excusez-moi de vous déranger, Reichsführer, dit Brandt, mais c'est un nouveau document qui vient d'arriver, et capital. Il y faut une décision urgente.

Himmler s'excusa auprès de Kersten d'avoir à interrompre son traitement, et prit le rapport.

Il se mit à le lire et Kersten l'entendit murmurer, puis gronder, puis s'écrier :

— Donnerwetter ! Incroyable ! Impossible ! Monstrueux !

Les feuillets du rapport frémissaient entre les doigts de Himmler. Kersten s'attendait à apprendre des nouvelles d'une importance considérable. Soudain, Himmler abattit son poing avec fracas sur la table.

— Imaginez-vous une chose pareille, Docteur ! Il y a vingt fautes d'orthographe pour le moins dans ce rapport.

Himmler prit un crayon bleu et barra le document d'un bout à l'autre. Puis il le tendit à Brandt :

— Renvoyez ce rapport. Je le lirai quand il sera correct.

Cela signifiait au moins une semaine de délai.

NOTE 9

La délégation de signature faite par Himmler à Brandt comptait parmi les attributions régulières de ce dernier. Elle devait être d'une importance fatale pour lui au cours de son procès.

Himmler ayant échappé par le suicide à la justice des Alliés, Brandt fut tenu pour responsable de toutes les mesures monstrueuses qu'il avait rédigées, transmises et souvent paraphées sur l'ordre du Reichsführer.

Kersten fit tout ce qui lui était possible pour défendre Brandt. Il témoigna devant les commissions d'enquête de l'aide constante et capitale que Brandt lui avait donnée pour sauver tant de vies. Il alla jusqu'à écrire au président Truman. Ces efforts restèrent inutiles. Rudolph Brandt fut pendu.

Chronologie sommaire

30-1-1933	Arrivée de Hitler au pouvoir.
30-6-1934	Hitler fait assassiner Rœhm, grand chef des S.A., par Himmler et les S.S.
13-3-1938	Annexion de l'Autriche.
29-9-1938	À Munich, les chefs du gouvernement anglais et du gouvernement français, Chamberlain et Daladier, abandonnent à Hitler une partie de la Tchécoslovaquie.
15-3-1939	Annexion complète de la Tchécoslovaquie.
1-9-1939	Hitler attaque la Pologne.
3-9-1939	L'Angleterre et la France déclarent la guerre à l'Allemagne.
10-5-1940	Invasion de la Belgique et de la Hollande.
22-6-1940	Défaite de la France. Le maréchal Pétain signe l'armistice.
6-4-1941	Invasion de la Yougoslavie.
22-6-1941	Hitler attaque la Russie.

11-12-1941	Les États-Unis entrent en guerre contre l'Allemagne.
Août 1942	Les armées de Hitler arrivent jusqu'à Stalingrad.
8-11-1942	Les Alliés débarquent en Afrique du Nord.
31-1-1943	Capitulation allemande à Stalingrad.
10-7-1943	Les Alliés débarquent en Sicile.
6-6-1944	Débarquement allié en Normandie.
29-4-1945	Hitler se suicide.
23-5-1945	Himmler se suicide.

DU MÊME AUTEUR

Aux Éditions Gallimard

LA STEPPE ROUGE, 1922 (Folio n° 2696)

L'ÉQUIPAGE, 1923 (Folio n° 864)

MARY DE CORK, 1925

LES CAPTIFS, 1926 (Folio n° 2377)

LES CŒURS PURS, 1927 (Folio n° 1905)

LA RÈGLE DE L'HOMME, 1928 (Folio n° 2092)

BELLE DE JOUR, 1928 (Folio n° 125)

DAMES DE CALIFORNIE, 1929 (Folio n° 2836)

VENT DE SABLE, 1929 (Folio n° 3004)

NUITS DE PRINCES, 1930

WAGON-LIT, 1932 (Folio n° 1952)

LES ENFANTS DE LA CHANCE, 1934 (Folio n° 1158)

STAVISKY. L'HOMME QUE J'AI CONNU, 1934. Nouvelle édition augmentée en 1974 d'UN HISTORIQUE DE L'AFFAIRE par Raymond Thévenin.

LE REPOS DE L'ÉQUIPAGE, 1935

HOLLYWOOD, VILLE MIRAGE, 1936

LA PASSANTE DU SANS-SOUCI, 1936 (Folio n° 1489)

LA ROSE DE JAVA, 1937 (Folio n° 174)

MERMOZ, 1938 (Folio n° 232)

LA FONTAINE MÉDICIS (Le tour du malheur, I), 1950

L'AFFAIRE BERNAN (Le tour du malheur, II), 1950

LES LAURIERS ROSES (Le tour du malheur, III), 1950

L'HOMME DE PLÂTRE (Le tour du malheur, IV), 1950

AU GRAND SOCCO, 1952 (L'Imaginaire n° 603)

LA PISTE FAUVE, 1954

LA VALLÉE DES RUBIS, 1955 (Folio n° 2560)

HONG-KONG ET MACAO, 1957. Nouvelle édition en 1975 (Folio n° 5246)

LE LION, 1958 (Folio n° 808, Folioplus classiques n° 30 et Classico collège n° 38)

AVEC LES ALCOOLIQUES ANONYMES, 1960

LES MAINS DU MIRACLE, 1960 (Folio n°5569)

LE BATAILLON DU CIEL, 1961 (Folio n° 642)

DISCOURS DE RECEPTION À L'ACADÉMIE FRANÇAISE ET RÉPONSE DE M. ANDRÉ CHAMSON, 1964

LES CAVALIERS, 1967 (Folio n° 1373)

DES HOMMES, 1972

LE TOUR DU MALHEUR, 1974. Nouvelle édition en 1998

TOME I : La Fontaine Médicis — L'Affaire Bernan (Folio n° 3062)

TOME II : Les Lauriers roses — L'Homme de plâtre (Folio n° 3063)

LES TEMPS SAUVAGES, 1975 (Folio n° 1072)

MÉMOIRES D'UN COMMISSAIRE DU PEUPLE, 1992

CONTES, 2001. Première édition collective (Folio n° 3562)

MAKHNO ET SA JUIVE, 2002. Texte extrait du recueil *Les cœurs purs* (Folio 2 € n° 3626)

UNE BALLE PERDUE, 2009 (Folio 2 € n° 4917)

REPORTAGES, ROMANS, 2010 (Quarto)

Aux Éditions de La Table Ronde

AMI, ENTENDS-TU..., 2006 (Folio n° 4822)

COLLECTION FOLIO

Dernières parutions

6110. Sénèque	*De la constance du sage*
6111. Mary Wollstonecraft	*Défense des droits des femmes*
6112. Chimamanda Ngozi Adichie	*Americanah*
6113. Chimamanda Ngozi Adichie	*L'hibiscus pourpre*
6114. Alessandro Baricco	*Trois fois dès l'aube*
6115. Jérôme Garcin	*Le voyant*
6116. Charles Haquet – Bernard Lalanne	*Procès du grille-pain et autres objets qui nous tapent sur les nerfs*
6117. Marie-Laure Hubert Nasser	*La carapace de la tortue*
6118. Kazuo Ishiguro	*Le géant enfoui*
6119. Jacques Lusseyran	*Et la lumière fut*
6120. Jacques Lusseyran	*Le monde commence aujourd'hui*
6121. Gilles Martin-Chauffier	*La femme qui dit non*
6122. Charles Pépin	*La joie*
6123. Jean Rolin	*Les événements*
6124. Patti Smith	*Glaneurs de rêves*
6125. Jules Michelet	*La Sorcière*
6126. Thérèse d'Avila	*Le Château intérieur*
6127. Nathalie Azoulai	*Les manifestations*
6128. Rick Bass	*Toute la terre qui nous possède*
6129. William Fiennes	*Les oies des neiges*
6130. Dan O'Brien	*Wild Idea*
6131. François Suchel	*Sous les ailes de l'hippocampe. Canton-Paris à vélo*

6132. Christelle Dabos — *Les fiancés de l'hiver. La Passe-miroir, Livre 1*
6133. Annie Ernaux — *Regarde les lumières mon amour*
6134. Isabelle Autissier – Erik Orsenna — *Passer par le Nord. La nouvelle route maritime*
6135. David Foenkinos — *Charlotte*
6136. Yasmina Reza — *Une désolation*
6137. Yasmina Reza — *Le dieu du carnage*
6138. Yasmina Reza — *Nulle part*
6139. Larry Tremblay — *L'orangeraie*
6140. Honoré de Balzac — *Eugénie Grandet*
6141. Dôgen — *La Voie du zen. Corps et esprit*
6142. Confucius — *Les Entretiens*
6143. Omar Khayyâm — *Vivre te soit bonheur ! Cent un quatrains de libre pensée*
6144. Marc Aurèle — *Pensées. Livres VII-XII*
6145. Blaise Pascal — *L'homme est un roseau pensant. Pensées (liasses I-XV)*
6146. Emmanuelle Bayamack-Tam — *Je viens*
6147. Alma Brami — *J'aurais dû apporter des fleurs*
6148. William Burroughs — *Junky* (à paraître)
6149. Marcel Conche — *Épicure en Corrèze*
6150. Hubert Haddad — *Théorie de la vilaine petite fille*
6151. Paula Jacques — *Au moins il ne pleut pas*
6152. László Krasznahorkai — *La mélancolie de la résistance*
6153. Étienne de Montety — *La route du salut*
6154. Christopher Moore — *Sacré Bleu*
6155. Pierre Péju — *Enfance obscure*
6156. Grégoire Polet — *Barcelona !*
6157. Herman Raucher — *Un été 42*
6158. Zeruya Shalev — *Ce qui reste de nos vies*

6159. Collectif	*Les mots pour le dire. Jeux littéraires*
6160. Théophile Gautier	*La Mille et Deuxième Nuit*
6161. Roald Dahl	*À moi la vengeance S.A.R.L.*
6162. Scholastique Mukasonga	*La vache du roi Musinga*
6163. Mark Twain	*À quoi rêvent les garçons*
6164. Anonyme	*Les Quinze Joies du mariage*
6165. Elena Ferrante	*Les jours de mon abandon*
6166. Nathacha Appanah	*En attendant demain*
6167. Antoine Bello	*Les producteurs*
6168. Szilárd Borbély	*La miséricorde des cœurs*
6169. Emmanuel Carrère	*Le Royaume*
6170. François-Henri Désérable	*Évariste*
6171. Benoît Duteurtre	*L'ordinateur du paradis*
6172. Hans Fallada	*Du bonheur d'être morphinomane*
6173. Frederika Amalia Finkelstein	*L'oubli*
6174. Fabrice Humbert	*Éden Utopie*
6175. Ludmila Oulitskaïa	*Le chapiteau vert*
6176. Alexandre Postel	*L'ascendant*
6177. Sylvain Prudhomme	*Les grands*
6178. Oscar Wilde	*Le Pêcheur et son Âme*
6179. Nathacha Appanah	*Petit éloge des fantômes*
6180. Arthur Conan Doyle	*La maison vide* précédé du *Dernier problème*
6181. Sylvain Tesson	*Le téléphérique*
6182. Léon Tolstoï	*Le cheval* suivi d'*Albert*
6183. Voisenon	*Le sultan Misapouf et la princesse Grisemine*
6184. Stefan Zweig	*Était-ce lui ?* précédé d'*Un homme qu'on n'oublie pas*
6185. Bertrand Belin	*Requin*
6186. Eleanor Catton	*Les Luminaires*
6187. Alain Finkielkraut	*La seule exactitude*
6188. Timothée de Fombelle	*Vango, I. Entre ciel et terre*

6189. Iegor Gran	*La revanche de Kevin*
6190. Angela Huth	*Mentir n'est pas trahir*
6191. Gilles Leroy	*Le monde selon Billy Boy*
6192. Kenzaburô Ôé	*Une affaire personnelle*
6193. Kenzaburô Ôé	*M/T et l'histoire des merveilles de la forêt*
6194. Arto Paasilinna	*Moi, Surunen, libérateur des peuples opprimés*
6195. Jean-Christophe Rufin	*Check-point*
6196. Jocelyne Saucier	*Les héritiers de la mine*
6197. Jack London	*Martin Eden*
6198. Alain	*Du bonheur et de l'ennui*
6199. Anonyme	*Le chemin de la vie et de la mort*
6200. Cioran	*Ébauches de vertige*
6201. Épictète	*De la liberté*
6202. Gandhi	*En guise d'autobiographie*
6203. Ugo Bienvenu	*Sukkwan Island*
6204. Moynot – Némirovski	*Suite française*
6205. Honoré de Balzac	*La Femme de trente ans*
6206. Charles Dickens	*Histoires de fantômes*
6207. Erri De Luca	*La parole contraire*
6208. Hans Magnus Enzensberger	*Essai sur les hommes de la terreur*
6209. Alain Badiou – Marcel Gauchet	*Que faire ?*
6210. Collectif	*Paris sera toujours une fête*
6211. André Malraux	*Malraux face aux jeunes*
6212. Saul Bellow	*Les aventures d'Augie March*
6213. Régis Debray	*Un candide à sa fenêtre. Dégagements II*
6214. Jean-Michel Delacomptée	*La grandeur. Saint-Simon*
6215. Sébastien de Courtois	*Sur les fleuves de Babylone, nous pleurions. Le crépuscule des chrétiens d'Orient*

6216. Alexandre Duval-Stalla — *André Malraux - Charles de Gaulle : une histoire, deux légendes*
6217. David Foenkinos — *Charlotte*, avec des gouaches de Charlotte Salomon
6218. Yannick Haenel — *Je cherche l'Italie*
6219. André Malraux — *Lettres choisies 1920-1976*
6220. François Morel — *Meuh !*
6221. Anne Wiazemsky — *Un an après*
6222. Israël Joshua Singer — *De fer et d'acier*
6223. François Garde — *La baleine dans tous ses états*
6224. Tahar Ben Jelloun — *Giacometti, la rue d'un seul*
6225. Augusto Cruz — *Londres après minuit*
6226. Philippe Le Guillou — *Les années insulaires*
6227. Bilal Tanweer — *Le monde n'a pas de fin*
6228. Madame de Sévigné — *Lettres choisies*
6229. Anne Berest — *Recherche femme parfaite*
6230. Christophe Boltanski — *La cache*
6231. Teresa Cremisi — *La Triomphante*
6232. Elena Ferrante — *Le nouveau nom. L'amie prodigieuse, II*
6233. Carole Fives — *C'est dimanche et je n'y suis pour rien*
6234. Shilpi Somaya Gowda — *Un fils en or*
6235. Joseph Kessel — *Le coup de grâce*
6236. Javier Marías — *Comme les amours*
6237. Javier Marías — *Dans le dos noir du temps*
6238. Hisham Matar — *Anatomie d'une disparition*
6239. Yasmina Reza — *Hammerklavier*
6240. Yasmina Reza — *« Art »*
6241. Anton Tchékhov — *Les méfaits du tabac* et autres pièces en un acte
6242. Marcel Proust — *Journées de lecture*
6243. Franz Kafka — *Le Verdict – À la colonie pénitentiaire*
6244. Virginia Woolf — *Nuit et jour*

6245. Joseph Conrad *L'associé*
6246. Jules Barbey d'Aurevilly *La Vengeance d'une femme* précédé du *Dessous de cartes d'une partie de whist*
6247. Victor Hugo *Le Dernier Jour d'un Condamné*
6248. Victor Hugo *Claude Gueux*
6249. Victor Hugo *Bug-Jargal*
6250. Victor Hugo *Mangeront-ils ?*
6251. Victor Hugo *Les Misérables. Une anthologie*
6252. Victor Hugo *Notre-Dame de Paris. Une anthologie*
6253. Éric Metzger *La nuit des trente*
6254. Nathalie Azoulai *Titus n'aimait pas Bérénice*
6255. Pierre Bergounioux *Catherine*
6256. Pierre Bergounioux *La bête faramineuse*
6257. Italo Calvino *Marcovaldo*
6258. Arnaud Cathrine *Pas exactement l'amour*
6259. Thomas Clerc *Intérieur*
6260. Didier Daeninckx *Caché dans la maison des fous*
6261. Stefan Hertmans *Guerre et Térébenthine*
6262. Alain Jaubert *Palettes*
6263. Jean-Paul Kauffmann *Outre-Terre*
6264. Jérôme Leroy *Jugan*
6265. Michèle Lesbre *Chemins*
6266. Raduan Nassar *Un verre de colère*
6267. Jón Kalman Stefánsson *D'ailleurs, les poissons n'ont pas de pieds*
6268. Voltaire *Lettres choisies*
6269. Saint Augustin *La Création du monde et le Temps*
6270. Machiavel *Ceux qui désirent acquérir la grâce d'un prince...*
6271. Ovide *Les remèdes à l'amour* suivi de *Les Produits de beauté pour le visage de la femme*

Composition Nord Compo
Impression Novoprint
à Barcelone, le 13 juin 2017
Dépôt légal : juin 2017
1er dépôt légal dans la collection : mars 2013

ISBN 978-2-07-030645-9./Imprimé en Espagne.